《《《《《《**화두**
또는 호기심

이 도서의 국립중앙도서관 출판시도서목록(CIP)은 e-CIP 홈페이지
(http://www.nl.go.kr/ecip)에서 이용하실 수 있습니다.
(CIP 제어번호 : CIP2015004645)

화두 또는 호기심
시읽기와 시쓰기 1

2005년 2월 28일 초판 1쇄 발행
2015년 2월 13일 증보판 1쇄 인쇄
2015년 2월 25일 증보판 1쇄 발행

지은이 | 이은봉
펴낸이 | 孫貞順
펴낸곳 | 도서출판 작가
         (120-866)서울 서대문구 북아현로 22나길 13-8
         전화 | 02)365-8111~2 팩스 | 02)365-8110
         이메일 | morebook@morebook.co.kr
         홈페이지 | www.morebook.co.kr
         등록번호 | 제13-630호(2000. 2. 9.)

편집 | 권영임 손희 이정은
디자인 | 오경은
영업 | 손원대
관리 | 이용승

ISBN 978-89-94815-52-7 03810

* 잘못된 책은 구입하신 서점에서 바꾸어 드립니다.

값 15,000원

<<<<<<화두
또는 호기심

이은봉 詩論集

시 읽기와 시 쓰기 1 _ 증보판

작가

글을 쓴다는 것은 무엇인가. 아마도 그것은 글을 쓰는 이가 자기 자신을 향해 끊임없이 되묻는 이런저런 질문들에 대한 암중모색의 답변들을 문자 언어로 기록하는 것이리라. 물론 자기 자신을 향해 되묻는 이런저런 질문들과 그에 관한 답변들의 기초를 이루는 것은 일종의 지적 호기심이라고 해야 마땅하다. 지적 호기심이 없이, 그리고 그것을 충족시키는 즐거움이 없이 지속적으로 글을 쓰기란 쉽지 않다. 자유의지의 산물이 분명하다면 어떤 형태의 것이든 글을 쓴다는 것은 글을 쓰는 이의 지적 호기심에서 비롯될 수밖에 없다.

지적 호기심은 앎에의 욕구를 가리킨다. 앎에의 욕구는 흔히 화두話頭의 하나로 존재하기 마련이다. 이때의 화두는 점수漸修의 형태로 자잘한 '깨달음'을 낳기도 하고, 돈오頓悟의 형태로 경천동지驚天動地할 '깨침'을 낳기도 한다. 이때의 깨달음이나 깨침은 당연히 질서 있는 언어로 구체화될 때 보편성을 지닐 수 있고, 독자 일반과 공유될 수 있다.

그렇다고 하여 이 책에 실려 있는 글들이 모두 돈오의 형태로 획득되는 경천동지할 깨침의 결과를 담고 있다는 것은 아니다. 끊임없이 인식을 증진시켜 가는 가운데 도달하게 되는, 그러니까 점수의 형태로 도달하게 되는 자잘한 깨달음의 결과가 이 책의 주요내용을 이루고 있기 때문이다. 말은 거창하게 했지만 구체적인 글로 써지는 과정에 이르게 되면 그것은 항용 영감이나 아이디어로 존재하는 경우가 보통이다.

물론 이러한 나의 주장에는 지극히 사적이고 주관적인 생각이 담겨 있다. 따라서 시를 쓰는 일도 아닌데 웬 영감 타령, 아이디어 타령이냐는 비판을 받기 쉽다. 그렇다. 시가 아닌 논리적이고 이성적인 글의 경우 영감이

나 아이디어를 바탕으로 하여 써지는 예는 흔치 않다. 나의 주장에 문제가 없지 않은 것은 무엇보다 이에서 기인한다. 이러한 점을 십분 인정한다고 하더라도 시 밖의 모든 글이 다 개념적인 논리의 과정을 통해 써지는 것은 아니다. 시가 아닌 논리적이고 이성적인 글도 영감이나 아이디어가 토대가 되면 훨씬 더 감칠맛 나는 글이 될 수 있기 때문이다.

이러한 내 생각을 특별히 이상하게 받아들일 필요는 없다. 글을 쓰는 이가 사람살이 일반에 대해 지속적으로 지적 호기심이나 화두를 갖게 될 때 좀 더 좋은 글을 쓰라는 것에 지나지 않기 때문이다. 여기서 말하는 지적 호기심이나 화두라는 것도 실제로는 오늘의 역사와 사회, 그리고 자연에 대해 끊임없이 문제의식을 갖는 것 이상을 뜻하지 않는다. 그것은 역사적 현재로서 나날의 일상에 궁극적인 진실이 없다는 것을 잘 알면서도 끈질기게 궁극적인 진실이 무엇인가를 되묻는 일과 다르지 않다. 이 책의 제목이 '화두 또는 호기심'이라는 것을 십분 고려해주기 바란다.

제목만 보더라도 이 책에 실려 있는 글들이 다분히 주관적이고 사적이라는 것을 잘 알 수 있다. 이른바 에세이 류의 글들이 이 책의 대종을 이루고 있다는 점에서도 이는 충분히 확인이 된다. 모두 제4부로 나누어 편집되었거니와 특히 제1부의 내용들이 좀 더 주관적이고 사적이라고 생각된다. 제2부의 내용들은 일종의 자작시 해설이라고 할 수 있는데, 긴 시간을 두고 이곳저곳에서 청탁을 받아 쓴 글들이라 크게 일관성이 있어 보이지는 않는다. 제3부의 글들은 그동안 읽은 몇몇 시와 시집에 관한 지혜의 편린들을 담고 있다. 이 또한 오랜 기간을 두고 청탁을 받아 쓴 글들이라 명확한 체계를 지니고 있다고 할 수는 없다. 제4부의 글들에 좀 더 심혈을 기울였지만 이 역시 여러모로 미진해 보여 얼마간은 마음이 편치 않다.

좋은 책들이 산더미처럼 쌓여 있는 오늘의 출판계에 또 한 권의 책을 보태는 일이 얼마나 무의미한 짓인가를 어찌 내가 모르랴. 그러한 사실을 너무도 잘 알면서도 뻔뻔하게 간행해내는 것이 이 책이다. 따라서 책으로 출간하는 마음이 다소 복잡하고 착잡한 것은 사실이다. 이 책만큼은 무의미하기 때문에 오히려 유의미할 수 있다고 주장하고 싶은 것도 바로 그 때문이다. 하지만 허무를 뚫고 나오지 못한 지적 작업이 무엇을 이룰 수 있겠는가.

이 책은 지적 호기심이 많은, 그리하여 이것저것 캐묻기를 좋아하는 한 서생書生이 저 스스로 시에 대해 묻고 대답해온 이런저런 내용들로 채워져 있다. 부족한 점이 많기는 하지만 그동안 절차탁마切磋琢磨해온 노력과 정성만큼은 따뜻하게 받아주었으면 좋겠다. 과도한 욕심일지도 모르지만 이 책에 담겨 있는 시에 관한 자잘한 소식들이 독자 여러분들에게도 괄목상대刮目相對할 수 있는 귀중한 자료로 기능할 수 있게 되기를 바란다.

2005년 1월

광주시 남구 진월동 공중무덤에서
이은봉

『화두 또는 호기심』이라는 이름으로 이 시론집의 초판을 간행한 지도 벌써 10년이 되었다. 다행히 이 책의 초판이 별로 남아 있지 않아 증보판을 간행하게 되어 다소간 감격이 없지 않다. 조금은 쑥스럽기는 하지만 이 자리를 빌려 나 자신을 향해 감사와 축하의 박수를 보낸다.

본래 이 책 『화두 또는 호기심』은 이제 막 시를 쓰기 시작한 사람들이 본격적인 시창작의 길로 들어서는 데 다소라도 흥미를 주기 위해 만들어졌다. 지난 10년 동안 이 책으로 하여 이러한 내 의도가 조금이라도 실현되었기를 빈다.

그러한 뜻에서 만들어진 만큼 앞으로도 이 책으로 하여 사람들이 시를 읽고 쓰는데 도움이 되기를 바란다. 엄선한 몇몇 글을 첨가해 책의 면모를 일신하려고 한 것도 사람들이 시를 읽고 쓰는 데 좀 더 도움을 주기 위해서이다. 제목에 '시읽기와 시쓰기'라는 말을 덧붙인 것도 실제로는 그러한 이유에서이다.

이 책에는 무엇보다 시인으로서의 나의 고뇌와 슬픔, 절망과 우울 등이 가감 없이 들어 있다. 무슨 거창한 기획이나 의도를 갖고 있지 않은 것이 이 책이라는 것이다. 어찌 보면 이 책은 시인으로서 내 은근한 속살 따위를 보여주는데 초점이 있는지도 모른다. 이 책과 관련해 벌거벗고 서 있는 듯한 느낌이 없지 않은 것도 바로 이 때문이다. 많이 부끄럽기는 하지만 오래 감추어 왔던 비밀을 털어놓는 듯한 기쁨도 없지 않다.

증보판인 이 책에 덧붙인 글들도 그때그때 청탁을 받아쓴 것들이어서 전체적인 일관성을 갖고 있지는 못하다. 그러나 이 책의 글들이 시에 대한 내 순정하고 진정한 마음을 담고 있는 것은 분명하다.

강조하거니와, 이 책으로 하여 사람들이 시를 읽고 쓰는 데 조금이라도 도움이 되기를 바란다.

2015년 1월
이은봉

〈〈〈〈〈 제1부 : 시, 문학, 문화

인간의 생존현실과 문학의 물신화

기초적인 질문 하나를 해보자. 문학은 정신인가, 물질인가. 새삼스러운 얘기이지만 문학을 가리켜 물질이라고 대답할 사람은 거의 없다. 상식적으로 보더라도 누구든 문학을 정신이라고 대답할 것이 뻔하다. 의식의 한 형태를 가리켜 정신이라고 하면 문학이 정신이라는 것은 너무도 당연한 일이다. 주체의 인지영역에서 작용하는 의식의 한 형태를 심미적인 언어로 드러내는 것이 다름 아닌 문학이기 때문이다.

하지만 문학이 정신이라고 단정하기까지에는 이밖에도 적잖은 논리의 과정이 필요하다. 이와 관련해 먼저 따져 보아야 할 것은 문학의 질료가 이미지라는 사실이다. 바쉴라르의 견해에 따르지 않더라도 이미지는 그 자체로 하나의 물질이다. 이미지의 최소형태, 근원형태가 물, 불, 공기, 흙이라는 점을 생각하면 이러한 지적은 더욱 분명하다. 예의 이미지들로 구성되는 것이 문학이라는 점을 고려하면 문학이 물질의 영역으로 분류되는 일은 충분히 있을 수 있는 일이다.

물론 이러한 분류는 문학 안에 수용되는 이미지를 제대로 이해하지 못하는 데서 오는 오류임에 분명하다. 잘 알다시피 문학 안에 수용되는 이미지는 외적이고 객관적인 사물 그 자체로서의 이미지가 아니다. 문학 안에 수용되는 이미지는 주체의 인지영역 안에서 상상되고 연상된 정신의 결과로서 외적이고 객관적인 사물을 표상하는 언어일 수밖에 없기 때문이다. 말하자면 언어 외적인 사물로서의 이미지가 아니라 언어 내적인 상상으로서의 이미지가 문학 안에 수용되는 실제의 이미지라는 얘기이다.

따라서 이미지가 물질이라는 근거를 바탕으로 곧바로 문학을 물질이라고 대답할 수는 없다. 물질을 표상하는 것이 이미지라고는 하더라도 문학 안에서의 이미지는 이미 주체의 인지영역 안에서 정신화된 것이라는 점을 잊어서는 안 된다. 이러한 논리를 통해서도 알 수 있듯이 주체의 인지영역 안에서 작용하는 의식의 구체적인 형태인 문학에서의 이미지가 정신의 한 형태인 것은 확실하다.

문학이 정신의 한 형태, 즉 의식의 한 형태라는 것은 매우 중요하다. 기본적으로 문학이 물질과 아주 멀리 떨어져 있다는 것을 뜻하기 때문이다. 그럼에도 불구하고 대부분의 문학 담당자들은 이 사실을 잘 알지 못하고 있다. 물론 지금의 이 시대, 곧 자본주의적 근대의 안에서는 문학이 상품의 하나일 수도 있고, 문학이라는 상품을 팔아 엄청나게 많은 재화, 곧 물질을 습득할 수도 있다. 작가나 시인 중에 아주 극소수는 그러한 체험으로 적잖은 재화를 축적한 경우도 없지는 않다.

하지만 이러한 사실만으로, 다시 말해 문학이 상품의 하나로 팔릴 수 있다는 사실만으로 곧바로 문학을 가리켜 재화, 곧 물질이라고 하기는 어렵다. 때로는 감각이나 본능에 호소하더라도 기본적으로 문학이 정신의 산물, 다시 말해 의식의 산물인 것만은 명확하다. 물론 여기서 문학이 지니고 있는 이러한 점을 강조하는 데는 따로 이유가 있다. 이른바 자본주의적 근대의 후기에 이르러, 다시 말해 세상의 모든 것이 재화로 치환되는 시대에 이르러 아직도 정작의 삶의 진실은 그것이 아니라고 외치고 주장하는 것이 문학이기 때문이다.

문학, 특히 근대문학이 반근대적이고 반자본적이라는 지적은 어제오늘의 일이 아니다. 새삼스러운 얘기이지만 정작의 문학, 곧 근대문학은 근대를 비판하는 과정에, 나아가 자본과 물질을 비판하는 과정에 자신의 위상을 정립해온 것이 사실이다. 여기서 자신의 위상을 정립해왔다는 말은 문학이 물질이 아니라 정신으로서 저 자신의 고유한 역할과 가치를 세워왔다는 것을 뜻한다. 이러한 지적은 문학의 경우, 특히 시의 경우 상품으로서의 물질 밖에 저 자신의 고유한 영역과 의미를 세워왔다는 말이 되기도 한다.

그럼에도 불구하고 현금現今에 이르러 우리 문학은 지금까지 저 자신이 세워온 고유의 영역을 상실한 채 크게 방황하고 있다. 방황을 하게 된 근거는 말할 것도 없이 저 자신이 만들어온 고유의 영역, 곧 반근대, 반자본의 영역을 저 스스로 허물고 있기 때문이다. 이러한 지적은 결국 문학이 정신이기를 포기하고 물질이고자 한다는 뜻이 된다. 문학이 그 자체로 물질이 될 수 없다는 것은 지금까지의 논의를 보더라도 너무나 뻔하지 않은가.

형편이 이러한 데도 최근의 많은 문학 담당자들은 문학을 통해 정신이 아니라 물질을 세우려고 하고 있다. 문학을 통해 물질을 세우려고 하다 보면 부지불식간에 물질을 정신화할 수밖에 없게 된다. 물질이 정신으로 전화轉化되면 물질은 어쩔 수 없이 우상의 지위를 갖게 된다. 정신화된 물질, 나아가 우상의 지위를 갖게 된 물질, 흔히 이를 특화하여 물신이라고 한다.

자본주의적 근대사회는 본래 물신이 횡행하는 삶의 공간이다. 이를 비판하고, 이에 반대하여 바른 정신, 다시 말해 진실이라는 정신을 추구하는 것이 문학이다. 하지만 문학이 이러한 내용을 갖고 있다고 주장하는 것 자체가 벌써 옛일이 되어버렸는지도 모른다. 문학의 담당자들조차 어느새 속물화되어 노골적으로 물질의 노예가 되어가고 있기 때문이다.

문학이, 나아가 시와 예술이 인간의 정신을 담당하는 주체로서의 우위
優位와 품위品位를 회복할 날은 언제인가. 평생을 문학에, 나아가 시와 예
술에 바쳐온 나로서는 오늘의 그것들이 처해 있는 형편을 생각할 때마다
우울하기만 할 따름이다.(2007)

삶의 개혁과 문학의 혁신을 위하여

벌써 봄이 오는 소리가 들린다. 먼 산의 잔설들이 녹고 있다. 지난겨울 동안 얼어붙은 우리들 마음도 녹고 있다. 올해 봄은 지자체의 새로운 대표들을 뽑는 계절이라는 점에서 벌써부터 사람들의 마음을 분주하게 한다. 이와 관련하여 신문과 방송 등 언론에서는 개혁과 혁신의 목소리를 높이고 있다. 정작 혁신되고 개혁되어야 할 대상이 무엇인지는 모르지만 이들 언론이 목소리를 높이고 있는 것만은 경청하지 않을 수 없다.

시를 읽고 쓰는 사람들에게도 개혁되고 혁신되어야 할 일차적인 대상은 오늘의 현실이다. 오늘의 현실을 좀 더 나은 현실로, 좀 더 성숙한 현실로 만들기 위해서 그동안 대한민국이 기울여온 노력은 이루 다 말할 수 없을 정도이다. 어쩌면 1948년 정부수립 이후 하루도 쉬지 않고 저 자신을 개혁하고 혁신하기 위해 최선을 다해온 것이 대한민국인지도 모른다.

그럼에도 부구하고 국민들 가운데 대한민국의 오늘의 현실에 완벽하게 만족하는 사람은 극히 드물다. 좀 더 맑은 세상, 좀 더 투명한 사회와 역사를 만들기 위해서는, 그리하여 국민들 모두 평화롭고 행복한 삶을 살기 위해서는 앞으로도 개혁하고 혁신해야 할 일들이 수없이 많다고 해야 옳다. 오죽하면 대통령까지 직접 나서 개혁과 혁신만이 대한민국의 미래를 보장하는 첩경이라고 호소를 하겠는가.

이처럼 시를 읽고 쓰는 사람들에게도 개혁하고 혁신해야 할 일차적인 대상은 오늘의 현실이다. 그렇다고는 하더라도 시가 직접 오늘의 현실에 개혁과 혁신의 칼날을 들이대기는 쉽지 않다. 단지 시는 언어를 매개로 하여 오늘의 현실과 관련해 이런저런 발언을 할 따름이다. 여기서 말하는 이런저런 발언 역시 개혁과 혁신을 요구하는 것과 무관하지 않다는 것은 불문가지이다. 과거의 시는 과거의 삶과 정신을 반영할 뿐이고, 어제의 시는 어제의 현실과 의식에 대해 발언할 뿐이다. 따라서 오늘의 시는 오늘의 삶과 정신을 반영해야 마땅하고, 내일의 시는 내일의 현실과 의식에 대해 발언해야 마땅하다.

물론 여기서 말하는 반영과 발언이라는 말에는 개혁과 혁신에 대한 우리의 요구가 포함되어 있다. 하지만 개혁과 혁신의 대상에는 삶과 정신, 현실과 의식만 포함되는 것이 아니다. 언어 또한 개혁과 혁신의 대상이 되어야 마땅하기 때문이다. 시의 질료가 언어라는 점에서 생각하면 정작 개혁되고 혁신되어야 할 대상은 시 자체라고 해야 할는지도 모른다. 시 자체는 개혁하고 혁신하지 못하면서 삶과 정신, 현실과 의식에게만 개혁과 혁신을 요구하는 것은 너무도 염치없는 일이다. 시 자체가 개혁되고 혁신되어야 한다는 것은 시의 형식과 내용이 끊임없이 새로워져야 한다는 것을 뜻한다. 끊임없이 새로워지지 않고 대한민국의 문화 안에 한글을 매개로 한 재부를 쌓기는 매우 힘들다.

이렇게 말하고는 있지만 그동안 나와 내 시가 자기갱신을 위해 끊임없이 첨단에 서 왔다고 단언하기는 곤란하다. 낡지 않으려고 지속적으로 문제를 제기해온 것은 사실이지만 명실 공히 첨단에 서 왔다고 주장하기는 어렵다는 것이다. 아직은 내가 나와 내 시의 개혁 및 혁신을 위해 최선의 열정을 다 하고 있기는 하지만 말이다.(2006)

문학 ; 자유를 먹고사는 생명나무

　문학은 본래 자유를 먹고사는 생명의 나무이다. 무언가 억압을 가하는 것이 있기 때문에 자유는 비로소 제 의미를 갖는다. 억압은 정치적 형태로만 존재하는 것이 아니다. 모든 관계들로부터 비롯되는 것이 억압이다. 가족과의 관계에서도, 친구와의 관계에서도, 직장과의 관계에서도, 정부와의 관계에서도, 국가와의 관계에서도 억압은 존재한다. 이러저러한 억압에 대한 도전과 비판의 가운데에 자리하는 것이 자유이다.

　문학에서의 자유는 일단 '상상력의 자유'에 기초한다. 얼핏 생각하면 인간의 상상력은 어떠한 억압으로부터도 자유로운 것처럼 보인다. 흔히 상상력과 관련하여 '무한히 자유로운'이라는 수식修飾을 사용하지 않는가. 마음속으로는 무엇인들 못 하겠느냐는 것이다. 하지만 인간의 상상력이라는 것도 자기 시대의 사회적 금기 안에 위치하는 것이 보통이다.

　물론 사회적 금기는 외적인 모습을 하고 나타나기도 하고, 내적인 모습을 하고 나타나기도 한다. 실정법이라는 굴레를 쓰고 드러나기도 하고, 도덕적 윤리라는 굴레를 쓰고 나타나기도 하는 것이 사회적 금기이다. 일반적으로 사회적 금기는 인간의 무분별한 욕망을 규제하기 위한 대의의 탈을 쓰고 있다. 하지만 실제로는 당대 사회의 기득권을 유지하기 위한 방법적 장치로 응용되고 있는 경우가 적잖다.

따라서 정작 중요한 것은 이 사회적 금기에 대한 실사구시적 안목이라고 하지 않을 수 없다. 그것이 오늘의 삶에서 진리를 위해 봉사하고 있는가, 허위를 위해 봉사하고 있는가를 면밀하게 따져볼 필요가 있다는 뜻이다. 허위에 불과하다면 마땅히 그 금기의 울타리를 헐어버려야 하리라. 그럴 때 비로소 인간이 자유로워질 수 있기 때문이다.

과학적 인식방법인 '이해력'으로도 사회적 금기의 진위 여부를 밝힐 수는 있다. 하지만 그것으로는 대중들의 손에 진리나 진실을 쉽게 나누어 줄 수 없다. 과학적 인식방법에 의해 밝혀진 진리나 진실은 소수의 전문가들이나 향유할 수 있는 것일 따름이다. 그에 비해 문학적 인식방법인 상상력에 의해 밝혀진 진리는 기본적으로 대중적이다. 많은 사람들에 의해 동시에 향유될 수 있고, 단숨에 사회적 금기의 울타리를 무너뜨릴 수 있기 때문이다. 문학의 본질로서 '자유'라는 것이 기본적으로 불온할 수밖에 없는 까닭이 바로 여기에 있다. 물론 사회적 금기의 진위에 대한 접근은 그것이 문학적 상상력에 기반하든, 과학적 이해력에 기반하든 아무렇게나 저절로 이루어지는 것은 아니다. 예외적 개인의 아주 특별한 용기가 필요하기 때문이다.

오늘의 현실에서는 민주주의를 구체화하는 것으로서 진리나 진실의 실천을 누구도 사회적 금기로 억압하지 못한다. 하지만 그것이 지금처럼 공인되기까지 얼마나 많은 사람들이 섶을 지고 불구덩이에 뛰어들었는가를 잊어서는 안 된다. 얼마 전에 취임한 김대중 대통령이 현대사의 과정에 겪은 고통의 무게를 생각해 보라. 오늘의 평화적 정권교체가 그동안 민주주의를 실현하기 위해 온몸으로 산화해간 수많은 사람들이 쌓아올린 무덤 위에서 이루어졌다는 사실을 깊이 자각할 필요가 있다.

민주주의를 실천하기 위한 투쟁에 온몸으로 참여해온 것은 문학인들 또한 예외가 아니다. 이번 3·1절 기념 특사로 그동안 투옥되어 있던 소설가 황석영·김하기, 시인 박노해·박영희·진관이 밝은 세상으로 나오게 될 것으로 보인다. 이들 중에는 경제의 자유를 위해 싸우다가 투옥된 사람도 있고, 통일의 자유를 위해 싸우다가 투옥된 사람도 있다. 이들은 모두 상상력이라는 가상의 공간 안에서조차 자유를 억압하는 공권력이라는 사회적 금기와 과감하게 싸우다 급기야 스스로 감옥으로 걸어 들어간 사람들이다. 물론 이들의 투쟁은 문학 안에서 이루어진 경우보다는 문학 밖에서 이루어진 경우가 더 많다. 하지만 문학이 본래 창작자의 체험을 토대로 할 수밖에 없다면 이들의 투쟁 또한 취재과정에 일어난 일종의 자유의 이행이라고 할 수 있다.

　이들의 출옥으로 하여 허위로서의 사회적 금기, 즉 거짓된 제도와 인습의 울타리가 모두 해체된 것은 아니다. 문학적 실천으로서의 자유를 완강하게 거부하는 것들이 아직도 삶의 도처에서 눈을 부릅뜬 채 소설적, 시적 상상력의 접근을 기다리고 있다. 그렇다. 자유를 실천하기 위해 싸우다가 갇혀 있는 양심수로서의 문학인이 많다는 것은 문학 자체의 입장에서 보면 결코 부끄러운 일이 아니다.(1998)

좋은 시 ; 성聖과 속俗을 잇는 외줄타기

시를 쓰고 시를 가르치는 일이 이제는 내게 어김없이 하나의 업으로 되어 있다. 나 개인의 생으로 보면 이보다 더 나은 업은 어디에도 없으리라. 지금의 이 업은 소년 시절 이래의 내 오랜 꿈이기도 하다.

그럼에도 불구하고 나는 시를 쓰고, 읽고, 고르고, 가르치는 일을 업으로 하고 있는 지금까지도 시가 무엇인지 잘 모르겠다. 무엇 때문에 시를 쓰고, 읽고, 고르고, 가르치고, 또 하루도 빼놓지 않고 시에 골몰하며 살고 있는가.

오늘도 나는 언제나처럼 시에 둘러싸여 살고 있다. 생각해 보면 그래서 오히려 시가 더 잘 안 보이는지도 모르겠다. 시의 일부인 내게, 시에 함몰되어 시와 더불어 살고 있는 내게, 시가 객관적으로 다가올 리 없기 때문이다. 아마도 이는 내가 나 자신을 잘 모르는 것과 같은 이치이리라.

하지만 할 말이 전혀 없지는 않다. 할 말이라는 것이 비록 비객관적이고, 또한 매우 초보적이고, 기초적인 것이라고 하더라도 말이다.

왜 시를 쓰는가. 말할 것도 없이 그것은 내가 깨닫는 삶의 진실을 드러기 위해서이다. 물론 시를 쓰는 것이 단순히 진실 그 자체를 드러내기 위한 것만은 아니다. 진실에 이르러, 진실과 더불어, 진실로 살기 위해서는 시를 쓰지 않을 수 없다는 것이 내 생각이다.

진실에 대한 열정이 없이는 제대로 된 시를 쓰기 어렵다. 새삼스런 얘기지만 시에의 열정은 진실에의 열정에 다름 아니다. 열정, 그 열정이 갖는 깊이와 넓이에 대해서는 말하고 싶지 않다. 진실 자체에 대해서도 마찬가지이다.

다만 한 가지, 열정은 몸던짐이다. 유식한 말로 '실존적 기투'라고 해도 좋다. 자신의 생을 통째로 내던지지 못할 때 진실은 언제나 저만큼 산언덕에서 매화꽃더미로 웃고 있을 따름이다.

물론 시를 가리켜 생 그 자체라고 할 수는 없다. 시가 하루하루의 생을 가능케 하는 주요 양식인 밥이나 반찬은 아니다. 시는 궁여지책으로, 악전고투로 영위하는 생을 위한 아름다운 장식품, 좀 더 구체적으로 말하면 밥그릇이거나 반찬그릇일 따름이다.

찌그러진 통조림 깡통에 밥이나 반찬을 담아 먹을 수도 있다. 그렇게 식사를 한다고 하여 그 사람이 당장 죽는 것은 아니다. 하지만 그것은 잘 빚은 도자기 그릇에 담긴 밥이나 반찬을 여러 사람들과 함께 나누어 먹는 것에 비해 삶의 품위가 떨어지는 것은 사실이다. 품위 있는 삶을 원하는 것은 모든 사람의 본질적 특징이라고 해도 과언이 아니다.

진실에의 열정으로, 시에의 열정으로 산다고 하여 세상을 더 오래 사는 것은 아니다. 시와 더불어 시로 산다고 하여 더 많이 먹고 더 많이 싸며 사는 것도 아니다. 오히려 그 반대라고 해야 옳다. 튀어나온 광대뼈, 형형한 눈빛만으로도 충분히 행복한 것이 시인이다. 그렇게 진실에 이르러, 진실과 더불어, 진실로 사는 삶이 좀 더 풍족하고, 좀 더 여유 있고, 좀 더 한가하고, 좀 더 넉넉한 것은 사실이다. 물론 이때의 풍족과, 여유와, 한가함과, 넉넉함이 물질적인 데서 기인하지 않는다는 것은 불문가지이다.

제대로 된 시, 좋은 시, 옳은 시는 너와 나의, 우리 모두의 삶에 부여하는 교양이며, 품위이며, 깊이며. 매력이다. 그것이야말로 삶을 의미 있게 하고 가치 있게 한다.

그러나 선험적으로 주어지는 진실로는 이러한 시에 이를 수 없다. 진실은 삶 속에 진주알처럼 숨어 있고, 반짝이고 있고, 우리가 온몸으로 깨닫기를, 발견해주기를 기다리고 있다. 깨닫고 발견하는 진리와 함께 할 때 시는 활동하는 생명을 얻는다. 좋은 시가 항상 구체적이고도 생생한, 그리고 빛나는 육체의 모습을 하고 있는 까닭이 바로 여기에 있다.

삶 속에 알알이 박혀 있는 진실을 껴안고 있는 좋은 시는 고통으로 지쳐 있는 사람의 눈으로만, 마침내 너무도 담담해진 사람의 눈으로만 들어온다. 마음의 깊은 곳에서 우러나오는 무욕의 가난만이, 그러한 사람의 눈만이 진실이라는 보석이 박혀 있는 시를 나날의 삶에서 캐낼 수 있다. 세속의 일상과 함께 허우적대면서도 끊임없이 성스러운 진리의 세계를 꿈꾸는 자만이 좋은 시를 얻을 수 있다. 좋은 시는 항상 성聖과 속俗의 사이에서 외줄을 타며 아슬아슬한 곡예를 하기 마련이다.

자기 자신을 오래도록 깊이 있게 갈고 닦지 않은 사람이 어떻게 옳은 시를, 바른 시를, 제대로 된 시를 쓸 수 있겠는가. 시를 쓰는 사람 모두 절차탁마대기만성切磋琢磨大器晩成할 수 있을 따름이다.(1996)

시인 ; 천상에서 유배받은 자

— 습작자들을 위하여

보들레르는 시인을 날개만 커다란 알바트로소라는 새에 비유한 적이 있다. 항해 중인 배의 갑판에 내리면 이리저리 뒤뚱대다가 선원들에게 잡혀 놀림감이 되기 일쑤인 새가 알바트로소이다. 지상에서는 이처럼 덜렁거리며 모자란 듯 살고 있지만 천상에서는 마음껏 긴 날개를 펴고 자유를 누리며 고귀하게 살아가는 존재가 알바트로소이다. 몸은 지상에서 이리저리 휘청거리며 바보처럼 살고 있지만 마음은 천상에서 빛나는 상상의 날개를 펴고 환희의 날들을 살고 있는 존재가 시인이다. 몸은 지상에 뿌리를 내리고 있지만 마음은 언제나 천상을 향해 머리칼을 휘날리고 있는 미루나무 같은 존재라고나 할까. 어쩌다 그만 천상에서 지상으로 유배받은 자가 시인인 셈이다.

천상에서 유배받은 자가 시를 쓰는 사람이라면 당연히 그는 모든 관계에서 상대를 깊이 아끼고 존경해야 하리라. 전생에서는 너나없이 신선들이거나 선녀들이었을 것이기 때문이다. 신선들과 선녀들이 어찌 서로에게 함부로 대할 수 있겠는가. 어찌 서로를 폄하하고 핍박할 수 있겠는가.

이처럼 시를 쓰는 사람은 모두 지상에서 천상을 사는 사람들이다. 따라서 시를 쓰는 사람이라면 마땅히 정성을 다해 관계하는 모든 대상을 충만한 인격과 품위로 섬겨야 하리라.

세상에는 수많은 나무꾼이 있다. 하지만 신선이나 선녀는 적다. 산 속 연못가를 소요하는 신선을 만나면 대부분의 나무꾼들이 연못에 돌도끼를 빠트리고도 금도끼를 빠트렸다고 한다. 산 속 연못가에서 목욕하는 선녀를 만나면 태반의 나무꾼들은 벗어놓은 옷가지를 감추고 몸을 섞자고 졸라댄다. 연못에 빠트린 나무꾼의 돌도끼 대신 기꺼이 금도끼를 건져 주는 존재가 신선이다. 벗어놓은 옷가지를 감춘 나무꾼과 더불어 기꺼이 살림을 차리는 존재가 선녀이다. 물론 신선과 선녀는 자신이 신선과 선녀라는 사실을 잊지 않는다. 그리고 그것을 드러내놓고 자랑하지도 않는다.

시를 쓰는 사람은 늘 열려진 눈으로 세상을 보아야 한다. 시를 공부하는 사람도 마찬가지이다. 시에 대한 공부 역시 열려 있는 눈으로 섬세하면서도 구체적으로, 세세하면서도 실질적으로 진행되어야 한다. 대강대강 얼렁뚱땅해 얻을 수 있는 것이 어디에 있으랴. 시에 대한 공부 또한 최선을 다하는 사람에게만 일정한 소득이 있기 마련이다. 무엇보다 즐겁고 흥겨운 마음으로 하루하루의 삶이 지니고 있는 인격과 품위를 배려할 수 있어야 한다.

사람살이의 어디에나 시는 있다. 세상에 널려 있는 것이 시이다. 힘이 닿는 대로, 부지런히, 마음껏, 실컷, 질리도록 시를 퍼 갈 수 있어야 한다. 하지만 시는 달라고 보채는 사람에게만 저 자신을 내준다. 일찍이 예수님도 "두드려라, 그러면 열릴 것이다"라고 말한 바 있다. 두드려야 문을 열어주는 것은 시도 마찬가지이다. 두드리지 않는 자에게 시의 문은 열리지 않는다. 오늘도 시는 이미 제 가슴을 활짝 연 채 우리 모두를 기다리고 있다.(2002)

시 ; 자유, 비애, 사랑, 그리고 기타

나는 누구인가. 사람인가, 짐승인가. 사람이면서도 짐승인가. 짐승이면서도 사람인가. 나는 무엇인가. 정신인가, 물질인가. 정신이면서도 물질인가. 물질이면서도 정신인가.

나는 있는가, 없는가. 있으면서도 없는가. 없으면서도 있는가. 공空인가, 색色인가. 공空이면서 색色이고, 색色이면서 공空인가. 나는 하나인가, 둘인가. 하나이면서 둘이고, 둘이면서 하나인가.

어린 시절 나는 어느 일 하나 잘 하는 것이 없었다. 사랑도, 싸움도, 공부도, 술 마시는 일도……. 하지만 딱 하나, 시 쓰는 일만은 잘 했다, 아니 잘 할 수 있을 것 같았다. 아니 그렇게 착각했다. 평생을 착각 속에서 살았다, 아니 살고 있다.

착각할 수 있는 자유조차 없지는 않았다. 그래서 충만했고, 부족했고,

행복했고, 아팠고, 즐거웠고, 괴로웠다. 언제나 기쁨은 슬픔을 거느리고 살았다. 언제나 행복은 고통을 거느리고 살았다. 언제나 자유는 비애를 불러왔다.

　자유—
　비애—

　김수영처럼 나는 아주 일찍 자유의 짝말이 비애라는 것을 자득했다. 어떤 가치도 저 홀로 존재하는 것은 없다. 인간이 깨닫는 정신가치는 언제나 내게 이처럼 복합적 의미로 다가왔다. 역설적으로, 양가적으로, 순환하며 존재하는 것이 내게는 정신이고 지혜였다.

　그렇게 세월이 흘렀다. 바람이 불고, 비가 내리고, 낙엽이 지고, 눈이 내렸다. 해가 뜨고, 해가 지고, 달이 지고, 달이 떴다.

　그때 문득 송이눈이 흩날리는 창가에서 깨쳤다. 벌써 녹아 물이 되고 있는 송이눈을 보고 좀 더 구체적으로 깨쳤다, 시를 쓰는 일이 사랑하는 일이고, 미워하는 일이고, 싸움하는 일이고, 공부하는 일이고, 술 마시는 일이라는 것을. 모든 시는 믿음이고, 착각이고, 자유이고, 억압이고, 충만이고, 결핍이고, 뻥이고, 진실이고, 행복이고, 아픔이고, 괴로움이고, 즐거움이라는 것을.

　언제나 슬픔은 기쁨을 거느리고 산다. 언제나 비애는 자유를 거느리고 산다.
　두 손 번쩍 들었다, 항복했다. 모든 항복은 자유와 어깨동무를 한 채 살고 있었다.(1991)

문학 밖과 문학 안

모든 문학은 자율적이면서도 타율적이다. 문학 안의 고유한 심미적 세계와 문학 밖의 투박한 사회적 현실은 끊임없이 상호 교섭을 이룰 수밖에 없다. 계속해 서로에게 간섭을 주고받지 않을 수 없도록 되어 있는 것이 문학 안의 것과 문학 밖의 것이다. 이처럼 문학 안의 것은 항상 문학 밖의 것으로부터 영향을 받기 마련이고, 문학 밖의 것은 항상 문학 안의 것으로부터 영향을 받기 마련이다. 언제나 상호침투할 수밖에 없는 것이 문학 안의 것과 문학 밖의 것이다.

문학 안의 것과 문학 밖의 것이 이루는 관계가 완벽하게 자유로울 수 없는 것은 문학 담당자에게 고통이면서도 행복이다. 실제로는 행복일 때보다 고통일 때가 훨씬 더 많을는지도 모른다. 지금도 문학 안의 것은 문학 밖의 것으로부터 적잖은 고통을 받고 있다. 이는 많은 창작자가 오늘의 사회적 현실로부터 느끼는 깊은 절망감과도 무관하지 않다.

문학 밖의 것을 생각하면 우선 먼저 이 나라의 정치 현실부터 떠오른다. 내가 보기에 이 나라의 정치 현실은 국민들에게 평화와 행복을 준 적이 거의 없는 듯하다. 여와 야라는 이름으로 여의도에 몰려 있는 정치권은 대부분 국민을 압박하고 핍박하고 고문해왔을 따름이다. 국민이 내는 혈세로 운영되는 국회가 국민에게 안정과 휴식을 주기보다는 계속해 불안과 초조만을 주고 있는 셈이다. 한심한 일이 아닐 수 없다. 자신들의 말과 행동이 국민에게 얼마나 큰 고통을 주는지 전혀 알지 못하는 것이 오늘의 정치인이다.

'국민의 정부'에 들어와 곧바로 시작된 옷로비 사건에 대한 공방 이래 정치권에서 국민의 이익을 위해 일한 것은 별로 없어 보인다. 이른바 병풍 사건만 하더라도 지켜보는 국민을 거듭 짜증스럽게 할 따름이다. 법을 위반했으면 검찰에 맡겨 해결을 하면 그만이다. 그럼에도 불구하고 눈만 뜨면 이런저런 저질 공방을 계속하고 있으니 환멸감만을 되씹지 않을 수 없다. 미래 지향적인 비전을 제시하며 국민의 평화와 행복을 위해 일할 수는 도무지 없는 것인가. 대통령 선거가 가까워 오자 표를 의식해 부쩍 심해진 정치인의 위선과 기만으로 가득한 말과 행동을 생각하면 저질 코메디를 보는 듯해 쓴웃음만 나올 뿐이다.

현대에 이르러 정치권에서 하는 일이 한갓 비지니스에 불과하다는 것을 국민이 모르고 있는 바는 아니다. 국가 경영이라는 시각으로 보면 대통령이라는 사람도, 그리고 국회의원이라는 사람도 일개 CEO에 지나지 않는다. 전문 경영인의 수준으로 격하된 것이 오늘의 정치인이다. 정치인을 이렇게 이해한다고 하여 그들로부터 받는 실망감을 한꺼번에 상쇄할 수 있는 것은 아니다. 하루도 빠짐없이 계속되는 정치인의 쌈박질을 보고 있으면 국가의 CEO로서 이들이 정말 바르게 일을 하고 있는 것인지, 국가라는 기업이 정말 제대로 꾸려지고 있는 것인지 도무지 앞뒤를 분간할 수 없다. 지난여름에는 장마와 폭우, 태풍 피해가 아주 컸거니와, 이러한 일들과 관련하여 생각해보면 머리를 맞대고 국가의 오늘과 내일을 만들어 나가기에도 부족한 날들이 아니겠는가. 국민으로서는 정치가 비지니스의 차원으로 전락했다는 것을 탓하는 것이 아니라, 정치의 담당자들이 올바른 CEO로서 제대로 능력을 발휘해 주기를 바라는 것이다.

　문학 안의 시각만으로 보면 문학 밖의 이런저런 일들에 대해 중언부언 하는 것이 다소간 과도한 반응으로 비추어질 수도 있다. 위의 논의들이 자칫 문학의 자율성을 그르치거나, 문학 담당자의 고통을 자초하는 일로 받아들여질 수도 있으리라는 것이다. 하지만 오늘의 사회 현실에 대해 수 수방관하고만 있다면 이 또한 직무유기가 아닐 수 없는 것이 문학이 갖고 있는 생각이다. 구체적인 작품을 통해 즉각적으로 반응하지는 못하더라 도 이러한 식의 언어를 통해서라도 오늘의 사회 현실이 처해 있는 형편에 대해 채찍을 드는 것은 오히려 당연한 일이다.

　물론 오늘의 문학은 정치나 법률, 경제나 도덕 등 사회적 현실을 이끌 어 가는 표층적 중심에 대해 기대를 포기한 지 이미 오래이다. 차라리 사 회적 현실의 기층적 중심인 문화와 예술 일반에 대해 희망을 걸고 있는 것이 지금의 문학이다. 정작 기대할 수 있는 것은 작품의 생산과 보급을 통해 부패한 사회적 현실을 정화해내는 일이라는 뜻이다. 지금의 이 글도 사실은 이러한 맥락에서 시도되고 있는 노력 중의 하나이다. 한 편의 시 나 소설이 현재의 사회적 현실에 끼칠 영향이 별로 크지는 않겠지만 이러 한 적공積功마저 차마 포기할 수는 없기 때문이다.(2002)

시와 인식의 기능[1]

시도 또한 언어의 집적물이다. 이러한 논의는 무엇보다 시도 역시 다양한 언어형식 가운데 하나라는 것을 가리킨다. 시가 다양한 언어형식 중의 하나라는 것은 시가 그 자체로 인식의 한 형식이라는 것을 뜻한다. 이때 인식의 목표는 당연히 진실(진리)일 수밖에 없다. 이를테면 시 역시 진실(진리)을 인식하는 하나의 언어형식이라는 것이다.

하지만 시가 어떻게 사람들의 인식에 변화를 가져오고, 또 그 인식을 고양시키는가 하는 문제는 아직도 블랙박스이다. 인간의 무의식을 모두 해부하고 분석할 수 있다고 하더라도 그것은 여전히 마찬가지이다. 인식이 인간의 정신에 하나의 제국을 만들고 자기만의 궁전을 짓는 일은, 그리하여 주체를 세계와 동등한 인격으로 만드는 일은 여전히 비의적일 수밖에 없다.

시인이 인식의 대상으로 하는 세계라는 존재는 언제나 카오스이고, 따라서 항상 복잡계의 질서로 포착될 수밖에 없다. 따라서 어느 누구도 인

---

1) 이 글은 『시와 인식』 창간호의 서문 형식으로 써졌다. 이 글이 써지는 데는 김백겸 시인의 메모가 크게 참고되었다. 평소에 김 시인과 주고받은 논의도 깊이 반영되어 있음을 밝혀 둔다.

식의 편향성으로부터 완벽하게 자유롭기는 어렵다. 보편적 이성과 진리, 즉 과학이라는 무기로 접근이 가능하리라고 믿었던 리얼리티는 그것이 내포하고 있는 정보를 좀 더 깊이 들여다보면 볼수록 스핑크스의 질문처럼 기이하고 이상하며, 해독이 불가능한 수수께끼를 던져 주고 있는 것이 사실이다. 과학조차도 인식의 편향성으로부터 완전하게 자유롭지는 않은 일종의 지적 통로일 따름이라는 것이다.

인간의 자아와 세계에 대해 발언하는 시 역시 실제로는 과학과 마찬가지로 삶의 리얼리티를 인식하는 중요한 지적 통로이다. 시가 아직도 氣로서의 기능과 효용을 주장하고 있다면 이러한 점을 어떻게 과학이 다 해명해낼 수 있겠는가. 주지하다시피 과학으로는 도저히 접근하기 어려운 진리를 담아내고 있는 예가 시에서는 적잖이 발견되고 있다. 뿐만 아니라 시는 인간의 정신에 언어로는 도저히 형용할 수 없는 미적 쾌감까지 주고 있다.

그렇다면 인식의 한 방식으로서 시가 지니고 있는 가치는 과학이 지니고 있는 가치에 못지않게 중요하다고 하지 않을 수 없다. 아직도 내가 시에 대한 미련을 버리지 못하고 있는 것은 바로 이러한 이유에서이다. 여전히 나는 시가 그것을 사랑하는 사람들 모두에게 피안의 언덕을 찾아가는 하나의 징검다리가 되기를 꿈꾸고 있다. 그것이 비록 서울의 인구 및 도시 기능의 증가에 따라 계속해 또 다른 새로운 한강 다리가 들어서는 것에 비교되더라도 마찬가지이다. 이들 다리는 그 자체로 오늘의 이 시대를 가늠하는 문화의 증거이거니와, 그것이 다양성을 지향하는 현대적 삶의 가치와도 십분 일치된다고 생각하기 때문이다.

우리 시대의 문화현상을 살펴보면 시를 통해 저 자신의 구원 및 타자와의 소통을 꿈꾸는 사람들이 끊임없이 증가되고 있는 것을 알 수 있다. 저마다 등단이라는 시의 운전면허를 얻어 광활한 정신의 세계를 질주하고자 하지만 실제로 거칠 것 없이 고속도로를 달리고 있는 시인은 그다지 많지 않다. 이는 무엇보다 오늘의 문화가 기하급수적으로 정보량을 늘려가고 있어 프로 카 레이서의 속도로 상상력을 드러낼 수 있는 몇몇 특별한 시인들만 경주에 참여하고 있는 데서 비롯된다. 일반 시인들이 이러한 문화의 경주와 게임에 참여하지 못하는 것은 다름 아닌 그러한 연유에서이다.

하지만 태양과 달의 운행속도가 과거와 다르지 않듯이 인간의 문화적 지각도 호모 사피엔스의 등장 이래 크게 진화한 것으로 보이지는 않는다. 이러한 맥락에서 나는 첨단적 실험의 정서를 담고 있는 시는 말할 것도 없거니와, 보편적 시원의 정서를 담고 있는 시들도 매우 유효하다고 생각한다. 오직 시의 개혁과 진화에만 인식의 방향과 가치를 둘 수는 없다는 뜻이다. 서정시 본원의 가치를 십분 받아들이면서 좀 더 새로운 인식을 담아내는 작품들도 지속적으로 추구해야 마땅하다는 얘기이다.

노무현의 참여정부는 출발부터 국민소득 2만 불 시대를 공약한 바 있다. 실제로 2만 불 시대가 오면 이를 물적 토대로 한 사회, 이른바 선진사회에서는 시가 그 사회의 이데올로기와 제도를 유지하기 위해 수사를 더욱 공교롭게 하는 등 한층 장식적인 모습을 취할는지도 모른다. 그때가 되면 시는 알게 모르게 기득권의 편에 서서 자기 시대가 지니고 있는 이데올로기를 우회적으로 부추길 가능성도 없지 않아 보인다. 법의 제약을 고려하며 변론을 해야 하는 변호사처럼 시의 표현이 신중해지고 점잖아질는지도 모른다. 나아가 문화 전체가 벌거벗은 왕 앞에 부복한 신하처럼 윤리와 관습, 제도와 전통의 눈치나 보고 있을 수도 있다.

이러한 때일수록 시는 사회적인 위선과 관련해 사람들이 과감하게 임금님이 벌거벗었다고 말할 수 있는 용기와 천진함을 갖도록 할 수 있어야 한다. 이러한 역할을 수행할 수 있을 때 오히려 독자는 시가 내포하고 있는 진실에 공감하고 감동하지 않겠는가. 이처럼 나는 시가 사회적 예의나 관습, 제도나 전통을 지키기 위한 보수적 의식을 담아내는 수사적 장치에 머무는 것을 결코 원하지 않는다. 새삼스러운 얘기이지만 과거와 마찬가지로 오늘도, 그리고 내일까지도 항상 시는 불온한 것이어야 한다. 뿐만 아니라 시는 지금 진리라고 믿고 있는 것들을 과감하게 베어버릴 수 있는 구도자의 칼날일 수 있어야 한다. 이때의 칼날은 당연히 욕망과 인식, 꿈과 직관의 맷돌에 벼린 날카로운 상상력이어야 한다.

시인들은 언어를 통해, 즉 시를 통해 끊임없이 자기 충족적 환상의 세계를 드러내온 바 있다. 시인들이 세계 전체를 시의 질서 아래 편입시키고자 애를 써온 것도 다름 아닌 그러한 이유이다. 시인들의 이러한 시도는 게릴라들이 자본의 활동무대인 시장을 한낱 국지전을 통해 전복시키려는 음모에 비유될 수 있다. 시인들에게 '세계를 바라보는 특별한 심미적 취향이 있어야 한다'라는 명제와, '불완전한 현실을 전복하고자 하는 혁명가이어야 한다'라는 명제가 동시에 요구되고 있는 것도 이와 무관하지 않다.

끊임없이 절차탁마하지 않고서는 시인들의 불온성 혹은 전복적 상상력 또한 축 늘어진 채 반복되는 낡은 녹음테이프에 지나지 않게 된다. 이를 극복하기 위해서는 언어의 칼날이 녹슬지 않도록 온몸을 던져 저 자신의 정신을 갈고 닦는 길밖에 없다. 잠들어 있는 영혼에게는 삶의 미래뿐만이 아니라 시의 미래도 없다는 것을 염두에 두지 않으면 안 된다. 깨어 있는 영혼을 지니고 있을 때 시인은 현실과 역사에 대한, 세계 일반에 대한 활기 있는 인식의 기능을 수행할 수 있기 때문이다.

물론 이러한 지적은 모든 예술이 갖고 있는 공통의 것이라고 해야 마땅하다. 이를 망각한 예술이 세상 사람들을 감동시킬 리 만무하다. 칼끝 같은 첨단의 정신 속에 있을 때 시인은 자신의 시를 통해 역사와 사회를 앞서 살 수 있고, 그에 따른 예언적 기능을 수행할 수 있다. 이때의 예언적 기능이 역사의 기관차로 존재하면서도 역사 밖의 영원한 진실로 존재하리라는 것은 불문가지이다.(2003)

세상 밖에서 세상 보기

지난 1980년대 초의 일이다. 한 시인이 소리 높여 외쳤다. "먼 산에는 거짓이 많다/시인이여 (……) 먼 산으로부터 눈을 돌리자/마침내 시인이여 결단하자." 그러자 또 다른 시인이 소리 높여 외쳤다. "시인이여 진리는 먼 곳에 있지 않다. 지금 이곳의 발밑을 잊지 말라."

물론 여기서 "먼 산으로부터 눈을 돌리자", "지금 이곳의 발밑을 잊지 말라" 등의 구절은 오늘의 현실을 직시하고 실천하자는 것을 뜻한다. 이들 말씀을 본받아 지난 1980대 이래 시인으로서 나는 줄곧 너무 먼 산은 보지 않으려고 애를 써왔다. 성속불이聖俗不二의 마음으로, 원근불이遠近不二의 마음으로 되도록 나는 이 세상 안에서, 이 세상 안의 일들을 한 걸음이라도 진전시키려고 정성을 쏟아왔다. 그리고 그렇게 살아가는 사람살이를 늘 기꺼워하고 즐거워했다.

어느덧 1980년대도 지나고, 1990년대도 지나고, 지금은 2002년의 초봄이다. 자연의 법칙은 어김이 없어 올해도 벌써 산수유꽃이 피고 지고, 매화꽃이 피고 지고, 목련꽃이 피고 지고……, 이윽고 벚꽃들이 화들짝 꽃

망울을 터뜨리고 있다. 그렇다. 이렇게 세월은 흘러가고, 나는 늙고 있다.

시간처럼 위대한 힘은 없다. 시간 속에 기투되어 있는 존재인 나도 그동안 많이 변했다. 변한 것은 '나'라는 개인만이 아니다. '나'를 둘러싸고 있는 환경도, 사회도 마찬가지이다. 물론 나를 변하게 한 것은 '나' 안의 것들이기보다는 '나' 밖의 것들이라고 해야 옳다. 그중에서도 사람……, 사람만큼 사람을 변하게 하는 것은 없다.

사람이 사람을 변하게 하는 데 작용하는 것은 '사랑'인 경우도 있지만 '환멸'인 경우도 있다. 그렇다면 나는? 지금의 나를 나로 변하게 한 것은 사랑인가, 환멸인가. 사랑이기보다는 오히려 환멸일는지도 모른다. 당신은 사람에게서 비롯된 환멸로 인해 문득문득 치를 떤 적이 없는가.

일찍이 박노해 시인은 「사람만이 희망이다」라는 제목의 시를 쓴 적이 있다. 사람만이 희망이라고? 정말 그럴까. 한때는 나도 그렇게 생각한 적이 있다. 하지만 불행하게도 나는 이제 그렇게 생각하지 않는다. 덧없는 시간이 내 생각을 바꿔 버린 것이다.

내가 보기에 오늘의 이 자본주의 사회에서 사람은 대부분 사람이 아니다. 자신의 에너지를 주체하지 못해 온갖 발광을 떠는 털 없는 원숭이에 불과한 것이 사람이다. 떼를 지어 우르르 숲 속을 몰려다니는 들보원숭이? 먹거리를 찾아, 아니면 권력을 찾아 한꺼번에 몰려다니는 저 털없는 원숭이들을 보고 있으면 마음이 아프다. 너무도 안쓰럽기 때문이다.

그러면 너는? 이제는 나도 어렵고 힘들게 차지한 밥그릇을 악착같이 지켜내야 하는 또 하나의 털없는 원숭이에 지나지 않는지 모른다. 그렇다면? 그렇다면 사람에게서 정작 믿을 수 있는 것은 단지 '욕망' 뿐인지도 모른다. 욕망이라고? 좀 더 높은 욕망? 성자라도 되고 싶은 욕망? 그렇다. 성자가 되고 싶은 욕망도 욕망이기는 하다.

한때 나는 "소박하게나마 역사의 발전을 믿는다"라고 공언을 한 적이 있다. 역사라니? 지금에 와서 돌이켜보면 너무도 낯선 말이다. 1970년 대한때는 '행동하는 양심'이라는 말이 유행 한 적도 있다. 이제 역사는 너무도 층위가 복잡해져 어디가 머리이고, 몸통이고, 꼬리인지조차 알 수 없게 되어 있다. 어쩌면 역사는 이미 머리도, 몸통도, 꼬리도 없는 뒤죽박죽의 소용돌이 따위인지도 모른다. 욕망의 소용돌이!

세월을 가리켜 옛사람은 쏘아놓은 화살 같다고 말했다. 세월에 부대끼다 보니 어느덧 나도 세상 안에서 세상 안의 일들에 대해 구체적으로 개입하던 날들로부터 멀찍이 비켜 서 있게 되었다. 물론 그것은 전적으로 나 개인의 의지에 의해서만 이루어진 것이 아니다. 지켜내지 않을 수 없는 밥그릇의 세월을 살다 보니 세상 안의 사람들이 이처럼 세상 밖으로 나를 밀어낸 것이다. 그리하여 이제 나는 세상 안의 일들, 그 치열한 게임들을 물끄러미 바라볼 수밖에 없는 세상 밖의 관전자가, 구경꾼이 되어 있다.

세상 밖에서 세상 안의 일들을 지켜보는 마음은 힘들고 괴롭다. 물론 마냥 괴롭기만 한 것은 아니다. 봄 들녘 봇도랑을 가득 채우며 몰려다니는 물더미처럼 이리저리 몰려다니는 털없는 원숭이들을 보고 있으면 끼룩끼룩 웃음이 터져 나오기 때문이다. 역사라는 이름의 수많은 행위들……, 어쩌면 그것 또한 변형된 개인의 욕망이 집단적으로 충족시켜온 오랜 관습에 지나지 않을는지 모른다.

1980년대 초 몇몇 시인들이 소리 높여 외친 말씀들로부터 지금 내가 자유로워지고 싶은 것은 바로 이 때문이다. 마음속 깊이 무언가 새로운 말씀, 되도록 작은 말씀을 새겨 넣으려 하는 것도 이와 무관하지 않다. "시인이여. 진실은 먼 산에 있다. 머리 들어 조금은 먼 산을 바라보자. 마침내 시인이여. 쉽게 결단하지 말자. 오래오래 망설이며 고민하자." 지금 나는 이렇게 말하고 싶은 것이다. 어쩌면 나는 "시인이여. 진리는 단지 발밑에 있는 것만이 아니다. 때로는 눈 들어 먼 지평선을 바라보자."라고 말하고 싶은지도 모른다.(2002.)

문인 혹은 논다니

연일 찌는 듯한 더위가 계속되고 있다. 많은 사람들이 더위를 피해 계곡과 바다를 찾고 있다. 계곡은 물보다 사람이 많아 짜증스럽고, 바다 역시 선박 사고에 따른 기름 유출 등으로 오염이 심해 짜증스럽다. 하지만 더위를 피해 그러한 곳이나마 찾을 여유가 있는 사람들은 행복하다. 이 찜통더위에 맞서 지금도 생산의 현장에서 비지땀을 흘리고 있는 수많은 사람들이 있지 않은가.

문인들도 예외가 아니다. 산과 바다에서 피서를 즐기고 있는 문인이 있는가 하면 구슬땀을 흘리며 창작열을 불태우고 있는 문인도 있다. 문인들에게 이러한 더위 속에서의 작업은 정말 고역이다.

문인은 기본적으로 예술인의 하나이다. 예술인은 연예인의 하나이고, 연예인은 '논다니'의 하나이다. 논다니는 한편 '노는 사람들', 한편 '즐기는 사람들'이라는 뜻을 갖고 있다. 각기 전문 분야가 있어 그것을 토대로 스스로도 놀고, 남도 놀게 하는 사람들이 그들이다. 논다니의 하나인 문인이 이 찌는 듯한 더위 속에서 작업에 몰두하고 있다니! 생각만 해도 동정이 가지 않을 수 없다.

일찍이 도산 안창호 선생은 "모난 돌이나 둥근 돌이나 다 쓰이는 장처가 있다"고 말한 바 있다. 세상에는 수많은 사람들이 타고난 본성에 따라 제각기 자기 역할을 하며 살아가고 있다. 논다니로서의 문인들도 그에 상응하는 세상살이의 역할이 있기 마련이다. 역할이 있기 때문에 그들은 존재하고 있고, 또 많은 사람들이 뒤를 이어가는 것 아니겠는가.

그러나 문인의 문학활동은 그 자체로는 직업이 되기 힘들다. 소수의 몇 명을 제외하고는 그동안 대부분 문인들이 파트롱에 기생하며 사람살이 전체를 윤택하게 하는 데, 활력 있게 하는 데 보탬이 되어온 바 있다. 작업 자체만으로 보면 근본적으로 물질의 생산이 될 수 없는 것이 문학이다. 문학의 생산은 정신의 생산이거니와, 정신의 생산도 물질의 생산만큼 중요한 것은 사실이다. 정신의 재산과 물질의 재산이 특별한 차이 없이 긴요하다는 것은 국민소득 1만불 시대에 도달한 오늘에 이르러서는 더더욱 강조되어야 마땅하다. 물질적 풍요가 끊임없이 정신적 풍요를 요구하기 때문이다.

정신을 생산하는 문학은 특별한 후원과 보호가 없이는 활성화되기 어렵다. 그 자체로는 돈이 되기도, 직업이 되기도 힘들기 때문이다. 중앙정부나 지방정부에 세련되고 체계적인 문화정책이 시급히 요구되지 않을 수 없는 이유가 바로 여기에 있다. 그러한 의미에서 생각하면 가장 실속 있는 문화정책은 다름 아닌 창작지원 그 자체에 있다. 정부가 직접 후원자가 되어 문화 예술인, 즉 시인과 작가를 키워내야 한다는 뜻이다. 그럴 때 정신적 풍요와 물질적 풍요가 중용을 이루며 참다운 뜻에서의 건전한 사회가 이루어질 수 있기 때문이다.

그렇기는 하지만 '논다니'로서의 문인이 필요 이상으로 많을 까닭은 없다. 일종의 취미활동이라면 몰라도 창작행위 자체에 삶을 거는 사람이 터무니없이 많은 것은 별로 바람직하지 못하다. 자칫하면 일하는 사람보다 노는 사람이 많아지는 기현상이 일어날 수도 있기 때문이다. 특별히 새롭거나 높은 차원의 작품이 아닌 너무도 뻔한 내용의 작품을 빵틀로 찍어내듯이 발표하고 있는 문인이 얼마나 많은가.

문학작품의 독서는 무엇보다 여가의 건강한 활용과 무관하지 않다. 안정되고 평화로운 사회에서는 문학작품도 일종의 놀이로 독자들에게 다가갈 수밖에 없다. 물론 문학작품이 오직 놀이로서의 의미만을 갖는 것은 아니다. 교양의 증진은 말할 것도 없고 사람과 사물의 의미를 바로 깨닫게 하는 역할 또한 무시하기 어렵다. 그렇다고 하더라도 문학이 물질적 재화의 생산 그 자체는 아니다. 문학이 그 자체로 밥이 되지는 않는다는 뜻이다.

흔히 광주·전남 지방을 가리켜 예향이라고 한다. 예향이라고 한다고 해 크게 나쁠 것도 없지만 크게 좋을 것도 없다. 이 말속에는 이곳 사람들이 일보다는 놀이에 더 많은 관심이 있다는 뜻이 들어 있을 수도 있기 때문이다. 일보다는 놀이에 더 관심이 많다는 것이 칭찬이 될 수 없음은 더 말할 나위가 없다.

광주·전남 지방이 예향인 것은 사실이다. 이곳 출신의 유명 예술인이 상대적으로 많기도 하지만 이 지방 사람들의 경우 예술인에 대한 대접이 좀 더 융숭하기 때문이다. 그러나 숫자의 면에서는 이곳의 문인이 타지방의 문인에 비해 결코 많은 것이 아니다. 대구·경북이나 부산·경남에 비해 숫자 면에서는 문인이 훨씬 적다는 통계를 읽은 적이 있다. 소문이나 일반적인 상식과는 달리 이 지방에서 활동하는 문인의 숫자가 특별히 많지는 않다는 뜻이다. 기본적으로 인구의 편차가 현격하기는 하지만 말이다.

문인의 숫자가 적다는 것은 부끄러울 것이 못된다. 그만큼 놀이보다는 일에 열중하고 있다는 뜻이 될 수도 있기 때문이다. 일이 있고 난 다음에 휴식으로서의 놀이가 있는 법 아닌가.

그러고 보면 정작 중요한 것은 문인의 숫자가 아니다. 얼마나 훌륭한 작품을 쓰느냐, 그러한 작품을 쓸 수 있는 능력 있는 문인이 얼마나 되느냐 하는데 관심을 가져야 한다는 뜻이다. 그러한 점에서는 이 지방 광주·전남 사람들이 자부심을 가져도 좋다. 아직까지는 이곳 출신의 유명 문인들을 얼마든지 찾아볼 수 있기 때문이다. 그러나 그것은 단지 '아직까지는' 일 따름이다.

문학도 전통이 제대로 이어지려면 뛰어난 젊은 문인들이 계속해 배출되어야 한다. 그리고 그렇게 배출된 젊은 문인들이 거목으로 자랄 수 있도록 거름을 주어 키워야 한다. 그럴 때 비로소 문학의 새로운 전통이 창조될 수 있기 때문이다.

하지만 1990년대 들어 이곳 출신 젊은 문인들의 배출은 지지부진하다. 새롭고 참신한 신인들의 탄생이 거의 눈에 띄지 않고 있다. 그나마 명맥을 이어가고 있는 것도 1980년대적 자양분 속에, 5·18 광주항쟁의 열기 속에 뿌리를 내리고 있는 몇몇 사람들에 의해서일 따름이다. 새로운 문학은 언제나 전통의 부정 속에서, 앞세대 문학에 대한 거부와 비판 속에서 가능하다는 점을 기억할 필요가 있다.

얼마 전 모 잡지사의 편집자를 만나 이 지방 문학의 현황에 대해 의견을 주고받은 적이 있다. 그분의 말에 따르면 근년에 들어 광주·전남 지역에서 투고되는 시의 경우 너무도 개성이 없다고 한다. 이 고장 출신의 몇몇 선배 시인들의 영향이 지나칠 정도로 뚜렷해 답답하고 지루하다는 것이다.

그의 말로 미루어 보면 이 지방 광주·전남 지역의 문학정신에는 무언가 보이지 않는 힘이 강력한 규제를 행사하고 있다는 것을 알 수 있다. 일종의 침묵의 카르텔이 지속적으로 이곳 문인들의 영혼을 찍어 누르고 있는 셈이다. 영혼의 부자유, 곧 자유롭지 못한 영혼으로는 어떠한 창조적 행위도 할 수 없다.

오월정신은 근본적으로 자유정신, 해방정신이다. 그럼에도 불구하고 이 오월정신이 거꾸로 이 지방 문인들의 자유로운 상상력을 억압하고 핍박하는 기제로 작용하지 않는가 하는 걱정이 없지 않다. 어디에도 얽매이지 않는 상상력의 자유, 그것이 자꾸 위축될 때 이 지방의 문학은 미래가 뻔하다.

근본적으로 '논다니'의 하나인 문인 및 예술인이 터무니없이 많을 까닭은 없다. 하지만 제대로 된 문인, 예술인 없는 사회는 너무도 삭막하다. 문학 행위 자체가 물질의 생산될 수는 없지만 문학 행위가 없는 세상, 오직 물질의 생산만으로 가득 차 있는 세상은 지옥과 다르지 않다.(1995)

변화하는 매체 환경과 서정시의 내일[1]

몇 달만 지나면 20세기도 끝난다. 새로운 세기이면서 동시에 새로운 밀레니엄이 곧 시작된다. 그렇다면 다가오는 21세기의 시의 미래는 어떻게 될 것인가. 미래의 시의 운명은 어떠한 모습을 보여줄 것인가. 좀 더 구체적으로 말해 21세기에는 시가 어떻게 우리의 삶 앞에 나타날 것인가. 미디어 환경의 변화, 곧 매체 환경의 변화에 따라 시에게도 또한 많은 변화가 있을 것으로 보인다. 시에 관심이 있는 사람이라면, 나아가 시인이라면 누구라도 이러한 문제에 대해 고민하지 않을 수 없다.

여기서 특별히 이러한 문제를 제기하는 것은 최근 들어 시에 대한 일반인들의 태도가 과거와 많이 달라졌기 때문이다. 실제로는 시에 대한 관심은 말할 것도 없고, 시를 읽는 독자들까지 현격히 줄어들고 있다. 시에 대한 깊은 애정을 지니고 있는 가운데 시를 즐기고 향유하는 사람들이 형편

---

1) 이 글은 오세영 교수의 특강을 기초로 하여 만들어졌다. 오세영 교수의 특강을 듣고 깨달은 내용과 그에 덧붙여진 내 생각이 바탕이 되어 써진 것이 이 글인 셈이다. 이 자리를 빌려 감사를 드린다.

없이 줄어든 것은 의심할 바 없는 사실이다.

이렇게 된 까닭은 무엇인가. 일단은 오늘의 시가 독자들의 심미적 현존과 너무도 괴리된 채 유통되고 있기 때문이다. 일반인들의 경우 이제는 오늘의 시를 도저히 따라갈 수 없게 된 것이 분명하다. 대부분 사람들은 지금의 시가 무엇을 말하고 있는지 도저히 알아듣지 못하고 있다. 급기야는 시의 유통이 시인들 사이에서만 간신히 이루어지고 있을 정도이다.

물론 이는 우리나라에서만의 문제가 아니다. 자본주의가 좀 더 발달한 일본이라든지, 미국, 기타 서구 유럽에서도 이미 똑같은 문제가 일어난 바 있다. 이들 나라에서는 시의 현존이 우리나라보다도 훨씬 더 보잘 것 없다. 이들 나라에서는 통합된 문단이나 시단조차 존재하지 않는다고 한다. 몇몇 동호인을 중심으로, 소집단을 중심으로 자기들끼리 시를 쓰고 읽을 따름이라는 것이다. 일상의 삶에서는 순수한 뜻에서의 시의 독자가 모두 사라져 버린 셈이다.

이제 통합된 문단, 통합된 시단은 우리나라에서도 그 존재가 점차 약화되어 가고 있다. 아니 통합된 시단이라는 것 자체가 사라져 가고 있는지도 모른다. 이는 일상의 삶에서 순수한 뜻에서의 시의 독자가 사라져 가고 있는 것에 대응한다. 이들의 함수관계는 구체적인 작품이 시단을 통해 독자들에게 보급되지 않는 것과도 무관하지 않다.

이들 독자가 사라진 좀 더 실질적인 원인은 난해시의 횡행과도 깊이 관련되어 있다. 어쩌다 보니 시작품을 매개로 한 독자와 시인 사이의 의사소통 자체가 단절되어버린 것이다. 근년에 들어서는 시를 업으로 하는 시인들조차도 알 수 없는 시들, 언어를 비틀고, 정서를 왜곡시키고, 의식을 사기치는 시들이 부쩍 만연하고 있다. 의도적으로 충격과 파괴를 시도하고 있는 이들 시, 악마적인 색다름만을 추구하고 있는 이들 시는 반도덕, 반윤리를 선도하는 가운데 일반 독자들에게 강한 혐오감을 불러일으키고 있다. 오직 센세이션이즘에만 급해 있는 이들 시는 단지 돋보이고만 싶어

하는, 튀고만 싶어하는 동물적 욕망을 표현하는 데 그쳐 있을 따름이다. 제목만 들어도 대강 무엇을 말하려는지 짐작할 수 있지만, 배후에 어떠한 의도가 숨겨져 있는지를 알면 이내 천박성에 기가 질리지 않을 수 없는 작품이 버젓이 발표되고 있다.

이러한 센세이션이즘의 기발성에 탐닉하고 있는 시들이 좀 더 분명하게 독자들의 기억에 각인되는 것은 사실이다. 인간들의 감각능력이 점차 무뎌지고 퇴화되면서 일상의 평범한 자극만으로는 좀처럼 감동을 일으키지 못하기 때문이다. 하지만 이러한 센세이션이즘에의 경도는 시의 미래를 불행하게 만들기 십상이다. 결국 이는 제 살을 깎아 자기가 먹는 꼴에 지나지 않는다. 시의 경우에는 센세이션이즘 자체가 이미 하나의 병리현상이라고 하지 않을 수 없다. 순수한 상상력이나 자유의지가 아니라 왜곡된 정신질환의 결과로 표출되는 파괴된 병적 의식에 의지해서는 시의 내일이 보장되지 않는다. 내일의 시 역시 미래의 해방세상을 향한 건강하고 싱싱한 정신이 내뿜는 맑은 향기를 바탕으로 하고 있어야 하지 않겠는가.

파괴적이고 병적인 방향이 포기되지 않을 때 시의 미래는 없다. 이러한 시를 무엇 때문에 독자들이 계속해 읽고 있겠는가. 미친놈들, 하며 침을 탁, 뱉고 말 것이다. 시에 대한 실망은 결국 독자들을 시로부터 소외시키기 마련이다. 시의 설자리가 점차 좁아지리라는 뜻이다.

물론 시의 난해성에 대해서는 좀 더 숙고를 요한다. 흔히 난해성은 애매성, 즉 모호성을 뜻한다. 영어로는 엠비규어티ambiguity로, 엠비규어티가 해석 불가능성을 가리키지 않는다는 것은 이제 하나의 상식에 속한다. 해석의 다의성, 의미의 이중성을 가리키는 것이 보통이기 때문이다.

이때의 난해성은 '글쓰기' 자체의 원초적 특성과 맞물려 있다는 점에서 좀 더 주의를 요한다. 오늘날에는 시의 언어 역시 '말하기'의 하나가 아니라 '글쓰기'의 하나라는 점을 기억할 필요가 있다. 흔히 말하듯이 쓴다고 하지만 말하기와 글쓰기는 여러모로 다르다.

인간의 언어활동이 말하기와 글쓰기로 나누어진다는 것은 이미 잘 알려져 있는 사실이다. 이를테면 음성언어활동音聲言語活動과 문자언어활동文字言語活動으로 나누어진다는 것인데, 이는 언어를 구비언어와 문자언어, 곧 말과 글로 나누는 것과 다르지 않다. 하지만 구비언어와 문자언어, 말하기와 글쓰기, 말과 글은 존재방식이 많이 다르다. 본래 말하기는 언어의 시간적 질서에 의지한다. '말하기'라는 언표를 예로 들더라도 '말'이라는 과거와, '하'라는 현재, 그리고 '기'라는 미래가 결합되어 '말하기'라는 언어가 발화되는 것을 알 수 있다. '말하기'라는 언표의 경우 시간적 순서에 의해 발화될 수밖에 없다는 것이다. 순간적으로 발화되는 이들 언어의 순서, 즉 어순이 만드는 시간적 질서를 바탕으로 이루어지는 것이 말하기인 셈이다.

따라서 말하기는 어순이 만드는 질서, 즉 문법을 무시하고서는 의사소통을 만들지 못한다. 언어의 각각의 성분이 원래의 제자리에 배치될 때, 그리고 그것이 법칙에 맞게 배치되고 배열될 때 의미를 발생시키는 것이 말하기로서의 언어이다. 말하기의 경우가 상대적으로 좀 더 '문법文法'적 질서를 기반으로 하고 있다는 것인데, 이때의 법法이 물 수水+갈 거去의 조립으로 이루어진다는 것을 기억할 필요가 있다. 물이 흘러가는 것, 곧 법法이 자연의 이치理致라면 말의 이치는 논리論理이다. 이성理性이라는 언표가 '이치理致로서의 성격'이라는 뜻을 지니고 있는 점을 염두에 두면 말이 글보다 훨씬 더 논리적이라는 것은 금방 이해가 된다. 배열의 질서로서 어순, 즉 논리를 바탕으로 하지 않으면 말하기로서의 언어는 허공을 향한 메아리이거나 단순한 소리의 군집에 그치기 쉽다. 청자들이 무슨 소리를 하는지 알아듣지 못하기 때문이다.

말은 본래 귀로 듣는 청각적 언어이다. 귀로 듣는 언어는 기본적으로 시간인식을 전제로 한다. 시간의 차별성을 바탕으로 귀는 소리의 차별성, 곧 언어의 차별성을 인식하고, 거기서 의미를 깨닫기 마련이다. 시간적으로만 작용하는 가운데 언어일반을 수용하는 것이 귀인 셈이다. 귀는 자신에게 수용되는 언어를 시간의 차이 속에서만 변별해내고, 그 의미와 정서를 파악해낸다. 한꺼번에 동시다발적으로 쏟아지는 말소리의 경우 귀에게는 일종의 소음일 따름이다. 글에 비해 말이 불안전한 것도 이와 무관하지 않다.

귀로 듣는 말이 청각적인 언어인 것과는 달리 눈으로 보는 글은 시각적인 언어이다. 글이 시각적 언어라는 것은 글쓰기의 과정에 언어가 지니는 시간적 질서를 충분히 공간적 질서로 바꿀 수 있다는 것을 가리킨다. 말이 순간적인데 비해 글이 영구적이라는 점을 상기할 필요가 있다. 글은 시각적 의지에 의해 공간적 질서를 이루고 있거니와, 따라서 언제든지 공간적 이동이 가능하다. 글을 쓰다 보면 얼마든지 말의 순서를 공간적으로 뒤바꿀 수 있다는 뜻이다. 공간의 이동이 아주 손쉽게 가능한 것이 글인 셈이다. 컴퓨터 워드를 사용하게 되면서 훨씬 더 용이해진 것이 글의 공간이동이기도 하다.

말보다는 글이 경직성의 정도가 덜하고, 논리라든지 기타 이성의 획일적 작용으로부터 상대적으로 자유롭다. 말보다는 글이 훨씬 부드럽고 감성적이라는 것이다. 말이 좀 더 남성적인 데 비해 글이 좀 더 여성적인 까닭이 바로 여기에 있다. 그렇다면 당연히 남성 중심의 언어, 즉 말이, 나아가 웅변이 그동안 만들어온 피해를 간과해서는 안 된다. 들뢰즈 등 서구의 많은 지식인들이 남성 중심적이고 이성 중심적인 '말하기'에서 여성 중심적이고 감성 중심적인 '글쓰기'로 언어의 중심축이 움직여 왔다고 말하는 것도 이 때문이다.

언어의 배열에서 글쓰기는 말하기보다 훨씬 더 넉넉하고 자유롭다. 주체의 의지에 따라 마음대로 만들고, 고치고, 빼고, 더할 수 있는 것이 글쓰기이다. 언제나 자유롭게 언어의 공간이동을 시도할 수 있는 것이 글쓰기라는 것이다. 따라서 글쓰기를 통해 언어로부터의 자유를 시도하기 위해서는 기존의 글의 질서, 곧 논리를 거부할 수밖에 없다. 문법으로서의 논리체계, 즉 어순의 배열과 질서에 대한 극복이 과제로 떠오르는 것도 이와 무관하지 않다. 그렇다면 당연히 어순의 낡은 연계를 극복하는 것이, 나아가 문과 문의 상투적인 연계를 극복하는 것이 말이 지니고 있는 획일성 혹은 남성성으로부터 글이 지니는 해방성 혹은 여성성을 획득하는 것이 된다. 그것이 곧 이성 중심의 사고, 즉 논리적이고 도구적이며 기계적인 사고를 극복하고 좀 더 삶의 원초성에 가까운 감성 중심의 부드러운 사고를 실천하는 것이기도 하다. 그 자체로 또 하나의 논리가 되기는 하지만 이상李箱과 같은 시인이 띄어쓰기를 포기하고, 단어를 뒤섞고, 수기호를 늘어놓고, 문장 자체를 파괴하는 등의 행위를 보여준 것도 바로 그러한 연유에서이다. 미래파나 표현주의 등 아방가르드의 여러 예술 경향이 시도했던 다양한 형태의 언어파괴도 이러한 맥락에서 이해가 된다.

하지만 글쓰기와 관련한 이러한 식의 실천행위는 필연적으로 독자의 접근을 차단할 수밖에 없다. 이렇게 만들어진 시는 불가불 난해해질 수밖에 없다는 뜻이다. 비논리의 언어로 이루어진 시가 독자들의 접근을 허용하지 않는다는 것은 새삼스럽게 강조할 필요가 없다. 극단적으로 말하면 '쉽다'는 것은 논리적이라는 것이고, '어렵다'는 것은 비논리적이라는 것이기 때문이다.

근대에 들어 서구의 언어는, 특히 아방가르드 이후 모더니즘의 언어는 줄기차게 구비 전통의 언어에서, 즉 말하기에서 글쓰기로 그 중심을 전환시켜온 바 있다. 이는 곧 일상의 삶이 시간 중심에서 공간 중심으로 이동되어 왔다는 뜻이기도 하다. '시간의 공간화'가 근대성으로서 모더니티의 중요한 내포를 이루고 있다는 점을 생각하면 이는 좀 더 쉽게 이해가 된다. 자본주의적 근대 이후 인간의 삶 자체가 딱히 무엇이라고 해석하기 힘들 정도로 난해해져 온 것도 이와 무관하지 않다.

그러한 점에서 생각하면 근대 이후 부쩍 난해해진 것이 시 혹은 문학만

이 아니라는 것을 주목하지 않을 수 없다. 이를테면 모더니즘 이후 시뿐만 아니라 모든 예술이 극도로 난해해졌다는 뜻이다. 이른바 추상예술이 그것이라고 할 수 있는데, 이는 미술에서만이 아니라 음악에서도 똑같은 현상을 보여주고 있다. 피카소 이후 원근법을 포기한 추상미술은 극도로 공간화되어 시간이 흔적조차 남아 있지 않을 정도이다. 특히 서구의 아방가르드 이후 모더니즘의 시의 경우 감동은커녕 의사소통 자체까지 도외시되어 왔다는 것을 잊어서는 안 된다.

현대의 예술(특히 모더니즘이나 포스트모더니즘 예술)이 이처럼 난해성을 특징으로 한다고 하더라도 오늘의 모든 예술이 그에 부화뇌동해야 하는지는 잘 알기 어렵다. 특히 지금에 와서까지 시가 난해성 그 자체를 작품성이나 현대성의 전략으로 선택하는 것은 다소 우스꽝스럽다. 정도 이상으로 과도하게 난해해진 것이, 급기야는 소통 자체를 상실하고 있는 것이 지금의 적잖은 우리 시이다. 오죽하면 로버트 그레이브스 같은 사람이 '시는 죽었다'라고 선언했겠는가.

물론 오늘의 독자 일반이 오직 난해성 혹은 해석 불가능성 때문에 시로부터 소외되고 있는 것은 아니다. 시의 즐거움을 대신할 수 있는 심미적 양식들이 수없이 많이 계발되고 있는 것도 그 커다란 원인 중의 하나이다. 시적 쾌락보다 훨씬 더 자극적인 심미적 쾌락을 향유할 수 있는 미디어 매체들이 급속하게 태어나고 있는 것도 중요한 그 이유 중의 하나라는 것이다. 인터넷의 콘텐츠가 확장되고 발전되면서 굳이 시집을 펼쳐 읽지 않더라도 심미적 욕구의 충족이 다양한 측면에서 가능하게 되었다는 것을 기억할 필요가 있다.

인간에게는 본원적으로 시적 충동, 곧 서정적 심미의식이 존재한다. 시적 쾌락을 추구하지 않을 수 없는 원초적 본능을 지니고 있는 것이 인간의 보편적인 특징이라는 뜻이다. 하지만 오늘의 대중이 오직 시로부터만 시적 쾌락을 향유하는 것은 아니다. 유행가의 가사, 광고의 카피, 인터넷 홈페이지의 이미지, 기타 TV의 서정적 영상이나 영화로부터도 서정적 쾌락을 향유하고 있는 것이 지금의 대중들이다.

시의 위기에 대한 징후는 이러한 맥락에서도 발현되고 있다. 가볍고 자극적인 심미적 충동에 익숙해 있는 대중들에게는 구태여 난해하기 짝이 없는 시를 통해 그러한 욕구를 충족할 까닭이 없다. 전문가들에게는 너무도 식상해 아무런 심미적 충격이 되지 않는 시들조차 이들 대중에게는 소통이 불가능한 언어뭉치로 받아들여질 수도 있다.

그렇다고는 하더라도 아직도 시가 모든 문화의 꽃으로 존재하고 있는 것은 사실이다. 시가 모든 문화의 꽃이라는 지적은 어제오늘의 일이 아니다. 여기서 말하는 꽃이라는 언표는 당연히 영혼의 엑기스라는 뜻을 지닌다. 모든 문화가 지니고 있는 영혼의 핵심을 압축, 추출해 심미적으로 표현한 것이 시라는 것이다. 앞으로도 시가 압축된 영혼의 표현으로 존재하리라는 것은 불문가지이다. 여전히 이러한 맥락 안에 존재하기 마련인 시가 과연 소멸할 수 있겠는가. 결론부터 말하면 결코 그렇지 않다.

시가 서정을 근본으로 하고 있다면 소설은 서사를 근본으로 하고 있다. 서사를 바탕으로 하고 있는 소설이 서정을 바탕으로 하고 있는 시보다 늦게 태어난 장르라는 것은 이미 잘 알려져 있는 바이다. 그럼에도 불구하고 먼저 태어난 장르인 시보다 늦게 태어난 장르인 소설이 좀 더 빨리 소멸할 가능성이 있다.

가장 많은 영향력을 행사하던 시절인 19세기적인 의미에서의 소설은 오늘의 현실에 이르러 어디에서도 제대로 창작되고 있지 않다. 지금의 이 시대는 설화를 중심으로 한 이야기의 시대가 아니라 영상을 중심으로 한 이미지의 시대이다. 이러한 점은 우리나라보다 서구 유럽의 경우가 훨씬 더 심하다는 것이 통설이다. 프랑스의 경우 본국의 프랑스어 소설은 이미 끝난 지 오래라고 한다. 과거에 식민지였던 프랑스어권 국가, 즉 알제리 등의 프랑스어 소설이 훨씬 더 본래의 소설에 가까운 모습을 보여주고 있다고 한다. 시의 위기보다는 소설의 위기가 좀 더 실감 있게 다가온다는 것이다.

근본적으로 시는 비물질적이고 무가치한 것, 다시 말해 비경제적인 것이다. 한마디로 말해 좀처럼 돈이 되기 힘든 것이 시이다. 시는 물질적 행복과는 무관한 인간 존재의 근원을 탐구하는 양식으로 작용을 하는 한편, 오랫동안 삶의 원초적 지혜를 되찾는 일에 바쳐져 온 바 있다. 시가 인간 존재의 근원을 탐구하는 양식으로 존재해 왔다는 것은 특히 불가佛家의 전통적인 선시禪詩 혹은 계송偈頌을 보더라도 잘 알 수 있다. 이러한 연유로 오히려 시는 경제중심, 물질중심의 오늘의 자본주의 사회를 한 몫에 돌파할 수 있는 섬세한 무기가 될 수도 있다. 물질적 풍요가 강화되어 갈수록 역으로 비물질적인 것에 관심을 돌리지 않을 수 없는 것이 인간의 본성이다.

돌이켜보면 지난 1970년대와 1980년대에 서정시가 우리 사회에 행사했던 폭발적인 영향력은 비정상적인 것이었는지도 모른다. 그럼에도 불구하고 이 시기에 뛰어난 걸작들이 창작되었고, 그것이 갖는 대사회적 영향력이 매우 컸다는 것은 누구도 부인하지 못한다. 그즈음 우리의 시는 반독재 민주화운동과 맞물리면서 높은 차원에서 대중의 교양과 의식을 고양시키는 핵심 버리였던 것이 사실이다. 하지만 인류의 긴 역사에서 시가 그러한 역할을 수행했던 적은 별로 많지 않다. 이러한 맥락에서 생각하더라도 인간 존재의 근원을 탐구하고, 삶의 원초적인 지혜를 탐구하는 언어예술 양식으로서 시의 역할은 여전히 중요하다. 나날의 삶의 진실과 함께 하는 한 시의 미래를 반드시 어둡게만 볼 필요는 없다는 말이다.

서정, 서사, 극의 형태로 문학의 장르가 완성된 것은 아리스토텔레스 당시, 즉 그리스 말기이다. 그러나 로마시대를 거치면서 이러한 뜻에서의 문학의 장르는 점차 통합되기 시작해 중세시대에 이르러서는 서정, 서사, 극이 아예 분별을 할 수 없을 정도로 뒤섞여진 채로 존재한다. 이렇게 해체되고 통합된 문학은 15~17세기에 이르면서, 다시 말해 고전주의 시대에 이르면서 점차 다시 각각의 형태로 분할되어 오늘날과 같은 장르로 정립된다.

이로 미루어 보면 장르의 분리와 통합은 문학사의 자연스러운 순환과정에 존재한다고 해야 마땅하다. 그 과정에 역사의 요청에 따라 서정, 서사, 극의 형태가 상호 착종되는 가운데 각기 모습을 달리 하리라는 것은 되물어볼 필요가 없다. 전통적인 의미에서의 서사시가 지금의 소설의 모습으로 환골탈태한 것이 17세기에 와서라는 점이 무엇보다 이를 잘 증명해준다. 눈으로 읽는 시, 즉 오늘의 서정시도 서구의 역사 속에서 구체화된 것은 구텐베르그의 인쇄술이 보편화된 이후이다. 구텐베르그 이전의 시는 음유시일 수밖에 없고, 시인은 음유시인일 수밖에 없다. 이로 미루어 보더라도 시를 활자화된 언어예술로 고정시켜 받아들여서는 안 된다.

각종 영상 매체(디지털 전자매체)가 출현하는 것과 관련해 시의 운명을 걱정하는 사람들이 적잖다. 하지만 조금만 숙고해보면 이 문제도 크게 걱정할 것이 없다. 영상매체야말로 '듣는 시'와 '보는 시'를 결합시킬 수 있는 언어의 중요한 장치일 수 있기 때문이다. 말하기를 반영하고 있는 '듣는 시', 즉 시간의식의 시와, 글쓰기를 반영하고 있는 '보는 시', 즉 공간의식의 시가 상호 혼합된 채 존재할 수 있는 장치가 다름 아닌 영상매체라는 것을 염두에 둘 필요가 있다. 영상매체가 갖는 시공간의 통합적 성격이야말로 말하기와 글쓰기, 시간과 공간, 논리와 직관, 듣는 시와 보는 시를 하나로 묶어낼 수 있으리라. 따라서 영상매체가 귀와 눈, 청각과 시각, 이성과 감성을 하나로 종합하는 예술기제로 작용할 수 있으리라는 것을 강조하지 않을 수 없다.

이러한 점에서 생각하면 시의 미래는 아직 충분히 남아 있다. 영상매체와 결합하지 않는다고 하더라도 시의 운명이 끝나지 않기는 마찬가지이다. 사진이 처음 태어났을 때 미술(회화)이 가졌던 위기감이며, 영화가 처음 출발했을 때 연극이 지녔던 위기감을 돌이켜 보면 이는 좀 더 분명해진다. 오늘날에도 여전히 미술(회화)과 연극이 의미 있는 예술의 일부로 우리의 삶에 남아 있지 않은가. 물론 TV며 PC 등의 영상매체, 특히 인터넷의 사이버 세계가 지금 서정시의 절대적인 경쟁자로 떠오르고 있는 것은 사실이다. 그럼에도 불구하고 나는 활자 매체로서 서정시의 고유한 영역이 아직도 중요하게 남아 있다고 생각하는 것이다.(1999)

고향, 자연, 상실, 꿈

고향은 자연이고, 대지이고, 어머니의 품이다. 여호와에 의해 아담과 이브가 추방되기 이전의 에덴이다. 신화적으로 말하면 고향이 행복과 평화의 상징일 수밖에 없는 것은 바로 이 때문이다. 고향이 상실된 낙원으로 비추어지는 것도 마찬가지이다.

하지만 고향이 낙원으로 비추어지기 시작하는 것은 인간이 고향을 떠나면서부터이다. 고향에서 살 때는 누구도 고향이 낙원인지를 모른다. 고향이 행복과 평화의 근본인지를 모른다. 너무 흔하면 귀한 줄을 모르는 법이다.

고향에 대해 자각하는 것도 마찬가지이다. 고향은 고향 밖에 있을 때 정작의 의미로 현현되기 마련이다. 고향과 분리되면서, 즉 자연과 대지와 에덴과…… 분리되면서, 분리가 만드는 소외에 휘말리면서, 소외가 낳는 대립과 갈등에 빠지면서, 대립과 갈등으로 인한 고통에 휩싸이면서 비로소 깨닫게 되는 것이 고향이다.

이처럼 고향은 언제나 고향을 떠나 사는 사람들의 것이다. 고향을 떠나 고향 밖에서 떠도는 사람들, 이들로 하여 고향은 생기 넘치는 낙원으로 되살아나기 마련이다. 그렇다. 고향은 떠돌이의 것, 나그네의 것이다.

고향을 그리는 마음, 곧 향수도 마찬가지이다. 고향 밖으로 튕겨나가 있는 자들, 그렇게 뿌리 뽑힌 자들, 부유하는 자들의 가슴속에 자리해 있는 것이 향수이다. 향수와 무관한 고향은 있을 수 없다. 향수로 하여 고향은 정작의 의미를 갖는다.

향수에 시달리는 사람들, 곧 고향을 떠나 사는 사람들의 마음은 슬프다. 의지할 부모도, 형제도, 이웃도 없기 때문이다. 아니, 없다고 생각하기 때문이다. 정처 없는 떠돌이의 나날이 아프지 않을 리 있겠는가. 만해가 "대장부 머무는 곳 어딘들 고향이 아니랴" 라고 노래했던 것도 이러한 심리적 기제와 무관하지 않다.

하지만 모든 것은 다 마음먹기에 달려 있다. 그렇게 위로할 수밖에 없다. 긴 유목의 시대에 비하면 인간이 정착생활을 한 역사는 매우 짧다. 인생도 마찬가지이다. 아무것도 하지 않기에는 너무도 길고, 무언가를 하기에는 너무도 짧다.

무엇을 하든 하지 않든 어차피 떠돌이일 수밖에 없는 것이 인생이다. 이백도 말했듯이 자연의 유구한 역사에 비하면 인간의 삶은 하루 저녁 잠시 머물다 가는 나그네의 여정에 불과하다.

인간이 자신의 마음속에 고향을 받아들인 것은 언제부터인가. 아무래도 농경시대에 이르러서부터라고 보아야 할 듯싶다. 정착생활을 시작하면서 고향은 인간의 마음속에 둥지를 틀게 되었으리라는 뜻이다. 고향의 많은 신화, 나아가 기독교의 에덴의 신화도 마찬가지이다. 아니, 신화라고 하는 것들은 모두 그렇다. 노자가 말하는 무위자연에의 꿈도 크게 다를 바 없다. 이는 모두 인류가 오랜 유목생활을 청산하면서 비롯된 것들이다. 인간이 자신의 태자리에 뼈를 묻은 역사가 별로 길지 않다는 것이다.

유목시대에도 인간의 가슴에 고향이라는 것이 존재했을까. 아마도 그렇지 않았으리라. 인간이 자신의 내면에 고향을 살도록 한 것은 구체적인 유목생활을 마치고 정주공간을 갖게 되면서부터라고 해야 마땅하다. 정주생활의 나날들 속에서 인간은 낙원을, 고향을 자신의 마음에 퍼뜨리게 되었으리라는 것이다. 신동엽 시인이 말하는 쟁기꾼의 대지, 곧 원수성의 세계도 실제로는 그렇게 태어나지 않았겠는가.

정착생활을 시작하면서 인류가 자신의 정신영역에 남긴 기억은 매우 크다. 그때서야 비로소 공동체를 체험하기 때문이다. 아직도 인간은 그때의 행복했던 삶을 잊지 못하고 있다. 청동기 초기의 완벽했던 공동체적인 삶 말이다. 인류에게 그것은 지금 하나의 잔상으로만, 신화로만 남아 있다. 물론 고향은 낙원이라는 이름으로 불리던 그 시절의 신화적 공간, 행복과 평화의 공간에 닿아 있다.

하지만 인간이 정작 고향을 자각한 것은 훨씬 이후의 일이다. 그때까지는 고향 안에서, 고향과 더불어, 고향의 일부로 살아왔던 것이 인간이다. 아직은 인간이 뿌리 뽑힌 채 떠돌며 살지 않았다는 뜻이다. 그때의 인간이 고향을 인식할 수 있는 공간적 · 시간적 거리를 갖고 있었을 리 만무하다.

고향 안에서 살 때에는 당연히 고향이 없다. 아니, 고향을 느끼지 못한다. 향수는 본래 고향 밖에서 갖는 부랑자의 마음이다. 떠돌이의 마음, 나그네의 마음일 수밖에 없는 것이 향수이다.

정주생활을 끝내고 인간이 고향 밖을 떠돌기 시작한 역사는 더욱 일천하다. 대부분은 자본주의적 근대 이후의 일이기 때문이다. 몇몇 장인匠人들을 제외하면 이때까지의 인간은 농촌이라는 공간을 바탕으로 거의 안정된 정주생활을 해왔던 것이 사실이다.

지구상에서 인간은 짧게 잡아도 5만 년을 넘게 살아오고 있다. 하지만 단군이 고조선을 세운 것은 채 5천 년이 못 된다. 인간이 향수를 갖게 된 역사는 이처럼 별로 길지 않다. 그럼에도 불구하고 고향은 모든 인간의 가슴에 불에 덴 자국처럼 남아 있다.

대부분의 경우 떠돌이의 삶의 출발과 산업사회의 출발은 일치한다. 삶의 중심을 대도시 산업현장으로 바꾸면서 많은 인간이 고향을 잃게 되었다는 뜻이다.

시에서 고향상실의 의식을 직접적으로 반영하기 시작한 것은 18세기 말 낭만주의 시대에 와서이다. 낭만주의 시대에 이르러 근대적 의미에서의 서정시는 싹을 틔운다. 낭만주의 시의 중심적 정서가 향수라는 것은 이미 잘 알려져 있다. 독일의 대표적인 낭만주의 시인 노발리스는 향수를 "어디서나 집처럼 느끼고 싶은 충동"이라고 정의한 적이 있다. 심지어 노발리스는 향수를 낭만주의 시의 주요 철학이라고까지 주장한다.

이 시대에도 향수는 갈가리 찢겨진 현실, 즉 어디에도 정주할 수 없는 현실의 고통으로부터 발생한다. 그렇다. 향수는 평화와 행복의 공간이 사라진 삶으로부터 출발한다. 추악한 도시의 현실에 대한 부정과 거부의 정신이 상실된 고향에 대한 그리움으로, 즉 향수로 드러나기 시작한 것이다.

기본적으로 향수는 자본주의적 근대가 만드는 고통의 정서라고 해야 옳다. 서양에서도 고향의 정서는 산업혁명 이후의 떠돌이 삶, 즉 신이 부재하는 삶과 함께 한다. 이처럼 향수는 신이 존재하던 시대에 대한 그리움을 기저로 하고 있다. 근원이 존재하던 시대에 대한 동경을 담고 있는 것이 향수인 것이다. 향수가 서양 근대시의 핵심 정서로 불거진 것도 바로 이 때문이다. 독일에서만 해도 향수는 노발리스의 뒤를 이어 횔더린 등의 시를 이루는 주요 정서가 된다.

우리나라에서 고향이 본격적으로 인식된 것은 일제강점에 와서이다. 식민지 근대화가 강제되면서 어쩔 수 없이 국민들은 고향을 잃고 이곳저곳으로 떠돈다. 1930년대 한국의 현대시가 고향을 주된 화두로 삼게 된 것도 이에서 연유한다. 너무도 많은 국민들이 나라 안팎을 유이민으로 떠돌던 시대가 일제강점기이다.

1950년의 한국전쟁도 국민들로 하여금 고향을 잃고 이곳저곳으로 떠돌게 한 중요한 원인이다. 피난민들이 공통적으로 경험할 수밖에 없었던 이때의 고통을 어떻게 다 말로 형용할 수 있겠는가. 그러나 전국민적인 떠돌이가 좀 더 가속화된 것은 산업화가 본격화된 1960년대 후반부터이다. 말할 것도 없이 이 시기에는 박정희 정권의 계발 독재가 한참 진행되던 때이다.

박정희 정권이 들어서고 제1차 경제계발계획이 끝난 것은 1968년이다. 1969년부터 제2차 경제계발이 시작되는데, 이 해에는 서울에서 대전까지 고속도로가 개통되기도 한다. 이때 이후 국민들은 거의 대부분 고향을 잃고 떠돌이로서의 삶을 살게 된다.

1968년은 내가 처음으로 읍내에서 중학교를 마치던 무렵이기도 하다. 읍내의 중학교를 졸업하고 시내의 고등학교로 진학한 것은 그 이듬해인 1969년이다. 이 무렵 겨울에서 봄까지 두어 달의 시공간……, 이 시공간이 내게는 고향에서의 마지막 삶, 아니 고향 자체의 마지막 삶이다. 이때만 해도 이농이 본격화되기 이전이다.

당연히 마을사람들은 공동체를 이루며 함께 살았다. 자잘한 분란이 없지는 않았지만 그것으로 인해 이렇다 할 상처를 주고받을 정도는 아니었다. 불과 30호 남짓 되었지만 마을은 언제나 각종 일과 놀이로 활기가 넘쳤다. 활기가 넘치기는 아홉 식구나 되는 우리 집의 경우도 마찬가지였다. 언제나 집 안은 많은 가족들로 흥성거렸다.

여름날 식사 때가 되면 모깃불이 타오르는 앞마당에 멍석을 펴고 모여 모듬밥을 먹는 것이 일상이었다. 호박된장국이라도 끓이는 날이면 서로 먼저 먹으려는 달려드는 형제들의 수저 속으로 우수수 하늘의 초승달과 별들이 바람에 섞여 쏟아져 내리고는 했다. 찬물에 밥을 말아 풋고추를 된장에 찍어먹는 것만으로도 행복과 평화 그 자체를 느끼던 때였다. 아니, 그렇게 기억이 되고 있다.

아직 마을에는 백중날의 노래자랑, 보름날의 척사대회, 단오날의 그네뛰기 등 공동체 놀이가 활기차게 남아 있었다. 연날리기, 널뛰기, 쥐불놀이, 제기차기, 자치기, 땅따먹기 등의 놀이도 아이들을 대지·자연과 더불어 살도록 했다. 달이 밝은 밤, 마을의 공터에서는 그렇게 각종 놀이에 취한 아이들의 웃음소리도 끊이지를 않았다. 둥구나무가 있는 냇둑에서는 사랑에 취한 젊은 남녀들의 노랫소리가 끊이지를 않았고…….

밤이 깊어도 북적대는 것은 집집마다 마찬가지였다. 겨울의 농한기에는 짚을 추려 새끼를 꼬고 가마니를 치면서도 어른들은 각종 야담과 실화를 마음껏 즐겼다. 내 또래의 동무들은 이웃 마을 계집아이들을 우리 마을 사랑방으로 불러들여 이불 속에 발을 넣고 "사치기 사치기 사뽀뽀" 어쩌구 하면서 날이 새는 줄을 몰랐다. 올된 동무들은 이불 속의 발끝으로 관심 있는 계집아이에게 간지럼을 먹이며 벌써부터 애정표시를 하기도 했다. 이제 막 이마빡의 피가 말라가던 시절이었다.

하지만 그것으로 끝이었다. 그해 겨울이 지나고 봄이 오면서 마을사람들은 하나 둘 고향을 떠나기 시작했다. 고등학교 1학년 때, 그러니까 1969년 추석을 보내고 났을 때는 마을이 텅 빈 느낌이 들 정도였다. 추석과 더불어 마을의 총각과 처녀들이 대부분 대도시의 산업현장을 찾아 고향을 떠났기 때문이다. 개중에는 더러 나처럼 공부를 하기 위해 고향을 등지는 친구들도 있었다.

1972년 고등학교를 졸업하고 나서였다. 재수를 하기 위해 나는 한 일년 정도 고향에 머물러 지내게 되었다. 그러나 이때의 고향은 적막 그 자체였다. 이미 고향에는 처녀와 총각이 한 사람도 남아 있지 않았다. 노인들과 개들만이 둥구나무 그늘 밑을 차지하고 있을 뿐이었다. 마을은 점차 황무지가 되어 가고 있었다.

이렇게 하여 내게서 고향은 사라져 버렸다. 1980년대에 이어 1990년대가 지나고 2000년대에 이르자 내 마음속에서 고향은 형해形骸조차 남아있지 않게 되었다. 아직 마을은 남아 있었지만 그저 생존의 공간 그 이상도 이하도 아니었다. 자본주의의 경쟁체제와 함께 하는 혹독한 생존의 터전에 불과한 이 마을로부터 당연히 나는 어느 것도 기대하지 않았다. 사소한 일로 서로를 고발하고 고소하는 일조차 적잖았다.

그럼에도 불구하고 공동체를 말하다 보면 일단 먼저 고향의 모습부터 떠오른다. 고향의 두레 일들을 염두에 두지 않고서는 어떠한 것도 공동체로 다가오지 않는다.

고향은 점차 하나의 관념으로 변해 갔다. 아무런 구체성도 없는 것이 고향이었다. 따라서 내게는 고향이 하나의 추상으로 자리잡는 것이 당연했다. 마침내 나는 이 고향으로부터 오늘의 자본주의적 인간형을 추방해 버리기 시작했다. 점차 고향을 자연으로, 대지로, 지구로, 우주로 치환하여 받아들였다.

심지어 고향은 종교적 이상으로까지 전이되었다. 기독교적 에덴으로, 노장적 자연으로, 나아가 어머니의 자궁으로까지 고향의 의미는 확장되었다. 이제 고향의 의미는 하나의 완벽한 상징으로 존재하게 되었다. 급기야 고향은 시원의 세계, 신동엽 시인이 말하는 원수성의 세계로까지 그의미의 폭이 넓혀졌다. 마침내 고향은 하나의 이상향으로, 유토피아로 남게 되었다.

한동안 나는 이런저런 질문에 빠져 지냈다. 유토피아는 미래의 이상향인가. 유토피아를 반드시 평면적인 미래의 세계로 설정해야 하는가. 본래의 미래는 과거 속에, 과거를 통해 존재하는 것이 아닌가. 따라서 과거의 파라다이스에 기반하지 않은 미래의 유토피아는 있을 수 없다. 유토피아는 잃어버린 낙원, 즉 파라다이스와 이음동의어에 불과하다. 유토피아와 파라다이스는 상호 종개념이면서도 유개념이다. 언제나 서로 의존할 수밖에 없는 것이 유토피아와 파라다이스이다. 이러한 생각이 오래도록 나를 사로잡고 놓아주지 않았다.

그렇다면 고향을 반드시 고향에 건설할 필요가 있겠는가. 발길이 닿는 모든 곳이 새롭게 세워야 할 고향일 수는 없는가. 고향이라는 것이 이미 구체적인 삶의 공간과 무관해진 지 오래이지 않은가. 따라서 이제 고향은 일종의 상상적 공간, 심리적 공간일 수밖에 없다. 한편으로 나는 이러한 생각을 하며 시간을 보냈다.

먹이를 찾아 한없이 떠돌며 사는 것이 현대인의 삶이다. 이미 정착생활의 시대는 끝난 지 오래이다. 현대인의 삶을 가리켜 신유목민이라고 하지 않는가. 그럼에도 불구하고 발길이 머무는 곳마다 고향을 건설하는 일은 여전히 힘들고 어렵다. 하지만 하나의 인간 존재로서 이것처럼 보람 있는 일이 어디에 있겠는가. 이러한 마음을 지니고 있으면 누구라도 매사에 지극한 정성을 다 할 수밖에 없다.

머무는 곳마다 고향을 건설하기 위해서는 소요하는 마음으로 사는 것이 중요하다. 소요하는 마음은 무엇에도 집착하지 않는 마음을 뜻한다. 요즈음 나는 이런저런 생각을 시로 쓰며 살고 있다. 그만큼 나는 고향으로부터 멀리 있기도 하고 가까이 있기도 하다. 이미 고향은 내게 어머니의 자궁이고, 대지이고, 자연이고, 에덴이고, 지구이고, 우주이다. 이러한 시원의 세계, 원수성의 세계에 대한 탐구 없이 인간의 오랜 꿈은 이루어지지 않으리라.(2002)

치마끈 풀어 돛 달아야 하리
―「길 끝에」

  함박꽃이라는 이름의 여자가 있었다. 그 여자, 함박꽃. 물론 함박꽃이라는 이름은 가명이다. 어떻게 그녀의 실명을 부를 수 있는가. 이제는 남의 아내가 된 여자, 남의 며느리가 된 여자, 그리하여 지독히도 행복한 여자의 실제 이름을…….

  하지만 내게 그녀는 아직도 꽃으로 피어 있다. 그렇게 살아 있다, 함박꽃으로. 그렇다면 그것만으로도 나는 그녀에 대해, 함박꽃에 대해 무언가 얘기할 자유가 있다. 자유? 이러한 내 욕망을 자유라고 할 수 있을까.

  당신은 말할지도 모른다, 희미한 옛사랑의 그림자일 뿐이라고. 좋다. 당신은 그렇게 말할 수도 있으리라. 하지만 희미한 옛사랑의 그림자는 얼마나 아름다운가.

  내가 처음 함박꽃을 발견한 것은(발견이라니?) 1976년, 그녀가 스물두 살 때였다. 함박꽃과 내가 모두 대학 3학년, 참으로 화사한 나이이지 않은가!

  군에서 돌아왔을 때, 다시 학교에 다니기 시작했을 때, 내게는 여전히 하루하루가 절망 그 자체였다. 유신정권은 미동도 하지 않았고, 지식인들은 적당히 고통을 즐겼고, 나는 아득히 허무를 즐겼다. 죽음의 냄새가 코끝 싸하게 밀려오고는 했는데, 코끝 싸한 냄새와의 싸움에 지쳐 내 영혼은 늘 시리고 아팠다.

그러던 어느 날이었다. 봄이었고, 함박꽃이 피기 시작했다. 꽃향기는 더욱 나를 절망으로 훌쩍이게 했다.

버스정류장에서 학교까지의 길은 제법 멀었다. 그 길을 걸을 때마다 내 영혼은 발걸음을 버리고 저 혼자 떠돌기 일쑤였다. 그때였는데, 그렇게 떠도는 내 영혼을 퍼뜩 낚아채는 한 송이 꽃이 있었다. 함박꽃이었다. 놀라운 모습으로 함박꽃은 내게로 다가와 향기를 뿜어댔다. 두려웠고, 아무래도 큰 병을 앓게 될 것만 같은 예감이 들었다.

그러나 오히려 온전해지기 시작했다. 온전해진 영육靈肉으로 찬찬히 나는 함박꽃을 읽어내려 갔다. 함박꽃은 난해했다. 온갖 암호로 가득 차 있었고, 그리하여 나는 매번 쩔쩔매야만 했다. 쩔쩔매다 보면 나의 온전함은 순식간에 무너져 버리고는 했다.

하지만 함박꽃은 항상 내 주위의 이곳저곳에서 피어 밝고 환한 모습으로 웃었다. 함박꽃 앞에서 나는 내내 터질 듯한 가슴이었는데, 터질 듯한 가슴으로 다가서면, 어느새 그녀는 안개처럼 사라지고 없었다.

참으로 현란했다. 어렵고도 어지러웠다. 내게 함박꽃은 고등수학 문제였다. 도대체 실마리를 잡을 수 없는 것이 그녀였다.

함박꽃과 함께 하면서 나는 언제나 미아였다. 아니, 나와 함께 하면서 함박꽃은 언제나 미아였다.

시나브로 그녀는 내 가슴의 부성애를 울먹울먹 자극했다. 나는 그녀의 아빠였다. 아니, 아빠이고 싶었다. 안타까웠다. 안타까움의 함박꽃은 거듭해 내 가슴을 미어지게 했다.

그해에도 6월은 강물을 살찌게 했다. 도서관에서였는데, 그녀가 모처럼 내게 먼저 말했다. 보세요, 책 속의 삼천 궁녀가 모두 강가로 나가 미역을 감고 있어요. 싱그럽게 우거져 있는 신록이 휘파람을 불며 자꾸 함박꽃과 나를 유혹했다. 시내버스를 타고 천연스럽게 우리는 금강으로 갔다. 강가에는 삼천 궁녀가 함박꽃 한 송이로 피어 웃고 있었다. 나도 따라 웃었다.

함박꽃이 낮은 목소리로 '섬집아기'를 불렀다. 나는 한 편의 시를 썼다. 그녀가 '치마끈 풀어 돛 달아야 하리' 하고 우리의 시를 읽었다.

그렇게 우리는 좋았다. '열려라 참깨!' 이 한마디로도 함박꽃의 암호는 풀렸고, 그리하여 그녀와 나는 하나였다.

이 세상에 절망은 없는 듯했다. 더는 코끝 싸한 죽음의 냄새도 나지 않았다. 도처에서 생명의 꽃이 피고 새가 울었다. 그러나 그것은 잠시였다. 실로 짧은 기간이었다. 함박꽃은 어느 틈에 풀 수 없는 암호로 출렁거렸다.

나는 다시 절망의 늪 속으로 나 자신을 던져 넣었다. 절망의 늪 속에서 나는 아예 절망의 늪이 되어버렸다. 그리하여 절망의 늪에서는 항상 함박꽃을 향한 죽음의 냄새가 났다.

전설처럼 세월이 갔다.

물론 함박꽃과 나의 관계는 이에서 그치지 않았다. 오래도록 그녀는 나를 탐색했고, 탐색 속에서 내게 수많은 상처를 주었다. 내 가슴에는 아직도 완전히 아물지 않은 상처 자국이 시퍼렇게 남아 있다. 불에 데인 것처럼 쓰리고 아픈…….

그녀는 곧잘 불교의 인연론을 끌어들였다. 인은 맞지만 연이 맞질 않는다는 것이었다. 어쨌든 무언가 맞지 않는 것이 있어 함박꽃은 이제 아득히 먼 곳에서 저 혼자 피어 있다. 지독히 행복한(?) 남의 여자가 되어…….

내게도 이러한 시절이 있었다, 누구에게나 그랬던 것처럼.(1990)

그대와 다다른 길 끝에
강물이 흐른다면
헤엄쳐 건널 수 없는
죽음이 흐른다면

쓰러져 피 뱉을 때까지
언 손 마주 비비며
뗏목을 엮을 때까지

지친 숨소리로
부끄럼 가린
치마끈 풀어
돛 달아야 하리

허공 두루 허우적대다 보면
손에 잡히는 지푸라기
지푸라기로 만든 동아줄 던져
하늘에 가 닿을 때까지
해와 달 빛날 때까지

오오, 강물 다 말라
거기 잎사귀를 떨구는 미루나무
나무처럼 우두커니 서 있을 수는 없지

—『길 끝에』 전문

시와 나

— 「唐岩里 · 2」

아이는 생각한다. 아득히 짙푸른 통못들이 펼쳐져 있고, 그 끝으로 금강 물이 흐른다. 보리밭 사이로 종달새들이 솟구쳐 오르고, 꿩들이 잡목숲 가에 알을 낳는다. 꾀꼬리 암수가 샛노랗게 울어 쌓는데, 아이는 또 생각한다. 생각하며 바라본다, 뒷동산 숲 그늘에 앉아 멀리 신작로 위로 달려가는 화물차며, 미루나무 가로수며, 피어오르는 흙먼지며, 들판 가운데의 물버드나무를.

허기가 말갛게 피어오른다. 배가 고프다. 찔레 순을 꺾어먹으며, 아이는 들고 있던 김소월 시집을, 그리움을 생각한다. 산산이 부서진 이름이여! 허공중에 헤어진 이름이여! 불러도 주인 없는 이름이여! 부르다가 내가 죽을 이름이여! 한 줄기 더운 바람이 밀려오고, 풀썩 외로움이 밀려오고, 풀여치 한 마리 가슴께로 튀어 오른다. 아이는 지금 슬프다. 까닭 없이 눈물 한 방울이 옷깃을 적신다.

아부지는 오늘밤에도 돌아오지 않을 거다. 아부지는 아부지다.

대동 산 5번지. 소년은 이 산동네가 싫다. 청솔가지를 태우는 매캐한 저녁연기며, 코를 찌르는 공중변소의 악취며, 하수구의 시궁내며……, 그 밖의 모든 것이 다 싫다. 고향집, 푸르른 들녘이며, 강물이며, 해맑은 하늘은 이제 소년에게 없다.

장맛비가 내리고, 박꽃이 핀다. 촘촘히 붙어 있는 판자집, 이 집 주인인 판례 아부지는 오늘밤에도 술이 취해 돌아올 거다. 그리고 이어 판례 엄니와 대판거리로 싸울 거다. 판례는 제 엄니의 치마섶에 매달려 울고, 판례 이모는 또 소년의 자취방으로 숨어 들어올 거다.

오류동 방직 공장에 다니는 판례 이모는 예쁘다. 백지장처럼 희고 고운 얼굴, 그러나 그녀의 얼굴은 슬프다. 슬프면서도 아름답다. 밤이 오고, 어느새 연애바위 쪽에서 동네 청년들의 유행가 소리, 휘파람 소리가 들려온다. 소나무 한 그루 제대로 서 있지 않은 민둥산, 똥덩어리들이 너저분하게 흩어져 있는 연애바위, 이름만 그럴싸한 연애바위…….

자취방의 쾌쾌한 냄새 속에서 소년은 삶은 감자를 물어뜯으며 책을 읽는다. 「낙서족」, 「유실몽」, 「잉여인간」, 「혈서」 등 이른바 손창섭의 소설들, 이 나라의 슬픔들, 이윽고 소년은 슬픔에 대하여 생각한다. 슬픔의 원인에 대하여, 원천에 대하여 생각한다. 가난에 대하여도 생각한다. 가난이라! 아아, 외로움에 대하여…….

안개가 피어오른다. 안개, 안개더미…….

안개더미 속으로 동네 청년들의 휘파람 소리가 들려온다, 유행가 소리가 들려온다.

바람이 차다. 눈이 내리고, 눈 속으로 솟구쳐 오르는 것이 있다. 외로움이다. 그는 생각한다. 외로움에 대하여, 외로움의 뿌리에 대하여. 용두동 산 95번지. 지겨운 자취방, 방문을 열고 나서면, 와락 어둠이 밀려온다. 눈더미가 밀려온다. 눈더미 속을 걸으며, 그는 생각한다. 거리에 대하여,

방이 아니라 거리에 대하여, 이 거리의 현실에 대하여…….

어느새 그는 대학생이 되어 있다.

옆방의 지숙이는 왜 죽었을까. 왜 그녀는 끝내 스스로 목숨을 끊었을까. 그것도 상영이와 함께. 목공일을 하던 상영이, 피혁공장에 다니던 지숙이, 돌이질을 쳐도 지숙의 백지장처럼 하얗던 얼굴이 자꾸 떠오른다. 언제부터 이들은 함께 죽음을 나눌 정도로 가까워졌을까.

상영이는 왜 그에게 한 마디 귀띔도 하지 않고 목숨을 끊었을까. 죽기 사흘 전 함께 나눠 마시던 몇 잔의 맥주……. 자살에 실패하고 언니네 집에 와 잠시 머물고 있던 지숙이, 지숙이의 뽀얗던 이마 위에 송글송글 맺히던 땀방울도 떠오른다. 한 마디 귀띔도 하지 않기는 지숙이도 마찬가지이다. 그 혼자만 대학생이었기 때문일까.

그는 생각한다, 현실에 대하여, 현실의 거죽에 대하여. 그리고 밤새 그는 거죽을 벗긴다. 불결한 현실의 거죽을 벗긴다, 거죽 속의 알맹이를 보기 위하여, 알맹이의 바른 빛깔을 보기 위하여. 그는 생각한다, 눈보라 속을 걸으며 역사에 대하여, 역사의 움직임에 대하여, 역사를 움직이는 사랑에 대하여. 그리고 또 생각한다, 조국에 대하여, 분단된 나라, 분단의 구조에 대하여. 다시 또 생각한다, 인간에 대하여, 분리된 인간, 소외된 인간, 소외의 구조에 대하여.

눈보라 속으로 자동차가 헤드라이트를 켜고 지나간다. 가로수가 울고, 거리가 울고, 세상이 울고, 울음소리를 밟으며, 그는 용두동 산 95번지로 돌아온다, 자취방, 흐린 형광불빛 속으로, 책 속으로, 그리고 시詩 속으로, 발전하는, 움직이는 역사 속으로.

낙엽이 떨어진다. 플라타너스 넓은 잎이 떨어지고, 은행나무 노란 잎이 떨어지고……, 도처에 그렇게 떨어져 쌓이는 삶이 있다, 현실이 있다. 민중·민족의 현실이다. 현실 속에서 그는 시를 본다, 시를 경험한다, 시를 읽는다, 시를 발견한다.

형상적 현실, 전형적 형상, 그 속에 진실이 있다. 아니 진리가 있다. 주관적 진실뿐만 아니라 객관적 진리가 있고, 아름다움이 있다. 감동이 있다. 뜨거운 삶이 있다. 삶의 과학이……

바람이 분다. 낙엽이 떨어지고, 대추알이 떨어진다. 검붉은 대추알이 그는 좋다, 땅 위에 뒹구는 대추알이, 땅속에 묻히는 대추알이.

겨울이 오고, 눈보라가 친다. 눈보라를 견디며 봄이 온다. 대추알이 제 싹 내민다. 샛노란 대추 싹이 뾰쪽뾰쪽 땅거죽을 벗겨낸다. 흙의 알갱이들 밀어 올린다.(1988)

> 잔디밭 묏등 아래
> 소년은 누워 돌을 던진다
> 하늘은 언제나 그만큼
> 그만큼 푸르러 빛나는데
> 던져 무엇을 맞힐 수 있을까
> 맞힐 수 있을까
> 청개구리 한 마리
> 가슴께로 튀어 오르고
> 일락산 저쪽
> 산그늘에 잠긴 간이역
> 기적소리 가슴 태우는데
> 오늘도 아버지는 돌아오지 않는다
> 포르르, 굴뚝새가 날아오르고
> 지천으로 흐드러지는 찔레꽃
> 돌아누운 자리로
> 꽃잎이 떨어지고

눈물이 떨어지고
천천히 흔들리던 시냇물
온 우주를 적셔버린다
바람이 불고, 어디선가
산구렁이 울음소리 들린다

— 「唐岩里 · 2」 전문

벼랑 위에서 벼랑 아래로

―「공중변소가 있는 풍경」

아프고, 슬프고, 괴롭고, 힘들고⋯⋯

내가 사는 곳에서는, 내가 밥 먹고 잠자고 똥싸는 곳에서는, 한 발만 비켜 디뎌도 깎아지른 벼랑이다. 이렇게 나는 까맣게 포위되어 있다. 까맣게 포위되어 있다고 생각한다. 벼랑 꼭대기에서 바라보면 벼랑의 아래로 무수한 길 있다. 집이 있다. 사람들 사는 동네가 있다. 산동네⋯⋯.

벼랑을 내려가야지. 저 길들 속으로, 저 집들 속으로, 저 사람들 사는 동네 속으로, 들어가야지. 기어서라도, 들어가 하나 되어야지. 이렇게 생각한다.

벼랑을 내려오면, 웬걸 나는 다시 벼랑 꼭대기에 서 있다. 홀로 그리고 외롭게, 언제나 거기 우두커니 서 있다.

말 뿐이야. 생각뿐이야. 머릿속에서만, 관념 속에서만, 벼랑을 내려올 뿐이지. 현실은, 삶은 여전히 냉엄하게 분리되어 있는 걸, 파괴되어 있는 걸, 찢겨져 있는 걸, 저기 저렇게.

그러나그러나, 그 꿈, 그 희망 포기하면 어떻게 살지. 어떻게 숨쉬지.

어떻게 밥 먹고, 잠자고, 똥싸지. 무슨 재미로 살지.

벼랑 위에서 바라보면, 벼랑 아래의 사람들, 아프고, 슬프고, 괴롭고, 힘들고……, 너무 대간하지. 그러나 벼랑 아래에서 바라보면 벼랑 위의 사람들, 아프고, 슬프고, 괴롭고, 힘들고……, 너무 대간하지. 이들도 그렇지.

어디가 벼랑 위?

어디가 벼랑 아래?

높은 곳에서 바라보면 벼랑 위?

낮은 곳에서 바라보면 벼랑 아래?

어디가 높은 곳?

어디가 낮은 곳?

그렇지. 동쪽 없는 서쪽 없지. 젊은이 없는 늙은이 없지. 사랑 없는 자유 없지. 사랑 없는 평등, 해방 없지. 사랑 있는 자유! 사랑 있는 평등, 해방!

무엇으로 벼랑 위와 벼랑 아래를 통일하지. 무엇으로 높은 곳과 낮은 곳을 통일하지. 무엇으로 자유와 평등, 해방!

사랑! 오오, 사랑! 사랑의 세상을 만들어야지!

내가 사는 곳, 내가 밥 먹고 잠자고 똥싸는 곳, 벼랑 꼭대기에서, 나는 생각한다, 밤낮 이 따위 것들이나, 밤낮 머릿속으로만, 관념 속으로만.

영혼의 변증법? 좋다. 자기수양의 변증법? 좋다.

오늘도 나는 벼랑을 내려간다, 저 길들 속으로, 저 집들 속으로, 저 사람들 사는 동네 속으로, 희망 속으로,

본래의 나 속으로, 절망 속으로, 더는 내가 없는 속으로.

시 「공중변소가 있는 풍경」은 이러한 몽상 속에서 태어났다.(1991)

장마 그치고, 이윽고 해뜬다

창문을 열면

얼기설기 누게집들 사이로

무너지는 흙더미 사이로

요요요, 앉은뱅이 채송화꽃이 핀다

가까이 아주 가까이

간이공중변소 문이 열리고

팔 부러져 일 못나간 정씨 아저씨

헛기침하며 나온다

고의춤 올린다

그 모습 너무 아름다워

햇살 내려쬐는 저쪽

멀리 도봉산이 빙그레 웃는다

인수봉 백운대도 함께 웃는다.

— 「공중변소가 있는 풍경」 전문

선암사 절방에서 얻은 한 소식

—「선암사에서」

1987년의 여름 얼마간을 나는 전남 승주군 쌍암면 소재의 선암사에서 보낸 적이 있다. 1987년의 여름이라면 이른바 '6월 항쟁'의 끝물에 해당되는 시기이고, '7·8월 노동자 대투쟁'이 한참이던 시기이다.

그때 나는 형편없이 지쳐 있었다. 소심하기 짝이 없는 얼치기 지식인으로, 그리고 삼류시인(?)으로 나의 열정은 이미 소진되고 있었다. 6월의 한 달을 서울의 명동과 퇴계로 등 길바닥을 헤매면서, '빛나는' 시민으로 최루탄 가스와 함께 지내면서 한때 나는 활기로 넘쳐 있기도 했다. 그리하여 그 여름 나는 나 자신을 향해 이렇게 선언한 적이 있었다. '방황은 끝났다! 오직 실천만이 있을 뿐이다. 더 이상 나 자신을 학대하지 않으리라.' 하지만 그것은 7월에 이르면서 말 그대로 선언에 불과하게 되었다.

7월도 중순을 넘어서자 솔직히 말해 내 가슴은 터질 것 같았다. 연일 매스컴의 전면을 장식하는 노동의 깃발, 천지를 뒤집는 노동자들의 대투쟁 앞에서 나는 사실 내가 누구인지 갈피를 잡을 수 없었다. 이제 내게 붙어져 있던 '진보적 지식인'이라는 딱지는 존재하지도 않게 된 듯싶었다.

몇몇 친구들은 울산으로, 창원으로, 인천으로 아무런 두려움도 없이, 아무런 고뇌도 없이 노동자들과 함께 하기 위해 달려갔다. 하지만 나는 고작 나 자신을 향해 다시 묻기 시작했다. "도대체 당신은 누구이지?" "뭐 하는 사람이야" 하고……. 그러면 이때의 당신은 거듭해 대답하고는 했다. "당신은 얼치기 지식인일 뿐이야. 삼류 시인일 뿐이라고……." "그렇지. 그럴지도 모르지" 하고 나는 고개를 끄덕이고는 했다.

방황은 끝난 것이 아니었다. 또 다른 출발에 불과했다. 깨달음의 길도 끝난 것이 아니었다. 또다시 시작이었다. "조국의 역사에서 이제 당신의 몫은 없어. 어서 꺼지라고." 어디선가 자꾸 이러한 말이 들려오는 듯했다.

그때였다. 누군가가 나를 유혹했다. "전남 승주의 선암사에서 3박 4일의 세미나가 있으니까 얼른 그곳으로 도망을 치자고!" 악마의 유혹일 터였다. 유혹은 나에게 한없이 다정하고 살갑게 들렸다.

기차를 타고, 버스를 타고, 또다시 버스를 타고 도착한 선암사는 조용하고 고요했다. 조용하고 고요할 뿐만 아니라 그윽했다. 나아가 진한 폐허의 냄새가 났다. 눈을 감으면 방대한 규모의 대가람이며 웅성거리는 수천수만의 수도승들이 보였다. 눈을 뜨면 여기저기 깨어진 기왓장이며 썩어 가는 나무토막 따위가 달려들었다. 개망초꽃이 소복한 여인처럼 무더기로 흐드러져 있었고, 지친 달맞이꽃이 누렇게 말라붙어 있었다. 우물가에서는 하안거를 끝낸 몇몇 젊은 스님들이 쭈뼛거리기도 했지만 내게는 단지 길을 떠날 여비를 걱정하는 모습으로 밖에 비치지 않았다.

선암사는 이미 도량이 아니었다. 노스님 한 분이 와 절의 역사와 유래를 설명했는데, 그의 강한 사투리 속에는 겨우 폐찰을 면한 슬픔이, 설움이, 분노가 뭉텅이로 스미어 있었다. 계속해 노스님이 말했다.

"이 절은 선교양종禪教兩宗의 대표적인 가람으로 조계산을 사이에 두고 송광사宋廣寺와 쌍벽을 이루었던 수련장으로 유명합니다. 주요 문화재로는 보물 제 359호인 삼층석탑 2기가 있습니다. 대웅전은 지방문화재 제4

호로 지정되어 있습니다. 또 절 입구에 있는 승선교昇仙橋는 보물 제 400호이기도 합니다."

보물 몇 호, 문화제 몇 호…… 라니? 나는 묘한 슬픔으로, 설움으로, 분노로 가슴이 떨리는 듯했다.

장맛비는 밤과 낮을 이어 좀 더 생생하게 질금거렸다. 대지는 오줌을 지린 속곳처럼 축축했고, 축축한 마음으로 나는 이 절의 객방에 누워 나 자신을 자꾸 파묻었다. 팔베개를 하고 누워 바라보는 벽지들이 반들반들하니 외로워 보였다. 바라보는 한편으로 나는 나 자신에게 또다시 물었다, 무엇이 이 선암사이며, 선암사의 자연이며, 그리고 저 밖의 세상을 한꺼번에 일그러뜨리고 한꺼번에 일으켜 세우는가를. 물음 사이로 한 마리 산새가 담장 밑에 앉아 울었다. 딱딱딱, 딱딱딱, 가늘게 쪼개지는 산새 소리는 이미 짙게 쉬어 있었다. 바튼 기침소리 같았다.

문득 날이 개기도 했고, 그리하여 태양이 빛나기도 했다. 태양이 빛났지만 선암사와 선암사의 숲에서는 여전히 폐허의 냄새가 났다.

나를 이곳으로 데려온 것이 무슨무슨 세미나였지. 참석한 사람들 모두 세미나에 대해서는 심드렁했다. 어쩌면 한결같이 피난(?)을 온 셈인지도 몰랐다.

잠시 나는 절방을 나서 산골짜기를 향해 걸었다. 걸으면서 생각했다, 무엇이 이 선암사이며, 선암사의 자연이며, 저 밖의 세상을 한꺼번에 일그러뜨리고 한꺼번에 일으켜 세우는가를. 산골짜기의 물은 태양 빛을 받아 더욱 힘차게 흘러내렸다. 지칠 줄 모르는 투사와 같아 보였다. 콸콸거리는 물소리는 특히 혁명의 함성으로 들렸다.

하지만 내려 쬐는 태양의 열기는 순식간에 대지의 모든 생명들을 허덕이게 했다. 아름드리나무며, 우거진 풀 더미며……. 호박잎들은 아예 팔을 축 늘어뜨린 채 혀를 빼물고 있었다. 나도 숨이 콱콱 막혔다.

산골짜기의 흐르는 물에 발을 적시다가 마침내 나는 옷을 벗기 시작했다. 그리고 흐르는 채 나를 기다리고 있는 물을 향해 천천히 알몸을 밀어 넣었다. 별로 깊지 않은 물은 나를 부드럽게 껴안았다. 껴안자마자 물들은 깔깔거리며 나를 애무했다. 숨을 멈추고 있던 기쁨이, 희열이, 알싸함이 나와 물의 내부에서 솟구쳐 올라와 하나로 뒤엉킨 채 나뒹굴었다. 문득 맑은 기운 한 소식이 싱하니, 가슴을 뚫고 갔다. 이내 우르릉 쾅쾅 천둥이 쳤고, 뭉게구름이 일었다. 소나기가 몰려왔고, 어디선가 비에 젖은 산새 울음이 들렸다. 무언가 또 다른 일을 찾을 수 있을 듯도 했다.

나의 1987년 7~8월은 이렇게 지나갔다. 그러니까 나는 적당히 세상으로부터 나 자신을 빼돌렸던 셈이다. 언제 내가 세상의 한복판에 서 본 적이 있었던가, 가령 그해 6월에라도.

이러한 경험을 한 이후 나는 내가 이 세상의 역사에서 할 수 있는 일이 지극히 작고, 사소하고, 조그맣다는 것을 잘 알 수 있게 되었다. 그리고 작고, 사소하고, 조그만 일에 충실하기로, 정성을 다하기로 작정했다, 새로운 방황이 나를 유혹할 때까지, 또 다른 깨달음의 길이 내 앞에 펼쳐질 때까지.

신문과 방송에서 노동자들의 '붉은 깃발'이 점차 잦아들기 시작할 무렵, 아득히 대통령 선거운동이 시작될 무렵 나는 내 이러한 깨달음을 담은 시 한 편을 팔아 몇 푼 잔돈을 챙겼다. 여기 그 전문을 소개한다.(1992)

순천에서 칠십 리, 선암사 절방에서
하루를 묵고 또 하루를 묵는다

반들반들하니 때 절은 벽지들이 외로운
이 방, 나는 팔베개를 하고 누워
온종일 누리를 덮어오는 장마비며

여기 낡은 산사를 생각한다
담장 끝에는 목탁새 한 마리
슬픈 낯빛으로 울다 가는데
무엇이 세상이며 저 자연을
한꺼번에 일그러뜨리고
한꺼번에 일으켜 세우는가를
배운다 그러다 보면 마음속으로
우르르 쾅쾅 천둥이 치고
뭉게구름 가득 솟아오른다

저쪽 대웅전 마당가에서는
젊은 중들이 비를 맞으며
또또 은밀한 웃음을 찢어 나눈다.

—「선암사에서」 전문

신새벽, 계룡산 홰치는 소리 들린다

─ 「대전에 가면」

　개나리꽃이 샛노랗게 망울을 터트린다. 진달래꽃도 온 산을 빨갛게 물들이기 시작한다. 어느새 봄이다. 봄의 한복판에 와 서 있는 거다. 이렇게 살아도 되는가. 이렇게 정신없이 쫓기며 살아도 되는가. 모처럼 창문을 열고, 저기 산 아래 아등바등 피어오르는 아지랑이 떼를 바라본다. 아등바등 피어오를지라도, 아지랑이 떼 속에는 고향이 있다.

　고향, 멀리 계룡산이 치솟고, 가까이 금강물이 출렁거리는 땅, 공주군 장기면 당암리 그 245번지 막은골, 내가 태어난 곳, 그곳에서 50리, 50리를 더 남으로 내려가면 대전, 내 잔뼈를 키워준 도시, 언젠가는 돌아가야 할 땅이 있다.

　내게는 고향에 대하여, 대전에 대하여 할 말이 있다, 사랑이.

　자연의 법칙은 놀랍다. 봄이 되면 어김없이 꽃을 피워 올린다. 저처럼 저절로 저 스스로를 변화시켜 가는 힘, 저 혼자 저 스스로 환골탈태하는 힘, 끊임없는 만물의 운동성이라니!

　봄은 새로움이다, 젊음이다. 무모하고 대책 없는 것이 봄이다. 봄은 언제나 순식간에 온다. 황사바람을 몰고 갑자기 온다. 그리하여 봄은 두렵고 겁난다. 은여우털 목도리를 하고 으스대는 사람은 봄을 혁명으로 알기 때문이다. 혁명이 오면 모든 기득권을 잃게 되니까. 그들의 눈에는 목련 꽃송이가 샛노란 수류탄으로 보이기도 하리라.

하지만 봄은 두려워해야 할 것이 아니다, 겁낼 것이 아니다. 자연은 저 스스로 몸을 움직여 봄을 만든다. 사람의 노력과 상관없이 자연은 저 스스로 새로움을, 젊음을 낳는다. 무엇이 두렵고 겁나는가.

사람의 봄은 어떻게 오는가. 사람의 봄도 저절로 오는가. 아니다. 그렇지 않다. 바로 여기서 자연과 사람의 본질이 갈린다. 힘을 써 움직이지 않을 때, 노력하지 않을 때 사람의 봄은 오지 않는다. 사람의 봄은 사람이 만든다. 싸움 속에서, 갈등 속에서 사람은 저 스스로 사람의 봄을 만든다.

사람의 법칙은 놀랍다. 잠시도 쉬지 않고 사람은 봄을 만든다. 봄을 만드는 사람, 악착같이 봄을 만들고 꽃을 피우는 사람, 저처럼 세상을 바꿔가는 사람의 힘, 무모하고 대책 없는 사람들의 힘…….

봄을 모르는 사람의 힘은 거칠다. 그리하여 우리를 두렵고 겁나게 한다. 새롭기 때문이다. 새로운 것과 마주하면 낡은 것은 늘 겁나고 두렵다. 저 낡은 것들이라니!

새로움을 만드는 사람이 있다. 사람의 봄을 만드는 사람이 있다. 이 사람의 일은 늘 무모하고 대책 없어 보일는지도 모른다. 어떤 사람은 말한다, 이상과 현실은 다르다고. 그렇다면 이상은 우리가 닿을 수 없는 딴 세상의 것인가. 아니다. 그렇지 않다. 사람은 가능한 것을 꿈꾼다. 이상은 사람의 가능한 꿈이다. 오늘은 가능하지 않더라도 내일은 가능한 것이 사람의 꿈이다. 가능한 꿈을 꾸는 사람이 사람의 봄을 만든다.

사람의 봄을 두려워하는 사람이 있다. 겁내는 사람이 있다. 이러한 정도의 사람은 그래도 괜찮다. 사람의 겨울을 만들지는 않으니까. 겨울로 돌아가려고 발광을 떨지는 않으니까.

사람의 겨울을 만드는 사람이 있다. 낡은 것을 만드는 사람, 은빛 여우털 목도리를 두른 사람······, 그들은 말한다, 함부로 까불지 말라고. 그들이 보기에 사람의 봄을 만드는 것은 함부로 까부는 일이다. 젊음도, 새로움도 그들이 보기에는 모두 범 무서운 줄 모르는 하룻강아지들의 몸짓일 뿐이다.

사람의 봄을 만드는 일이 문화를 만드는 일이다. 사람의 봄이 문화다. 문화는 기득권이 아니다. 탈취하여 향유하는 것이 아니다. 문화는 낡은 것을 버리고 새것을 만드는 일이다. 이렇게 미래를 '만드는 일'이, '생산하는 일'이 문화다.

물론 새것은 낡은 것에서 나온다. 신세대는 구세대에서 나온다. 현재는 과거에서 나온다. 미래는 현재에서 나온다. 낡은 것을, 구세대를, 과거를 알고 익혀야 하는 까닭이 바로 여기에 있다. 나는 지금 그것을 바로 알고 있는가. 바로 알고 있을 때 새것은 새것으로, 신세대는 신세대로, 미래는 미래로 된다.

마침내 대전에게, 충남에게 묻는다. 어떤가, 너는 지금 사람의 봄을 만들고 있는가. 왕성하게 젊음이 물결치고 있는가.

대전은 낡았다. 충남은 까마득히 처져 있다. 누구도 감히 이렇게 말하지는 못한다. 사실 그렇지도 않다. 그러나 생각한다. 대전은, 충남은 정말 뜨겁게 살아왔는가, 앞장서 살고 있는가.

어떤 사람들은 말한다, 대전에는, 충남에는 낡은 것이 없다고, 그리하여 전통도 없다고. 마침내 새것도 없다고, 넘치는 활기도 없다고, 사람의 봄을 만드는 사람도 없다고.

아니다. 그렇지 않다. 치솟는 계룡산을 갖고 있는 곳이 대전이다. 넘치는 금강물을 갖고 있는 곳이 충남이다.

이곳에는 꿈의 전통이 있다. 선비들은 오랫동안 현실 속에서 이상을 실천해왔다. 자연의 법칙을 사람의 법칙으로 만들어 왔다. 나중에는 지배

이데올로기가 되어 변혁의 가치를 잃기도 했지만, 이理를 따지고, 기氣를 밝히고, 예禮를 논해왔다. 율곡에서 사계로, 사계에서 우암으로, 우암에서 수암으로, 수암에서 남당으로 외암으로, 그렇게 피를 말리며 삶의 진실을, 세상의 진리를 탐구해왔다. 김일부는 또 어떤가. 정역을 만들어 수은을 낳고, 증산을 낳고. 박헌영은 또 어떤가. 일제강점기 민족해방 투쟁의 저 찬란한 별, 박헌영은……

이들은 모두 사람의 봄을 만들던 사람이다. 당시에는 그들 모두가 과격하고 무모하고 대책 없어 보였으리라. 승리자로 기록되든, 패배자로 기록되든 저들이 만든 봄이 오늘을 있게 하고 있다. 그렇지 않은가.

하지만 저들이 만든 봄은 이미 봄이 아니다. 저들은 저들의 봄, 저들 시대의 봄을 만들려고 애를 썼을 뿐이다. 나는 나의 봄, 나의 시대의 봄을 만들어야 한다. 지금 이 시대의 봄, 나아가 미래를 위한 봄을 만드는 것이 내 몫이다. 그러므로 나는 저들의 봄 가운데 이미 겨울이 된 것들과 과감히 결별해야 한다. 내가 저들로부터 나왔지만, 저들에게서 받아들여야 할 것과 버려야 할 것을 엄밀히 구별해야 한다.

사람의 봄은 언제나 낮은 곳으로부터 온다. 휴전선의 철조망을, 방벽을 허물며 온다. 낮은 곳의 낮은 사람이 사람의 봄을 만든다. 높은 곳의 높은 사람은 두려울지도, 겁날지도 모른다. 그렇지 않은가. 그렇지 않아야 한다. 그렇지 않아야 역사를 함께 만들어 갈 수 있다.

대전은, 충남은 어떤가. 그렇지 않은가. 그렇지 않아야 한다. 생명을 죽여 만든 은빛 여우털의 목도리나 자랑하고 있으면 그럴지도 모른다. 은빛 여우털의 목도리라니!

스스로 낮은 곳으로 내려간 사람들은 알고 있다. 낮은 곳에서 낮은 사람들과 함께 사람들 모두의 봄을 만드는 사람들, 이 무모하고 대책 없는 사람들을 나는 알고 있다. 높은 곳의 높은 사람들이 보면 참으로 시건방진 놈들일 뿐이다. 그러나 그렇게 보아서는 안 된다. 그럴 때 남는 것은 은빛 여우털 목도리로는 견딜 수 없는 겨울 한파뿐이다. 높은 곳의 높은 사람들일수록 눈을 크게 뜨고 그들의 손을 바로 잡아야 한다. 그럴 때 함께 걸어가야 할 내일이 보인다. 어느 누구의 경우이든 사람의 봄은 사람의 노력 속에서만 온다.

스스로 낮은 곳이 된 사람들, 낮은 사람이 된 사람들, 그들이 골짜기를 막는다. 사람 사이의 저 커다란 골짜기를 그들이 막는다. 그렇게 평원을 만든다. 나아가 평화를 평등을 만든다.

그들이 골짜기를 막는 것을 본 적이 있다. 밤을 세우며 그들은 일한다, 기껏 컵라면으로 끼니를 때우며. 지금 그들이 막고 있는 골짜기가 언제 평원으로 될는지는 아무도 모른다. 언제 그 위에서 봄꽃이 필는지도 모른다. 그들은 그것을 묻지 않는다. 묻지 않고 그저 묵묵히 일한다.

나도 낮은 곳으로 내려가 낮은 사람들과 함께 사람들 사이의 저 엄청난 골짜기를 메우고 싶다. 골짜기가 이루는 갈등과, 분노와, 대립과, 증오를 메우고 싶다. 그렇다. 나도 사람 사이의 골짜기를 메워 평원을 만들고 싶다. 그것이 결국은 사람의 봄을 만드는 일이리라, 문화를 만드는 일이리라, 역사를 만드는 일이리라. 언젠가는 나도 그 위에 봄꽃을 피우고 싶다. 샛노란 개나리꽃도, 새빨간 진달래꽃도, 연분홍 무궁화도 피우고 싶다.

꽃을 피우는 것은 기득권을 누리는 것이 아니다. 기득권에 끊임없이 시비를 거는 일이다. 사람의 꽃을 피우는 것은 정말 그렇게 꼼지락거리는 일이다. 뾰쪽뾰쪽 솟구쳐보는 일이다.

이처럼 나는 대전에 대하여, 고향에 대하여 할 말이 있다. 나도 그곳의 꼼지락거림 중의, 뾰쪽거림 중의 하나이기 때문이다.

그러한 사람의 법칙을 시로 쓴 적이 있다. 고향을 사랑하는 마음으로……. 여기 그것을 옮겨 본다.(1990)

들린다. 덜컹대는 소리

삐걱대는 소리 멈췄다 떠나는 소리

자동차 바퀴소리 들린다

내 잔뼈를 키워준 대전에 가면

모이는 소리 흩어지는 소리

안 들린다 생쥐 이빨 까는 소리

능청떠는 소리 귀신 씨나락 까먹는 소리

들린다 급기야 들고 일어서는 소리

한판 늘어붙는 소리 왕왕 들린다

광주에서 부산에서

순식간에 밀고 올라오는 소리

올라와 솟구치는 소리

서울에서 평택에서

들려오는 소리, 내려와 갈라지는 소리

갈라져 타오르는 소리 들린다

이윽고 용광로 끓어오르는 소리

헉헉 몸 달아오르는 소리

금강물 철렁이는 소리 들린다

짜증 부리는 소리 신경질 부리는 소리

내 친구들 잔주접 떠는 소리

안 들린다 오직 들린다

신새벽 계룡산 홰치는 소리 들린다

그 아줌마 애낳는 소리 크게 크게 들린다.

—「대전에 가면」 전문

현실과의 소통을 위하여

— 「계룡산 뻐꾹새」

1.

현실에 대해 나는 할 말이 있다. 내가 현실에게 할 말이 있는 것처럼 현실도 내게 할 말이 있으리라. 하지만 정작 먼저 말을 거는 것은 언제나 내가 아니라 현실이다. 현실이 내게 말을 하지 않을 수 없도록 시키는 거다. 사실인가. 사실이라면 고통스럽고 힘들더라도 나는 말을 해야 한다, 발언을 해야 한다, 아무도 듣지 않더라도, 아무도 감동하지 않더라도, 아무도 말자리를 나눠주지 않더라도, 내게 익숙한 어법으로 입을 열어야 한다, 말솜씨가 비록 신통치 않더라도.

현실은 내게 말한다, 귀 기울여 자기 말을 들으라고, 그것을 나의 어법으로 사람들에게 말하라고. 비유로, 선문답으로, 더러는 암호로, 현실은 내게 말한다. 나도 말한다, 스승인 현실에게, 현실의 사람들에게. 비유로, 선문답으로, 더러는 암호로, 나도 현실에게 말한다.

이렇게 토해지는 어법이 지향하는 것은 당연히 시다. 시의 어법은 형상으로 솟아날 때 완성된다. 형상의 완미성! 완미한 형상의 시에서는 밤꽃 냄새가 난다, 무지개가 뜬다, 여기저기서 발목지뢰가 터진다.

무엇이 형상을 만드는가. 형상의 자질은 이미지, 이야기, 감정(리듬+어조)이다. 이미지, 이야기, 감정은 형상 자체가 그러한 것처럼 유의미한 의식지향을 내포한다. 이들 자질이 총합되어 형상을 이루고, 전형으로 나아간다. 따라서 나는 이미지로, 이야기로, 감정으로, 그리하여 그것들의 총합인 형상으로 무엇인가를 한몫에, 한꺼번에 말하려고 한다.

이때의 '무엇인가'란 무엇인가. 예의 유의미한 의식지향과 함께 하는 이 무엇은 현실이 내게 거는 말 속에 담겨 있는 진리이다. 현실은 항상 스스로의 말 속에 대답을 간직한 채 진리로 내게 말을 건다. 현실의 진리, 즉 운동법칙으로서의 현실의 질서를 여기서 구체적으로 명시할 필요는 없다. 봄이 지나야 여름이 오는 것처럼 누구에게나 그것은 자아의 성숙과 더불어 문득, 별안간, 갑자기, 퍼뜩 오기 때문이다, 각성으로, 깨달음으로…….

항상 현실이 먼저 내게 말을 걸어오는 것은 아니다. 현실은 간혹 침묵하기도 한다. 그럴 때면 당연히 내가 먼저 말을 걸어야 한다. 이제는 내가 먼저 현실에게 말을 걸 참이다, 과격하게, 급진적으로……. 마침내 현실과 함께 하나가 될 때까지.

2.

싸락눈이 내리고 한기寒氣가 살비듬을 파고들던 1985년 겨울의 어느 날이었다. 우리는 계룡산 동학사 아래 한 민박촌에서 날밤을 새웠다. 날밤을 새우며 토론하고 또 토론했다. 그 자리에는 이른바 '민중교육' 사건에 관련되었거나 해직된 몇몇 가슴 뜨거운 선생님들이 모여 있었다.

하지만 그날의 모임은 내게 참으로 폭폭했다. 나는 줄곧 듣는 편이었는데, 듣고 있을 수밖에 없는 처지였는데, 그리하여 애꿎은 담배만 빡빡 피워대고 있었는데, 가슴 깊은 곳에서 무언가 자꾸 울컥대며 올라오는 것이었다. 도무지 더는 견딜 수 없었다.

이윽고 새벽이 왔고, 나는 슬며시 자리를 털고 일어섰다. 밖으로 나오자 밤새 내린 싸락눈으로 세상이 온통 은백색으로 빛나고 있었다. 은백색 세상 위에 나는 최초의 발자국을 찍으며 걷기 시작했다. 걸으며 생각했다. 작아져야 한다. 모래알만큼 담배씨만큼 작아져야 한다. 한 줌의 재티로 쓰러져간 수많은 사람들만큼, 그만큼 작아져야 한다. 그러한 다음에 비로소 커져야 한다. 이런저런 생각들 사이로 먼동이 터 왔고, 눈 지게를 짊어진 나뭇가지 사이로 새벽 기운이 어지럽게 뻗쳐 왔다.

거의 '박정자'에 다다랐을 때야 택시가 왔고, 빵빵거리며 멈춰 섰다. 언 손을 마주 비비며 나는 운전석 옆자리에 앉았다. 택시 기사는 이 동네의 토박이였다. 대전역까지의 길 위에서 그는 내게 이런저런 얘기를 했다. 요점은 간단했다. 계룡산이 좋다고, 계룡산의 너그러움과 슬픔을 사랑한다고, 그리고 어렸을 때인데, 여기서 죽어간 수많은 '프롤레타리아'를, '파르티잔'을 잊을 수 없다고 그는 내게 말했다. 나도 조용히 말했다, 계룡산이 좋다고, 계룡산의 슬픔과 너그러움을 사랑한다고……

1986년 봄, 세월은 여전히 심란하기 짝이 없었다. 하지만 나는 두어 차례 여기 "동학사에서 신도안으로 가는/좁다란 길목"을 찾았다. 아득히 갈대 숲이 우거져 있었는데, 갈대 숲 가운데에서 퍼뜩 '통일통일' 하고 우는 뻐꾹새 소리가 들려오는 것이었다. 역사가 한 몫에 시간을 뛰어넘어 가슴을 치받아 왔고, 그만큼 온몸이 부들부들 떨려 왔다. 아래의 시는 이렇게 해서 태어났다.(1990)

동학사에서 신도안으로 가는
좁다란 길목, 잔잔히 물버들이 자라고
그 아래 질펀히 누워 있는 갈대숲

거름이 좋아,

올해도 풀덤불 마구 우거져 있는 길가

거기 얼마나 많은 프롤레타리아가

파르티잔이 묻혀 있는가를

나는 알고 있지 그 해 초겨울

전쟁이 얼추 끝나갈 무렵

패전해 밀리던 북선 병사들

총탄에 옆구리가 으깨지고

팔다리가 부러지고

헐떡이는 신음소리를 그 많은 동무들이

달구지에 실려와 버려지고

트럭에 실려와 버려지고

그러나 소문과는 달리

이곳에 그들의 야전병원은 없었지

더러는 절룩이며 산으로 들어가고

더러는 큰길로 돌아나갔지만

대개는 죽었지 논밭에 산비탈에 쓰러져

그들도 조선사람인지라

조선사람 썩는 냄새를 풍기며 흙이 되었지

이듬해 봄, 관청 몰래 마을 아낙네들이

 아직 덜 썩은 주검들을 긁어모아

겨우 묻었지 군데군데 봉분도 없이

그후 해마다 여기 갈대숲

뻐꾹새가 울지 눈물로 하소연으로

하늘 우러러 통일통일 울지

—「계룡산 뻐꾹새」 전문

계룡산은 내 고향이다

― 「계룡산 연천봉」

눈을 감으면 떠오르는 곳이 있다. 고향이다. 고향은 각각의 주체들이 태어나고 자라고 떠나온 곳을 이른다. 내가 태어나고 자라고 떠나온 곳은 충남 공주군 장기면 당암리 두곡(막은골)이다. 왼쪽 옆으로는 모듬내가 졸망거리며 흐르고, 오른쪽 옆으로는 높지 않은 산언덕이 팔을 두르고 있고, 앞으로는 통뭇들이 가득 펼쳐져 있고, 더 앞으로는 금강물이 출렁이고 있고, 더더 앞으로는 아득히 계룡산의 주봉들이 우뚝우뚝 솟아오르고 있는 곳이 내 고향이다.

누구는 태어나고, 자라고, 떠나온 곳만이 고향이 아니라 돌아가야 할 곳도 고향이라고 말한다. 생명을 얻은 곳도 고향이지만 죽어 돌아갈 곳도 고향이라는 것이다. 앞의 고향을 '자연의 고향'이라고 할 수 있다면 뒤의 고향은 '정신의 고향'이라고 할 수 있으리라.

돌아갈 곳으로서의 고향은 살아 있을 때 우리가 쌓고 이루는 곳이기도 하다. 유년시절의 꿈이 삶의 과정에 깎고 다듬으며 만든 곳, 이르고자 하는 삶의 목표 속에서 형성되고 닦어진 곳이 그러한 고향이다.

따라서 그러한 고향이 우리가 태어나고, 자라고, 마침내 떠나온 곳과 같은 자연의 공간이 아니라는 것은 자명하다. 삶의 과정에 공덕을 쌓아 이루는 다분히 철학적이고 종교적일 수밖에 없는 곳이 그러한 고향이다.

불교인에게는 부처님의 가슴 안에 만드는 고향이 있고, 기독교인에게는 예수님의 가슴 안에 만드는 고향이 있으며, 증산도인에게는 상제님의 가슴 안에 만드는 고향이 있기 마련이다. 각자의 신앙에 따라 누구는 하늘에 정신의 고향을 만들며 살아가고 있고, 누구는 땅에 육체의 고향을 만들며 살아가고 있다. 얼마나 아름다운 일인가. 누구나 죽으면 이렇게 자기가 생전에 가꾸어온 고향으로 돌아가게 되는 것이다. 물론 모든 사람이 다 그러한 것은 아니지만 말이다.

내게도 그러한 고향이 있다. 하지만 나는 신앙심이 약해 이들처럼 전통적인 종교를 통해 강렬한 고향을 찾아 만들며 살아가지는 못한다. 또한 그것을 종교의 경지까지, 어떤 신앙의 경지까지 이끌어 올릴 수 있는 경건함도 갖고 있지 못하다. 나는 그저 마음속의 고향, 정신의 고향을 오롯이 지니고 있을 뿐이다.

내 정신의 고향은 자연, 그중에서도 '산'이다. 산 중에도 특히 내가 태어나고 자라고, 끝내는 떠나온 계룡산이다. 하지만 계룡산은 내게 단순한 자연의 고향만이 아니다.

계룡산은 내게 어머니이고, 아버지이고, 벗이고, 애인이고, 아내고, 아우이고, 형님이고, 누이이다. 그리고 또 그곳은 내게 절망이고, 희망이고, 그리움이고, 기다림이고, 역사이고, 운명이다. 그렇게 나는 계룡산과 얽혀 있고 묶여 있다. 어쩌면 내게 계룡산은 거대한 '리비도'인지도 모른다.

그동안 나는 계룡산에 대해 적잖은 시를 써왔다. 물론 내가 그것을 특별히 의도하고 쓴 것은 아니다. 그냥 어쩔 수 없이 써진 것이 계룡산에 대한 시가 된 것이다. 세 번째 시집 『절망은 어깨동무를 하고』의 제1부에 실려 있는 10여 편의 「계룡산」 연작시들도 마찬가지이다.

계룡산이 우리나라 명산 중의 하나라는 것은 강조할 것이 못된다. 오늘날까지 전해지는 수많은 전통 지리서와 비기들이 한껏 계룡산의 정기를 찬양하고 있기 때문이다.

당연히 계룡산에는 수많은 명당자리와 사찰들이 자리하고 있다. 동쪽으로는 동학사, 서쪽으로는 갑사, 남쪽으로는 신원사, 북쪽으로는 구룡사를 가슴에 품고 있는 것이 계룡산이다. 특히 갑사 터는 우리나라 수행 도량의 터 가운데 가장 빼어난 명당이라고 『우리 명산 답산기』의 저자 류인학은 강조하고 있다. 그에 의하면 아직도 그냥 비어 있는 명당이 많은, 꽤 넓은 분지로 되어 있는 갑사 계곡은 여전히 성스러운 기운이 넘치고 있다고 한다.

갑사 뒤편에는 계룡산의 주맥이 팔을 벌려 품어 안을 듯이 반원형으로 펼쳐져 있다. 이 계룡산의 주맥에는 연천봉, 문필봉, 망대봉, 관음봉, 삼불봉, 수정봉 등이 열을 지어 솟아 있다.

본래 계룡산은 신비의 영산靈山으로 알려져 있다. 전통적인 풍수지리를 현대화하여 잘 알려진 최창조 교수 같은 분은 계룡산의 입구에 이르면 온몸이 떨리고 아프다고 한다. 아직도 천도하지 못한 중음신들이 그곳에 머물고 있다가 아비규환으로 달려들기 때문이다.

그러나 나는 최창조 교수처럼 예민하질 못해 계룡산과 함께 그러한 아픔을 나누지는 못하고 있다. 내게는 계룡산이 너무도 익숙한 탓이리라. 정신의 고향으로서 계룡산은 오히려 내게 일종의 안식처로 작용할 때가 더 많다.

나를 잉태했을 때 어머니는 호랑이 꿈을 꾸었다고 한다. 전통 신앙에서 호랑이는 흔히 산신령을 가리킨다. 그래서인지 어머니는 가끔씩 나를 일러 산신령의 자식이라고 할 때가 있다.

계룡산 신원사의 부속 건물 중에는 중악단이라고 불리는 산신각이 있다. 산신령을 모시는 곳인데, 다른 사찰의 그것에 비해 규모가 크고 웅장하다. 본당이 여느 사찰의 법당만한데, 요사채까지 딸려 있어 주목이 된다. 조선조 말에는 명성황후 민비가 기울어 가는 조선왕조를 다시 일으키고자 이 중악단에서 계룡산의 산신께 큰제사를 바쳤다고 한다.

누가 뭐라고 해도 계룡산은 내게 정신의 고향이다. 삶의 일상에 지치거나 문득 외로움이 몰려올 때 눈을 감으면 망막 가득히 차 오르는 것이 계룡산이다. 내가 태어나고 자라고, 마침내 떠나온 곳이 계룡산이지만 나는 아직도 이 계룡산의 넓은 치마섶을 꿈꾸며 살고 있다.

내가 곧잘 계룡산의 넓은 치마섶으로 돌아가려고 하는 것도 바로 이 때문이다. 동학사에서 갑사로, 갑사에서 동학사로, 그리고 신원사에서 동학사로 천천히 계룡산을 타고 오르다 보면 어떤 절망도 어떤 고통도 이내 사라져버리고 만다.

실제로도 이 땅의 아픈 사람들, 슬픈 사람들, 괴로운 사람들, 쓸쓸한 사람들, 핍박받는 사람들을 자신의 넓은 치마섶으로 따뜻이 감싸주는 것이 계룡산이다. 나도 이 계룡산과 같은 넓은 치마섶을 지니고 싶다. 아니, 넓은 치마섶을 키우고 싶다.(1996)

　　사랑하는 어여쁜 애인 데불고
　　좋다 푹 곰삭은 늙은 마누라도 데불고
　　사람들아 여기 계룡산 연천봉에 올라와 보아라
　　눈 내리는 것 보아라
　　방구석에 처박혀 있지만 말고
　　닐리리야 얼씨구나 눈 내린다
　　가슴 활짝 펴고 네 활개를 펴고
　　곱사춤 추며 눈 내린다
　　굽이굽이 내 고향 금강 위에도
　　저기 신도안 양키놈들 핵기지 위에도

눈 내린다 펄럭펄럭 태극기를 흔들며
계백장군 말발굽소리로 눈 내린다
보아라 쭈그렁바가지다 한울님 자식이다
우리 엄니다 네 살짜리 내 아들 놈이다
야야 사람들아 방구석에 처박혀 있지만 말고
여기 계룡산 연천봉에 올라와 보아라
보인다 저기 이젠 대동강 능라도까지도
백두산 천지, 우리나라 조상 할아버지까지도
고쟁이 속곳까지도 다 보인다 눈 내린다
하늘 연하여 희망이다 희망의 떡가루다
좋다 사랑하는 어여쁜 애인 데불고
푹 곰삭은 늙은 마누라도 데불고.

　　　　　　　　　　　　　　　— 「계룡산 연천봉」 전문

사랑; 하나, 둘이면서 하나

— 「사랑이고 싶은 욕망에게」

길음동 산꼭대기로 이사와 살면서 내게는 커다란 즐거움 하나가 생겼다. 마음만 내키면 언제든지 저 웅장한 북악들과 함께 할 수 있기 때문이다. 창문을 열어제치면 정면으로 도봉산이 보이고, 왼쪽으로 백운대와 인수봉이 보이고, 오른쪽으로 불암산이 보이는 이 길음동 산꼭대기로 이사와 살면서……

길음동 산꼭대기는 누게집들로 이루어진 동네이다. 산비탈 좌우로 다닥다닥 옴팡집들이 붙어 있고, 그 사이로 골목길들이 거미줄처럼 얽혀 있는 곳이 이 마을이다. 채석장이었던 자리를 닦아 서너 동 고층 아파트가 들어서 있기도 하지만 이 마을의 풍경이 그것 때문에 좀 더 나아 보이지는 않는다.

일상의 나날은 우리의 육신을 파김치로 만든다. 그러한 날이면 나는 방바닥에 누워 잠시 쉬며 이런저런 생각에 잠겨 본다. 엄정하기 짝이 없는 저 생존경쟁의 현실로부터 인간이 해방될 날이 있을까. 그때마다 지친 육신은 자꾸 고개를 모로 젖는다. 고개를 모로 저으며 삶이란 영원한 싸움의 과정이라고 지친 육신이 내게 말한다. 그러나 나는 싸움이 싫다. 싸우지 않고 살 수 있는 길은 없을까.

문득 지친 육신을 일으켜 창문을 열어본다. 정면에서 도봉산이 우뚝 치솟아 오른다. 우뚝 치솟아 그가 바로 코앞에서 나를 내려다본다. 도봉산이 이처럼 코앞으로 다가오는 날은 별로 많지 않다. 한 뼘의 거리이건만, 그와 나 사이를 가로막는 것은 너무도 많다.

서울은 매연으로 가득 차 있는 도시이다. 뿌연 스모그들이 그와 나 사이를 자꾸 차단한다. 피곤하고 폭폭한 일이다. 물론 오늘은 그렇지 않다. 간밤에 내린 비에 씻겨 모처럼 서울의 하늘이 맑고 푸르게 빛난다. 그 맑고 푸른 속으로 나도 우뚝 서서 도봉산을 바라본다.

사람들은 왜 각기 다른 욕망을 갖고 있을까. 그리고 그 욕망을 자꾸 업그레이드시켜 갈까. 사람들은 왜 각기 소외되어 있을까. 사람들의 자아는 왜 각기 분리되어 있을까. 분리된 자아를 더욱 쪼개고 가를까.

산마루 위로 구름이 뭉쳐 떠간다. 구름은 산이 되기도 하고, 염소가 되기도 하고, 사람이 되기도 하고, 벌판이 되기도 하고, 늑대가 되기도 한다. 바지를 입었다 벗고, 치마를 입었다 벗는 구름……. 그러나 구름은 하나로 뭉쳐 떠간다. 수많은 물방울들이 모여 하나의 형상을 이루는 저 구름이라니!

그러면 사람은? 알 수 없는 것이 사람의 마음이고, 사람의 삶이다. 사람은 서로 싸우면서 닮는다, 아니 하나가 된다. 사람은 각기 별개의 존재로 빛나면서도 하나가 된다. 하나이면서도 둘인 것이 사람이라는 존재다.

이러한 생각에 빠져 있다 보면 여기 길음동 산꼭대기의 누게집들이야말로 희망이 된다. 누게집들 속에는 참 사랑이, 하나됨의 열정이 들어 있다. 누게집의 식구들은 결코 분리를, 소외를 용납하지 않는다. 끝내 공동체를 포기하지 않는 것이 그들이다. 그리하여 그들은 일한다, 움직인다. 그들에게로 가는 움직임은 움직임 자체가 하나됨이고 사랑이다.

사랑? 인간이 인간으로서의 인격을 지니고 바로 살 수 있는 길은 사랑 밖에 없다. 사랑은 단순한 하나됨만이 아니다. 사랑, 그것 역시 하나이면서 둘이다, 둘이면서 하나다.

도봉산도 그렇다. 그는 정지해 있지 않고 움직인다. 때로 그는 구릿빛 어깨를 한 채 성큼성큼 나를 향해 걸어 들어온다, 싸움이 없는 세상, 모함이 없는 세상을 위해. 나도 성큼성큼 그에게로 걸어 들어간다, 그와 몸 섞어 하나가 되기 위해. 마침내 모성의 불꽃이 그와 나의 자궁 안에서 환하게 탄다.

그런데 사랑은 우리의 자궁 어디에 존재하는가. 자궁의 한 켠에 붙어 고스란히 따로 불타고 있는가. 그렇지 않다. 정제된 욕망, 잘 빗질된 욕망, 그리하여 늘 사랑이고 싶은 욕망, 급기야 사랑은 언제나 자궁 자체로 존재한다, 욕망과 마구 뒤섞인 채.

아하, 상념의 즐거움! 하지만 길음동 산꼭대기에서 살면서 그러한 상념은 한갓 사치이다. 그렇지 않은가. 다음의 시는 자연과, 사랑과, 욕망에 대한 이런저런 상념의 도움으로 태어난 작품이다. (1996)

창문을 열어제치며, 우람한 몸짓으로 도봉산이 걸어 들어온다 걸어 들어
와 내 자궁 가득 채운다

도봉산이여
그리하여 나도, 창문을 열어제치며, 성큼성큼 걸어 들어간다 걸어 들어
가 네 자궁 가득 채운다

마침내 너와 나
뜨거운 모성으로 영글 때까지, 하나로, 둘이면서 하나로 빛날 때까지

나여 도봉산이여
어지러워라 사랑이여 사랑이고 싶은 욕망이여.
— 「사랑이고 싶은 욕망에게」 전문

유월의 신록과 시
— 「6월」

    장르야 어떠하든 문학은 본래 당대의 현실에 운명적으로 매여 있게 마련이다. 첨단의 시대정신에 맞서 고투하는 흔적을 담지 않을 수 없는 것이 문학의 본원적 속성이다. 그러한 것을 잘 알면서도 시인으로서 나는 문득문득 오늘의 삶의 현실로부터 조금은 비켜 서 있고 싶을 때가 있다.

    지난 1980년대는 더욱 그랬다. 이제는 지나간 시대이고, 그리하여 이미 편안히 추억하는 역사가 되었지만, 당시에는 하루하루가 참으로 고통스러운 날들이었다. 특히 1984년 11월 자유실천문인협의회가 재결성되고, 그 말석의 책임을 맡는 동안은 피가 마르는 긴장의 날들이었다. 그때마다 나는 꿈꾸었다, 아, 어서 빨리 이 시대가 지나야지, 이 시대가 지나가고 민주화가 이루어지면 이러한 문학, 이러한 문학이 주는 고통으로부터 해방되어야지, 하고.

    이른바 6월 시민항쟁이 끝난 지도 벌써 10주년이 되고 있다. 어느덧 6월 시민항쟁도 역사가 되고 있다. 그 해 6월 나는 내내 서울의 거리, 명동과 퇴계로의 거리, 시청 앞과 서울역 앞의 광장에서 살았다. 다른 많은 가슴 뜨거웠던 사람들처럼 나도 온몸으로 항쟁을 지켜보고 싶었다. 그리고 그 지독한 최루가스 속에서 몇 편의 시를 얻었다.

6월은 신록의 달이다. 여름이 시작되는 첫 번째 달이다. 우거지기 시작한 신록이 이윽고 숲을 이루기 시작하는 달이다. 이러한 6월에 나는 그와는 전혀 상관 없는 시민항쟁과 남북전쟁을 떠올리고 있다. 이 무슨 비극이란 말인가. 자연은, 자연의 신록은 인간의 가장 원초적인 벗이 아닌가. 그럼에도 불구하고 이 6월에 나는 아름다운 신록은 젖혀 두고 과거의 역사부터 먼저 떠올리고 있는 것이다.

6월은 여름이 시작되는 달이니 만큼 더위가 시작되는 달이기도 하다. 더위가 시작되는 6월은 또한 콩국수가 제맛을 내는 달이기도 하다. 내게도 제맛을 내는 콩국수를 후룩후룩 마시던 추억의 6월이 있다. 콩국수를 마시고 더위를 피해 고향마을 잔디밭 묏등에 누워 먼 하늘을 꿈꾸던, 아득한 미래를 꿈꾸던 6월이 있다.

그때 그 소년, 묏등에 누워 내일을 꿈꾸던 아름다운 그 미소년은 지금 어디로 갔는가.

자연의 변화, 계절의 변화, 나아가 변화하는 일 년 열두 달의 순수한 아름다움을 말 그대로 순수한 아름다움으로 노래할 수는 없을까, 그러한 기회를 갖게 될 수는 없을까. 지난 1980년대 나는 가끔씩 그러한 생각에 빠져 지내고는 했다. 하지만 나는 1990년대도 이미 후반에 이르러 있는 지금까지도 그럴 수 있는 기회를 갖지 못하고 있다. 어쩌면 관습적으로, 습관적으로 우리 시대의 삶의 나날에 엉성하게 매여 있기 때문인지도 모른다.

일종의 월령체 시라고 해도 좋다. 일 년 열두 달 달력의 여백에 아무런 거리낌 없이 실을 수 있는, 아무런 심리적 부담이 없이 게재할 수 있는 시 12편 정도를 쓰고 싶다. 물론 구태여 골라내자면 내게 그러한 시가 아주 없는 것은 아니다. 어딘가 흡족하지 못한 구석이 있어 성큼 남들 앞에 내세우긴 쑥스럽지만 말이다.

　6월의 신록에 파묻혀 아득히 미래를 꿈꾸던 한 소년, 그 소년의 삶을 노래한 시를 여기 옮겨 적으며 글을 맺는다.(1997)

　　　잔디밭 묏등 아래
　　　소년은 누워 돌을 던진다
　　　하늘은 언제나 그만큼
　　　그만큼 푸르러 빛나는데
　　　던져 무엇을 맞힐 수 있을까
　　　맞힐 수 있을까
　　　청개구리 한 마리
　　　가슴께로 튀어 오르고
　　　일락산 저쪽
　　　산그늘에 잠긴 간이역
　　　기적소리 가슴 태우는데.

— 「6월」 전문

눈 내리는 계룡산

─「계룡산 폭설」

눈 내리는 겨울산은 황홀하다. 계룡산의 경우는 더욱 그렇다. 내 영혼의 뿌리가 닿아 있기 때문이리라.

나는 어떤 운명의 힘에 의해 그곳으로 이끌려간다. 고향, 고향으로 끌려 가 하룻밤을 묵으며 그 장엄한 기운 앞에, 그 장엄한 눈발 앞에 나는 나를, 내 속을 조용히 꺼내놓는다.

무릎을 꿇고 혹은 가부좌를 틀고 천천히 내 속의 뼈를 깎는다. 송이눈이 녹으며 내 속의 뼈를 적신다. 시리고 차갑다. 따뜻이 젖어온다.

눈 덮인 계룡산이 내게 아득히 속삭인다, 너를, 네 속의 뼈를 집어던지라고, 그것이 너를 고통의 쾌락으로 잡아끄는 원흉이라고……

내 속의 뼈를 집어던지고 나면 내게는 아무것도 없다. 그저 하얗다. 하얀 눈밭이다. 하얀 눈밭이, 내가 여기 그리고 저기 서 있다.

비로소 나는 자유다. 나는 없고, 눈발들만 흰나비처럼 날개를 퍼덕이며 지구의 겨드랑이를 간지럽힌다.

어디선가 맷돌 돌아가는 소리가 들린다. 지구 돌아가는 소리다. 눈발들도 돌아간다. 당연히 나도 돌아간다.

　세상까지의 길이 아득하다, 다시 보이지 않는다.(1992)

　　무릎 꿇자 가부좌 틀어도 좋다
　　마음 깎고 다듬어
　　내어 던지자 저 장엄한
　　산 무더기 위로, 연천봉 위로
　　하얗게 날아오르는
　　꽃잎들, 저 벅찬 나비 떼들 향해
　　절망 향해
　　죄 내어 던지고 나면
　　거기 없다 아무것도 없다

　　오직 숨소리만이
　　환희의 이 지구 하얗게 끌고 나간다
　　점점이 바람소리만이…….

　　　　　　　　　　　　　　　　　　—「계룡산 폭설」 전문

독도는 깨어 있다

― 「독도 앞에서」

올해 1996년은 문학의 해이다. 문학의 해 조직위원회에서는 동해의 첫 등대, 오천 년 국토의 수문장, 독도를 방문해 문학인들만의 3·1절 기념 행사를 치르기로 했다. 문학인들도 독도를 자기네 땅이라고 주장하는 일본 정부의 거듭되는 망언에 적극 대응하기로 한 것이다.

서둘러 나는 문학인 93명, 기타 취재진 등을 포함하여 174명이 함께 떠나는 2박 3일간의 독도 방문단과 합류했다. 우리를 태운 4대의 관광버스가 광화문 안에 자리를 잡고 있는 중앙박물관 동편 광장을 떠난 것은 1996년 2월 29일 오전 8시 10분이었다. 버스 안에서 바라본 서울의 아침 하늘은 비구름으로 가득했다.

추풍령을 지나자 직지사였다. 우리는 직지사 근처의 제법 큰 식당에서 산채 백반으로 점심식사를 했다. 더덕무침이며 취나물 등이 특히 흥겨웠는데, 직지사를 벗어나자 이내 추적추적 빗발이 듣기 시작했다.

그렇게 빗속을 달리는 버스 안의 사람들은 모두 조금씩 상기되어 있었다. 그러나 그것을 겉으로 드러내는 사람은 아무도 없었다. 새삼스럽게 이번의 독도 방문이 갖는 의의를 따져 묻는 사람도 없었다.

침묵, 고요……. 그리고 고요 끝의 킥킥대는 농담 한 마디. "혁명이 시대가 끝나자 여행의 시대가 왔다?" 이재무 시인이었던가, 이렇게 말한 사람은.

버스가 경남의 언양 휴게소에 잠시 멈췄을 때는 빗발이 제법 굵어져 있었다. 조태일 시인과 함께 커피 한잔, 그리고 또 침묵, 고요…….

이윽고 부산의 풍경들이 눈앞에 들어오기 시작했다. 버스는 그렇게 빗속을 달려 한국 해양대학교 운동장 끝의 부둣가에 와 멈췄다. 코앞으로 우뚝하게 정박해 있는 커다란 배 한 척이 보였다. 우리를 싣고 독도까지 왕복하게 될 '한나라호'였다.

나중에 알게 된 일이지만 이 배는 건조한 지 3년이 채 안 되는 한국해양대학교의 실습선이었다. 3700여 톤급의 이 배를 건조하는 데에 든 비용은 모두 140억 정도라고 했다.

기념사진 몇 장을 찍은 다음 우리는 한나라호에 올랐다. 배는 망설이지 않고 곧바로 항해를 시작했다. 오후 5시, 이층 강당 겸 식당에 모여 일단은 황명 집행위원장의 인사말과 문체부 예술국장의 유의사항을 들었다.

"진행을 맡고 있는 저희들은 문학인 여러분의 심부름꾼일 뿐입니다. 물론 안전에 대한 책임도 지고 있습니다. 여러분들이 선내의 규율을 잘 따라야 독도에서의 행사를 무사히 마치고 돌아갈 수 있습니다. 독도 주변의 해역은 수심은 깊지만 암초가 많아 섣불리 다가서기 어렵다고 합니다. 시속 15노트 정도로 달리면 아마도 내일 새벽 일찍 독도에 이르게 될 것입니다. 독도에서 1. 8마일쯤 되는 지점에서 멈춘 다음 작은 배로 여러분을 실어 나르게 될 것인데, 수심이 깊어 닻을 내릴 수 없다고 합니다. 이때는 특별히 조심을 해야 할 것입니다.

본래 문학인들은 아주 자유분방한 사람들입니다. 이번에 참석하신 기자 분들은 이러한 점을 유의하여 보도에 많은 신경을 써 주셨으면 좋겠습니다.

잘 아시겠지만 본래 문학의 해 조직위원회에서는 '문학인 국토순례'를 기획하고 있었습니다. 그런데 갑자기 독도 문제가 불거져 일이 이렇게 바뀌게 되었습니다."

예술국장과 집행위원장의 얘기를 정리하면 대략 이러했다. 이어 한나라호의 선장 이덕수 씨의 인사말과 일등항해사 강성진 씨의 가벼운 부탁의 말씀……. 한나라호가 갖고 있는 특징이며, 건조 경위, 그리고 침실의 배치, 화장실 사용법 등이 주요 내용이었다.

이러한 류의 공식 행사가 모두 끝난 것은 6시 30분, 마악 자리를 뜨는데, 옆자리의 곽재구 시인이 호들갑을 떨며 말하는 것이었다.

"저기 말여. 저 이덕수 선장이 가만히 봉께, 나하고 광주일고 동기여. 나하고 고등학교 짝궁이었다니께. 아, 여기 최두석 시인, 나해철 시인하고도 물론 동기 동창이지. 그 친구 말여. 학교 졸업하고 즘이랑게."

이렇게 말하는 곽 시인의 목소리는 반가움으로 자못 들떠 보였다. 좀처럼 감정의 동요를 표시하지 않는 최두석 시인도, 순하고 착하게만 보이는 나해철 시인도 반가워하는 것은 마찬가지였다.

갑판 위 하늘에서는 황혼이 지고 있었다. 멀리 하늘가에서는 초롱초롱 별들이 떠오르기 시작했고, 달도 제 환한 낯짝을 천천히 밀어 올리기 시작했다. 생각해 보니 대보름이 가까웠다.

비는 이렇게 그치는 듯했다. 거센 바닷바람을 맞으며 도종환, 이재무, 김형수 시인 등과 함께 나는 잠시 또 그렇게 침묵을 즐겼다. 가슴 밑바닥으로 잔뜩 가라앉아 있는 기분이 좀처럼 밖으로 떠오르지를 않는 것이었다.

일본이 자꾸 독도 문제를 걸고 나오는 것은 그들이 당면하고 있는 내부의 문제를 호도하기 위한 일종의 정치적 술수인지도 몰랐다. 독도가 한국의 영토라는 것은 그들도 잘 알고 있을 터였다. 하지만 일본의 자민당이며 신진당의 입장에서는 적당히 그들의 지지기반인 어민들과 농민들의 비위를 맞출 필요가 있었으리라. 역사의 모든 외인은 내인에 기인한다고 했던가.

이윽고 저녁식사 시간이 되었다. 뷔페식으로 차려진 음식들은 아주 맛깔스러워 보였다. 나는 욕심껏 음식을 접시에 담았고, 결국 과식을 해 배탈이 나고 말았다. 그렇게 해서 겪은 고생이라니!

저녁 식사를 마친 다음 곽 시인, 최 시인, 나 시인을 따라 나도 선장실로 향했다. 이덕수 선장이 끓여주는 둥굴레 차는 정말 일품이었다. 마치 잘 누른 가마솥 밥의 숭늉 같다고나 할까.

이덕수 선장은 도대체 뱃사람 같지가 않았다. 이른바 마도로스적 풍모는 전혀 찾아볼 수 없었다. 선한 눈빛이며 부드럽고 온화한 그의 표정은 영락없는 시골 중학교의 국어선생이었다.

이 선장은 독도에 실제로 내리기는 불가능하다고 말했다. 열 번 시도하여 두 번 성공하기가 쉽지 않은데, 독도의 기상 상태가 본래 그렇다는 것이었다. 그러면 앞의 문체부 예술국장의 말은 뻥인가.

이 선장은 우리를 조타실로 안내해 이것저것 설명을 해주었다. '한나라호'는 자동항법 장치에 따라 스스로 앞으로 나갔는데, 컴퓨터의 모니터를 통해 나타나는 레이더의 판독장치가 특히 인상 깊었다.

인상 깊기는 조타실 옆의 작은 갑판 위에서 바라보는 하늘도 마찬가지였다. 금모래를 뿌려놓은 듯 반짝이는 별빛이며 달빛이라니! 수평선 멀리 지나가고 있는 다른 배들의 불빛도 얼마간 이 밤의 아름다움을 보탰다.

집행위원회 측에서는 위험하다며 술을 주지 않았다. 술을 마시지 않으니 흥이 날 리 없었다. 몇 사람은 바둑에 빠져들기도 했지만 나는 이내 잠을 청했다. 멀미약 '기미테'를 귀 밑에 붙인 지 오래되었지만 자꾸 속이 메스꺼웠고 머리가 어지러웠다. 배는 더욱 흔들렸는데, 어느새 기상이 바뀌어 풍랑이 심해진 탓이었다.

두런거리는 소리에 눈을 떠보니 새벽 6시였다. 갑판에 나가 보니 '한나라호'는 어느새 독도 근해를 선회하고 있었다. 날은 흐리고 간혹 빗발이 듣기는 했지만 수면은 제법 잔잔했다. 멀리 구름 속에서 붉은 해가 덩이째 머리를 쳐들고 있는 모습이 보였다.

수면이 이처럼 조용하면 독도에 상륙할 수도 있지 않을까. 바로 그때였다. 곧 상륙을 시도하겠다는 집행위원회 측의 선내 방송이 들렸다. 그러나 그것도 잠시, 수면 위 여기저기에서는 또다시 하얀 물꽃이 피어오르고 있었다. 파도가 높아지기 시작한 것이었다. 어젯밤의 맑았던 하늘은 이미 간 곳이 없었다. 그러한 중에도 사람들은 우르르 갑판 위로 몰려나와 독도를 배경으로 사진을 찍어댔다.

아침 식사는 설렁탕이었다. 식사를 마치자 곧바로 독도에 상륙하는 것이 불가능하다는 선내방송이 들려왔다. 그리고 이내 남기문, 조갑용 등 국립국악원 사물놀이 패의 요란한 연주소리가 들려왔다.

여기까지 와서 독도 땅을 밟아보지 못하다니! 굵어지고 있는 빗방울이 자꾸 옷을 적셨다.

분노를 다잡고 있는 코뿔소, 벌떡 일어나 누군가를 향해 우다닥 달려들 것만 같은 코뿔소, 이것이 내 두 눈의 망막에 그려지는 독도의 모습이었다. 나는 그렇게 잔뜩 몸을 웅크리고 있는 저 거무칙칙한 코뿔소를 감격에 차 바라보고 있었다.

국토 사랑을 몸으로 직접 실천하기 위한 문학인 독도 방문단의 일원이 나였다. 국토는 문학인들에 의해 제대로 노래될 때 비로소 그 명예와 함께 바른 가치를 갖기 마련 아닌가.

갑판 위에서는 3·1절을 기념하기 위한 공식 행사가 시작되고 있었다. 요란하게 울려 퍼지는 사물놀이의 꽹과리 소리, 마이크 소리, 카메라 프렛쉬 터지는 소리……. 그 사이로 태극기와 행사기가 물결쳤고, 이어 황명 위원장의 기념사, 또 이어 성춘복 시인의 고유문 낭독……. 고유문은 본래 소설가 이광복 씨가 읽기로 되어 있었다. 그런데 이광복 씨는 보이지를 않았다.

이윽고 김후란 시인이 찬시 「독도는 깨어 있다」를 천천히 낭송하기 시작했다.

　　독도의 돌, 나무, 풀 한 포기조차
　　어둠 속에서도 결코 잠들지 않았다
　　독도는 깨어 있다
　　조국의 수문장이라고 외치고 있다

　　아득한 천 년 전 신라 때에도
　　이미 독도는 우리 땅이었다
　　마음이 넉넉한 겨레의 초연한 의지로
　　아름답게
　　당당하게
　　거센 바람 회오리치는 파도를 딛고
　　울릉도와 더불어
　　조국을 지켜왔다
　　저 백두산에서 제주 한라산까지
　　한 흐름으로 내닫는
　　조국의 맥이 용솟음친다

찬시 낭송이 끝나자 만세삼창, 또다시 태극기와 행사기가 물결, 그 물결 속에는 민족문학이며 순수문학이 따로 없었다. 단지 혼연일체가 된 애국심만이 흘러넘칠 따름이었다.

각 언론사에서는 한 장면도 잃지 않기 위해 부지런히 카메라의 단추를 눌러댔다. 행사에 참석하고 있는 사람들의 표정도 무언가 성취감으로 가득해 보였다. 그러한 모습이 내게는 얼마간 어색하기도 했다.

독도 방문의 공식 행사는 대강 이러한 모습으로 끝났다.

'한나라호'는 몇 차례 더 독도를 순회했다. 빗방울은 어느덧 우박이 되어 쏟아져 내리고 있었다. 그렇게 나는 '한나라호'를 따라 우리의 확실한 영토인 독도를 사방에서 바라보았다.

파도는 계속해 먹빛으로 출렁댔다. 파도 속에서 저 홀로 외롭던 독도, 그러나 이제 독도는 저 홀로 외롭지 않았다. 내가, 그리고 우리 모두가 독도의 일부가 되어 독도를 지키고 있기 때문이었다.

독도는 영토의 상징, 독도를 잃는 것은 영토 전체를 잃는 것이나 다름없었다. 갑판에 나와 있거나 선실에 들어가 있거나 사람들은 별달리 말이 없었다. 아니, 말이 필요 없었다. 모두들 그러한 사실을 잘 알고 있었기 때문이다.

마침내 '한나라호'는 독도 앞 바다를 떠나 울릉도 앞 바다를 향해 달리기 시작했다. 그만 나는 선실로 들어가 그동안의 밀린 잠을 청했다.

막 눈을 뜨니 최두석 시인의 목소리가 들려왔다. '한나라호'가 울릉도 근처의 바다 위를 달리고 있다는 것이었다. 갑판으로 나가 보니 배는 이미 울릉도 앞 바다에 이르러 멈춰 서 있었다. 먼발치로나마 울릉도를 한번 보아 두라는 뜻인 듯했다. 사람들이 우르르 갑판으로 몰려 나와 카메라를 눌러대며 아쉬운 듯 추억을 만들었다.

해군사관학교 최영호 교수가 어제 저녁 기념 강연 「국토와 문학」에서 말했던가, 언젠가는 미국이 동북아에서 권력을 철회하게 될 것이라고, 그럴 경우 일본은 독도를 지렛대 삼아 동북아의 주도권을 잡기 위해 지금 거듭 문제를 제기하는 것이라고.

저만큼 바라다 보이는 울릉도는 독도에 비할 수 없이 컸다. 오른쪽 산모퉁이에는 밭을 일궈 농사를 짓도 있는 모습도 보였다. 몇 척의 배들이 묶여 있는 그곳 항구의 모습은 너무도 아름다웠다.

그렇게 시간이 지났다. 마침내 한나라호는 부산의 한국 해양대학교를 행해 뱃고동을 울렸다.

어느덧 밤이 오고 있었다. 나로서는 일종의 운명처럼 편승했던 것이 이번의 문학인 독도 방문이었다. 2박 3일의 일정이 이렇게 끝나가고 있었다. 내일 아침이면 '한나라' 는 우리를 처음 승선했던 한국해양대학교 부둣가로 데려다 주리라. 이내 나는 깊은 잠에 빠져들었다.

독도방문을 마치고 광주로 돌아온뒤 나는 아래와 같은 시 한 편을 썼다.(1996)

네게로 가서, 우르르 맘속으로 가서
끌어안고 입 맞추던 기억은 얼마?

오늘은, '한나라호' 선상船上의 오늘은
네게로 가지 못하도록
눈 부릅뜨는 파도—
얼굴 찡그리는 파도—
저 질투라니!
저 질투 바라보며 나는 그만 허허허……

독도여 너는 마악, 새벽잠 털고 일어서는 코뿔소
끙, 하고 저 혼자 신음 토해내고 있는 코뿔소

하지만 가서 몸 섞지 못하도록
마구 뜯어말리는

함부로 발광하는

이놈의 파도!

우르르 맘속으로 가서, 네게로 가서

그렇게 끌어안고 엉덩이 비비던 기억은 얼마?

파도여 너는 오늘

내 생의 한 자락을

오천 년 자존심을

손톱으로 툭, 팅겨버리는구나.

뻔뻔한 저 일인日人들처럼!

—「독도 앞에서」전문

시인 ; 움직이는 자연의 해독자
─ 「초록 잎새들」

세상의 일들, 사람의 일들이 먼지부스러기처럼 하찮게 받아들여지던 때가 있었다. 당연히 사람이 싫었다. 끝내 나는 환멸의 늪 속에 빠져 허우적댔다. 더 이상은 어떤 사람도 믿지 말아야지, 저 너절한 사람들이라니, 하고 생각했다.

사람의 일들과 결별하고 싶을 때 내가 갈 수 있는 곳은 자연의 세계이거나 추상의 세계뿐이었다. 추상의 세계라니? 추상의 세계는 관념의 세계, 정신의 세계를 뜻한다. 물론 이는 종교의 세계일 수도 있다.

당시 나는 너무도 아팠다. 너무도 아파 사람들을 피해 일단 나는 자연의 속으로 들어가기로 했다.

그것이 가능할 수 있을까. 사람이 사람을 떠나 살 수 있을까. 나는 고개를 흔들면서도 사람이 싫은 지금의 이 병을 치료하기 위해서는 자연을 찾아 나서는 대안밖에 없다고 생각했다.

그런데 자연이란 무엇인가. 자연도 사람과 마찬가지로 움직이는 존재가 아닌가. 끊임없이 활동活動하고 운화運化하며 변덕을 떠는 존재가 아닌가.

그때였다. 문득 한 말씀이 달려와 뇌리를 가득 채웠다.

자연도 말한다. 자연의 모든 움직임은 하나의 언어이고 문자이다. 흔들리는 나뭇잎도, 흘러가는 시냇물도 하나의 기호이고 상징이다.

누가 그것을 읽고 해독하는가. 그것을 읽고 해독할 수 있는 사람은 시인뿐이다. 시인은 움직이는 자연의, 활동하고 운화하는 자연의 해독자이다.

그날 이후였다. 초록 잎새들의 싱싱한 목소리가 달려와 내 마음을 툭툭 쳐대기 시작했다. 초록 잎새들의 밝고 환한 옹알이들로 하여 잠시 내 삶은 밝고 환해졌다. 별안간, 갑자기, 퍼뜩……, 그렇게 나는 초록 잎새가, 아니 어린아이가 되었던 적이 있다.

이렇게 하여 써진 것이 다음의 시이다.(2002)

굴참나무 초록 잎새들 옹알이한다고?
고 어린것들 촐랑촐랑 말 배우기 시작한다고?

뭐라고? 벌써 입술 꼼지락대고 있다고?
조 작은 것들 마음 활짝 펴고 있다고?

그렇지 녀석들 환하게 웃을 때 되었지
고 예쁜 것들 깔깔대며 장난칠 때 되었지

그새 초여름 더운 바람 불고 있다고?
조 귀여운 것들 글씨 공부 꼬불꼬불 신난다고?

　　　　　　　　　　　　　　　　　　　　　― 「초록 잎새들!」 전문

껍질들의 신음소리
― 「라면봉지의 노래」

　언제부터 사람들은 껍질이라는 말을 쓰기 시작했을까. 알맹이라는 말
이 생기면서부터이리라. 알맹이라는 말이 없으면 아무런 의미도 가질 수
없는 말이 껍질이니까.

　오늘을 사는 문명인에게도 어쩔 수 없이 껍질이 있다. 눈을 뜨면 보이
는 것이 온통 껍질들이다. 이리저리 몰려다니는 문명의 껍질들……. 아이
스크림봉지며 과자봉지들, 담뱃갑이며 라면봉지들도 껍질들이다. 문명을
사는 사람들이 여기저기 함부로 내버렸기 때문이다.

　저 문명의 쓰레기들에게는 생명이 없나? 목소리가 없나? 내 생각에는
그렇지 않다. 저들 문명의 쓰레기에게도, 좀 더 구체적으로 라면봉지에게
도 아픔이 있고, 기쁨이 있고, 슬픔이 있다. 라면봉지의 눈으로 보면 저도
지금 많이 슬프고, 아프고, 괴롭다. 차마 말은 하지 않지만 가슴속 깊은
곳마다 울컥거리는 설움이, 한숨이 있다.

　보아라. 여기저기서 라면봉지의 노랫소리, 아니 쓰레기들의 신음소리가
들린다.(2001)

그들은 날 버렸네 허투로

뒷골목 하수도 시궁창 속

쓰레기더미와 음식 찌꺼기

시궁쥐들만이 내 친구였네

때론 몇몇 비닐조각들

어울려 함께 살기도 했네

언제부턴가 내 몸에서는

석유기름 냄새가 났네 카드뮴·납 냄새가

주린 도둑괭이들마저

들이대던 혀 끝, 고갤 돌리는데

얼마나 버거운 일인가 난 이렇게

봉두난발로 밀려다녔네

한 알 밀알은 썩어

무수한 새 생명 낳는다는데

나도 구절양장 내 창자가 썩어

무수한 새 생명 낳고 싶네

일러 내 이름 라면봉지여

너는 왜 영영 썩지도 못하는가.

— 「라면봉지의 노래」 전문

고독의 표상
―「섬」

　2004년 1월 중순의 어느 날이었다. 아침 해가 창문을 환하게 물들이고 있던 늦은 오전의 시간이었다. 침대에 누워 문예지를 뒤적이며 게으름을 피우고 있는데, 전화벨이 울렸다.

　여보세요. 이은봉 시인이지요?

　네, 그런데요.

　낯선 여자의 목소리였다. 목소리에는 긴장감이 팽팽히 묻어 있었다. 자신감이 배어 있는, 그러나 넉넉하게 하심下心이 담겨 있는 목소리였다.

　누구시지요?

　나, 강은교인데요.

　누구시라고요?

　부산의 강은교 시인인데요.

　아, 그래요, 선생님! 어떻게 제게까지 전화를 다 주시고…….

　여러 문학 모임에서 뵙기는 했지만 강은교 시인과는 터놓고 대화를 나눈 적이 거의 없었다. 강은교 시인이 말을 이었다.

일반 독자들을 위해 쉬운 시 해설서를 한 권 내려고 하는데요. 이 시인의 시로는 「섬」을 골랐거든요. 이 시에 대해 몇 가지 말씀을 듣고 싶어서요.

아, 그러세요? 예 예, 말씀하시지요.

그런데 이메일을 통해 질문을 하는 방식도 괜찮겠지요.

그럼요. 그렇게 하시지요. 생각할 시간도 있고……, 오히려 좋지요.

이러한 대화를 마치고 나는 전화를 끊었다. 아래의 글은 강은교 선생의 이메일 질문에 답하는 과정에 만들어졌다. 서둘러 만들어진 까닭에 그날의 이메일 인터뷰는 아무래도 한계가 없잖아 보였다. 몇 군데 보완하여 여기 기록으로 남긴다.

우선 졸시 「섬」의 전문부터 인용해보자.

스스로의 生 지키기 위해
까마득히 절벽 쌓고 있는 섬

어디 지랑풀 한 포기
키우지 않는 섬

눈 부릅뜨고 달려오는 파도
머리칼 흩날리며 내려앉는 달빛

허연 이빨로 물어뜯으며,
끝내 괭이갈매기 한 마리 기르지 않는 섬

악착같이 제 가슴 깎아
첩첩 절벽 따위 만들고 있는 섬.

문: 위의 시 「섬」의 중심어는 무엇인가? 표층적·이면적 중심어, 중심 동사 모두를 말해주시기 바랍니다.

답: 이 시의 중심어는 '섬'이다. 굳이 표층적 중심어와 이면적 중심어로 나누어 말하자면 전자의 예로 "지랑풀 한 포기", "꽹이갈매기 한 마리", "파도", "달빛" 등을 들 수 있고, 후자의 예로 "스스로의 生", "절벽", "허연 이빨", "제 가슴" 등을 들 수 있으리라. 그리고 중심 동사의 예로는 "쌓고 있는", "키우지 않는", "부릅뜨고/달려오는", "흩날리며/내려앉는" "물어뜯으며", "기르지 않는", "만들고 있는" 등을 들 수 있다.

문: 위의 시는 언제 어디서 어떻게 처음 착상이 떠올랐는지, 그 동기는 무엇이었는지, 구체적으로 써주시기 바랍니다.

답: 인간과 자연은 상호 순환한다. 상호 순환하는 것은 인간과 자연의 관계만이 아니다. 주체와 객체도 마찬가지로 상호 순환한다. 그리하여 삶의 어제와 오늘과 내일에서 인간은 인간이면서 자연으로 존재하고, 자연은 자연이면서 인간으로 존재한다. 나는 나이면서 그이고, 그는 그이면서 나이다. 따라서 섬은 섬이면서 나이고, 나는 나이면서 섬이다.

너무 힘겨워 허덕거리며 시간에 쫓겨 다니던 어느 날 문득, 갑자기, 퍼뜩, 후닥닥 섬이 내게로 왔고, 내가 섬에게로 갔다. 그렇게 순식간에 나는 섬을 통해 '나'와 '그'를, '그'와 '나'를, 곧 '나이면서 그'를, '그이면서 나'를 발견했다.

20세기말 몇 년을 보내는 동안 어떤 희한한 틈바구니에 끼어 지극히 힘들고 외로웠던 적이 있다. 이때의 외로움은 말할 것도 없이 사람과 사람 사이의 '관계'로부터 왔다. 나를 소외시키는 사람들을 위해, 아니 소외되는 나를 위해, 나는 소외 그 자체가 되기로 했다, 너무도 고통스러워 소외 그 자체가 되어버리면 누가 나를 함부로 무고할 수 있겠는가. 인간이니까 시기하고 질투하고 모함하는 것이 아닌가. 그렇게 나는 섬이 되고, 섬은 내가 된 적이 있다.

문: 선생님의 시 전체를 생각하실 때, (물론 시마다 경우가 다르겠습니다만, '대체로' 입니다.), 맨 처음 떠오르는 것이 주제적인 것인지, 이념적인 것인지, 이미지인지, 또는 한 문장인지, 한 단어인지, 써 주십시오.

답: 대개의 경우 시는 한순간에 곧바로 찾아온다. 영감이나 직관이나 은총의 형식으로……. 이때 시는 형상이면서 진리, 진리이면서 형상의 태도를 취하는 경우가 많다. 엘리엇 식으로 말하면 정서이면서 사상이고, 사상이면서 정서의 형태를 취하는 경우가 대부분이다. 그러나 여기서 말하는 진리, 곧 사상을 특별히 '주제적인 것'이라고, '이념적인 것'이라고 말하기는 어렵다. 유의미성을 갖는 이미지거나, 이야기거나, 정서인 경우가 적잖기 때문이다. 이미지, 이야기, 정서가 형상을 이루는 핵심요소라는 것이 내 생각이다. 내게 시는 주제적인 것이나, 이념적인 것으로, 이미지거나 한 문장, 한 단어 식으로 분리되어 오지 않는다. 하나의 장면으로 다가오더라도 그 장면 속에는 이미 나머지 것들이 들어 있을 때가 많다.

문: 책상 위로 꼭 돌아오셔야 쓰시는지, 꼭 그 만년필이어야 하는지, 또는 떠오른 생각을 기록할 수 없을 때 어떻게 하시는지, 그리고 무엇인가 시적인 것이 떠오르면 그것을 어떻게 간직하시는지, 예를 들면 메모를 하시는지, 사진을 찍어두시는지, 등등 자기만의 방법이 있으면 써 주세요.

답: 책상 위로 꼭 돌아와야 쓸 수 있다면, 꼭 그 만년필이어야 쓸 수 있다면 굳이 시를 쓸 필요가 있겠는가. 좀 더 긴 장르의 글을 써서 내 생각

을, 내 마음을 체계적으로 담아내지.

시는 시인이 처해 있는 어디서든 순간적으로 후닥닥 쓸 수 있다는 점에서 매력이 있는 장르이다. 화장실에 앉아서도, 샤워를 하다가도, 거리를 걷다가도, 자동차 운전을 하다가도, 독서를 하다가도 찾아오면 기꺼이 받아들일 수 있는 것이 시이다.

물론 내가 시를 받아들이는 형식은 일단 메모를 통해서이다. 메모라고 하지만 실제로는 노트에 초고를 완성하는 형식을 취한다. 이때의 초고를 바탕으로 시간을 내어 깨끗이 pc워드로 정리하는 방식을 택한다.

사진을 찍거나 녹음을 하는 경우는 거의 없다. 메모를 할 수 없으면, 즉 기록을 할 수 없으면, 애써 외워보거나 과감히 잊어버린다. 하지만 메모를 할 수 없는 경우는 드물다. 수첩과 펜이 늘 몸에 붙어 있으니까. 시를 쓰기 위해 일부러 궁리하거나 고뇌에 빠져 있거나 하는 적은 별로 없다.

문: 다른 사람의 시를 시인으로서 읽을 때 (예를 들면 심사하실 때라든가, 시평을 쓰실 때라든가)의 태도에 대해 말해 주세요.

답: 일단 나는 시를 심미적 향유의 대상으로 받아들인다. 연구의 대상으로, 텍스트로 시를 읽게 되면 짜증이 나는 경우가 많다. 시가 지니고 있는 예술적 흥취와는 전혀 다른 독서를 해야 하기 때문이다. 말의 운행이 만드는 재미와 즐거움, 그리고 어떤 지혜나 깨달음을 발견하는 맛과 멋이 없다면 어떻게 시를 읽을 수 있겠는가. 심사를 할 때도, 평을 쓸 때도 그것은 마찬가지이다. 기본적으로 나는 시를 예술작품으로, 심미적 언어조직으로 받아들인다. 언어예술로서 기본적인 성취가 없으면 아무리 위대한 사상을 담고 있더라도 일단 젖혀놓는다.

문: 수정을 어느 정도 많이 하시는 편인지, 하신다면 어떻게 하는지, 그

것도 창조적인 행동이라고 보시는지 말씀해 주세요.

답: 절차탁마대기만성切磋琢磨大器晚成이라고 했던가. 특별히 대기만성이라고 할 수는 없지만 나도 한 편의 시를 두고 끊임없이 절차탁마하는 것은 사실이다. 할 수 있는 한 거듭해 수정을 가하고 있다. 따라서 초고를 만든 뒤 문예지에 발표하기까지는 적잖은 시간이 걸린다. 문예지에 발표를 한 뒤에도 일그러지거나 찌그러진 모습이 보이면 완성도를 높이기 위해 계속해 고치고 다듬는다. 이러한 과정이 특별히 창조적인 행동이라고 생각해서는 아니다. 좀 더 완벽한 시를 만들고 싶은 내면의 욕구 때문이다.

신년시 등 행사시가 아닌 경우에는 청탁을 받아 시를 쓰는 예가 거의 없다. 청탁을 받으면 이미 써 두었던 시를 갈고 닦아 보내는 것이 보통이다. 시의 재고가 없으면 지갑에 돈이 없는 것처럼 불안해 견디지 못한다. 아마도 나는 일정한 시간을 두고 주기적으로 시의 창작을 유도하는 심리적 상태, 착란의 상태에 빠지는 듯하다. 시는 주로 공복의 시간 혹은 피곤의 시간, 그러니까 극도로 혼미한 시간에 찾아온다. 몽롱하게 술에 취했을 무렵에도 흔히 나는 이러한 시간을 체험한다. 이러한 시간이면 어김없이 찾아오는 것이 시이다.

문: 선생님의 생계의 일과 시작의 관련성을 어떻게 보시는지? (혹시 교직에 있다면 가르치는 일이 시작에 방해가 된다고 생각하시는지?) 반드시 전업시인이 되어야 좋은 시를 쓸 수 있다고 생각하시는지?

답: 한국의 지금 현실에서 생계와 시작이 일치하기는 불가능하다. 시 자체로 생계를 삼는 사람은 아무도 없다. 시인이라는 이름으로 동화를 쓰거나 산문을 쓰고, 그것의 원고료를 밑천으로 살아가는 사람은 없지 않다.

시를 쓰는 사람으로서 나는 교직을 업으로 갖게 된 것을 큰 행운이라고 생각한다. 생계를 꾸려나가는 일처럼 인간의 꿈을, 심미적 욕구를, 이상을 억압하는 일이 어디 있는가. 물론 시를 읽고(연구, 비평하고) 가르치는 일이 시를 쓰는 일을 정비례하여 고양하지는 않는다. 그러나 그것이나 자신의 시세계와 시적 특징을 좀 더 객관적으로 바라볼 수 있는 시각을 갖게 하는 것은 사실이다. 내 시에 대한 성찰의 기회를 좀 더 많이, 좀 더 자주 가질 수 있다는 점에서 내가 갖고 있는 교직을 부정적으로 보지는 않는다는 뜻이다.

전업시인이 반드시 좋은 시를 쓰는 것은 아니다. 소설이라든지, 희곡, 시나리오 등의 작가라면 모르지만 시인은 생활을 발견하기 위해서라도 생활 속에 처해 있는 것이 좋다. 생활로부터 유리되어 있으면 시에서 구체성을 얻기가 쉽지 않다. 시에서의 상상력은 경험의 산물, 곧 물질과 대지의 산물이 아닌가.

문: 시가 잘 써지지 않는 시기(dry period)의 경험이 있는지, 그럴 때는 그것을 어떻게 극복하는지에 대해 말해 주세요.

답: 나도 아주 조금 시가 잘 써지지 않는 시기(dry period)를 경험한 적이 있다. 이러한 시기는 자신이 처해 있는 감정의 형편과 관련되어 있다. 감정의 굴곡, 감정의 변화가 없으면, 그리하여 감정의 평온이 지속되면 대체로 시가 찾아오지 않는다. 그러나 지금까지는 별로 마음이 편했던 적이, 감정의 평온이 지속되었던 적이 별로 없다. 하루에도 여러 차례 기분이 좋았다가 나빴다가 불쾌했다가 유쾌했다가 하며 변덕스럽게 살아가기 때문이다.

시가 잘 써지지 않는 시기가 찾아와도 크게 개의치 않는다. 시가 써지지 않으면 쓰지 않고 지낸다. 몇 달 지나면 지겹게도 다시 시가 써지기 때문이다. 워낙 시의 재고량이 많아 특별히 청탁에 응하지 못한 적이 별로 없다.

삶이 시를 부르기도 하지만 시가 시를 부르기도 한다. 곧은 소리가 곧은 소리를 부르듯이 좋은 시는 좋은 시를 부른다. 좋은 시를 많이 읽는 기회를 가질수록 좋은 시는 많이 태어난다.

문: 시인으로서 '고독' 등은 꼭 필요한가에 대해서 말해 주세요. 그밖에 또 어떤 것이 꼭 필요할는지요.

답: 시를 쓰기 위해 억지로 고독해질 필요까지는 없다. 나는 그렇게 생각한다. 시가 무에 그리 대단하다고 인간을 그토록 힘들고 아프게 하는 고독을 자기 스스로 불러들인다는 말인가. 비록 시인이라고 하더라도 고독은 피할 수 있으면 피하는 것이 좋지 않을까. 고독하지 않게 살 수 있다면, 행복하게 살 수 있다면 시를 쓰지 않은들 어떠랴.

하지만 고독은 시인 이전에 인간이라면 누구나 지니지 않을 수 없는 숙명적 정서이다. 고독은 인간 존재의 본원적 정서이다. 세계로부터의 분리감, 자연으로부터의, 에덴으로부터의 분리감……, 실제로는 모든 분리감이 곧 고독이기 때문이다. 사람들 속에 파묻혀 살더라도 고독하지 않을 수 없는 까닭이 바로 여기에 있다. 사람들과 뒤섞여 살더라도 이미 사람이라면 각자이기 때문이다.

정호승은 '외로우니까 사람이다'라고 했지만 사실은 사람이니까 외로운 것이다. 근원적으로 고독할 수밖에 없는 것이 인간이라는 각자의 특징이다.

시인은 남들보다 훨씬 섬세한 감정을 지니고 있는 사람이다. 고독을 알지 못하고 어떻게 시를 쓸 수 있겠는가. 시는 시인의 뼈에 새겨지는 고독의 기록이라고 해도 과언이 아니다. 스스로를 유폐시킬 줄 모르는 사람은 어떠한 창조적인 예술도 생산하지 못한다. 고독하지 않으면 고독으로부터 벗어나려고 하지 않기 마련이다. 시는 고독으로부터 벗어나기 위해 고독과 맞서 싸우는 과정에 불거져 나온 몸부림의 기록이다.

문: 평소 어떤 특별한 공부라든가 훈련을 하는 것이 있는지 말해 주세요. (반드시 시와 관계된 것이 아니라도 좋음)

답: 시를 쓰기 위해 어떤 특별한 공부를 하는 않는다. 어떤 특별한 노력도, 훈련도 하지 않는다. 하지만 끊임없이, 줄기차게, 계속해 책을 읽어온 것은, 공부를 해온 것은 사실이다. 끊임없이, 줄기차게, 계속해 세상에 대한 의문이 내 곁을 떠나지 않기 때문이다.

세상에 대한 의문을 해소시켜 주리라고 믿는 수많은 책을 곁에 두고 아직도 나는 읽고 있다. 물론 책은 보조 수단일 따름이다. 정작 읽고 싶은 것은 세상 자체이기 때문이다. 세상의 운행과정, 아니 운행법칙을 터득하는 데 도움이 될만한 이런저런 책을 지금까지도 나는 버리지 못하고 읽고 있다.

공부 중에는 몽상도 있다. 몽상을 가리켜 사색이라고 불러도 좋다. 내 몽상은 아직 무념무상無念無想의 경지에까지 이르지는 못하고 있다. 오히려 유념유상有念有想으로 점철되고 있는 것이 내 몽상이다. 따라서 내 몽상이 선禪의 경지에까지 이르러 있다고 할 수는 없다.

선의 경지에 이르러 있지 못하다고 해서 크게 비관하는 것은 아니다. 나는 선객이 아니라 시인이니까. 나는 선객의 길보다는 시인의 길을 좋아한다. 내게는 적당히 속된, 적당히 썩은 길이 매력적으로 보인다. 이처럼 시인의 마음속에서 성聖과 속俗이 적당히 줄타기를 할 때 시는 태어난다. 한 쪽 발은 속俗의 세계를 향하고 있으면서도 한 쪽 발은 성聖의 세계를 향하고 있을 때 시는 긴장감 있게 완성된다.(2004)

<<<<<< 제3부 시 혹은 세월 견디기

시 혹은 세월 견디기

무엇이 내게 시를 쓰게 했을까. 어떤 일들이 나로 하여금 시 쓰기를 업으로 삼게 했을까. 쉰의 나이가 되어서도 나는 가끔씩 이러한 질문에 빠져들고는 한다. 사는 일들이 막막해지면 이러한 질문은 더욱 생생해져 그동안의 내 삶을 거듭 되돌아보게 한다. 내가 매사에 워낙 늦되기 때문이리라.

시를 쓰지 않았다면 지금 나는 무엇을 하며 살고 있을까. 도무지 짐작이 되지 않는다. 생각해 보면 외통수의 길을 걸어온 듯도 하다. 시를 쓰는 일 이외에 내가 조금이라도 남들보다 잘 하는 일이 있었던가. 어느 것 하나 번듯하게 잘 하는 것이 없었던 듯도 싶다.

어렸을 때부터 나는 심하게 외로움을 탔다. 따져 보면 크게 외로울 것도 없는데……. 유년시절 아이들과 놀이를 하다 보면 나는 늘 뒤로 처지고는 했다. 딱지치기에서도, 구슬치기에서도, 공차기에서도, 자치기에서도 언제나 뒤로 밀렸다. 싸움? 싸움은 말할 것도 없었다. 어디서 큰 소리라도 나면 우선 몸부터 피하고 보았다. 키도 작았고, 몸집도 조그만 했다. 중학교 때까지 나는 늘 학급에서 1번이 아니면 2번이었다. 고등학교

3학년쯤 되어서야 평균의 신장이 되었고, 친구들에게도 겁을 먹지 않게 되었다.

그러다 보니 마음 편히 사귈 수 있는 것은 오직 활자뿐이었다. 어렸을 때 나는 활자라고 생긴 것이라면 무엇이든 닥치는 대로 읽어댔다. 하지만 정상적인 어린 아이가 읽어야 할 만한 책이 내가 살고 있던 시골에서는 어디에서도 찾아보기 어려웠다. 길거리에 굴러다니는 흙이 묻고 찢어진 신문지 조각조차 두고두고 읽기 위해 조심스럽게 접어 주머니에 넣고는 했다. 화장지로 쓰려고 오려놓은 뒷간의 신문지 조각에 박혀 있는 활자들 조차 아까울 정도였다.

아버지는 종갓집의 4대 독자였다. 그리고 나는 손이 귀한 이 집안의 맏 손자였다. 할머니가 돌아가신 것은 내가 초등학교 2학년 때였다. 돌아가시기 전까지 보여주신 나에 대한 할머니의 사랑은 그야말로 지극했다. 할머니의 나에 대한 사랑은 그러나 매우 독특했다.

할머니는 늘 어린 내 손을 끌고 동네 이곳저곳으로 마실을 다녔다. 누구네 집에서 돼지를 잡거나 개를 잡는다는 소문이라도 들리면 할머니는 영락없이 나를 앞세우고는 했다.

돼지를 잡는 집에 이르면 할머니는 언제나 내 목덜미를 꽉 잡고는 놓아주지 않았다. 돼지를 잡는 모습, 그 잔인한 모습을 두 눈 똑똑히 뜨고 보아 두라는 것이었다. 장정들이 칼을 들고 달려드는 돼지는 언제나 주둥이와 네 다리가 꽁꽁 묶여 있었다. 우물가에 내동댕이쳐져 있는 돼지의 멱을 따는 동안 동네를 가득 채우며 들려오던 비명소리라니!

개를 잡는 모습은 더욱 기이했다. 장정들은 일단 먼저 냇가의 공터에까지 깨갱거리며 울부짖는 개를 끌고 가 장대 끝에 목을 매달았다. 다음에는 털을 밀기 위해 죽은 개를 피어오르는 장작불에 통째로 그을렸다. 그러다 보면 불현듯 되살아난 개가 주인집 마루 밑으로 뛰어들어 악다구니로 울부짖는 예도 없지 않았다. 그 끔찍하던 모습이라니!

할머니는 매번 내게 이토록 잔인한 모습들을 악착같이 지켜보도록 했다. 내 심성이 너무도 여려 독해질 필요가 있다는 것이었다. 이 말은 사주를 볼 줄 아는 스님들이 집에 들을 때마다 나를 두고 으레 하는 말이기도 했다. 내가 그러한 것을 어렴풋하게나마 안 것은 한참 뒤였다. 할머니로서는 내가 심성이 너무 여리다 보니 우발적으로 사고라도 칠 것을 염려한 것이었다. 순간적인 충동에 휩싸여 내가 위험스러운 일을 할 가능성이 적잖다고 생각을 한 듯했다.

사랑방에서 묶고 가는 점쟁이들도 이런저런 얘기를 하고는 했다. 그들은 한결같이 마흔일곱 살이 지나면 아버지가 철이 날 것이라고 장담을 했다. 아버지는 쉰 살이 지나도 철이 나지 않았다. 고모들이 모이면 늘 대책 없는 아버지 때문에 걱정을 했다.

할아버지는 마작에 빠져 집에 들어오지 않는 아버지 때문에 일주일에 한 번씩은 금성 라디오를 앞마당으로 집어던지며 소리를 질러댔다. 할아버지는 하나밖에 없는 외아들 때문에 밤잠을 못 주무시는 날이 많았다. 그때까지만 해도 나는 아버지를 이해하지 못했다.

마작으로 밤을 새우는 아버지를 찾아 자정이 넘은 시간 어머니의 손에 끌려 눈길을 나선 적이 한두 번이 아니었다. 어머니는 한참 곤한 잠에 빠져 있는 나를 자주 두드려 깨웠다. 할아버지의 성화 때문에 어머니도 어쩔 수 없었다. 운동화 끈을 졸라매고 마작에 빠져 있는 아버지를 찾아 눈이 하얗게 쌓인 들판을 가로질러 장터를 향해 걸어가는 내 마음은 늘 아팠다. 어머니와 함께 밟는 장터까지의 눈길은 유난히 뽀드득 소리를 냈다. 그러한 날이면 차가운 밤하늘 가득 둥근 달이 떠올라 우리 모자를 측은하게 지켜보고는 했다.

장터에 불이 켜져 있는 집은 한 군데뿐이었다. 마작을 붙이는 집은 몇 군데 안 되었고, 따라서 아버지가 있을 곳은 뻔했다. 마작이 한참인 그 집의 방문을 두드리는 동안 어머니는 전봇대 뒤로 숨어 눈만 빠끔히 내놓고 나를 쳐다보고는 했다. 이러한 날이면 아예 나는 얼어터진 따귀를 마작집 문지방 위에 내걸어야 했다. 나를 보자마자 아버지가 매번 따귀부터 올려 부쳤기 때문이다. 이러한 일이 반복되자 나는 별로 슬프지도 않았다. 아버지의 억센 손에 내맡긴 따귀도 그다지 얼얼하지 않았다.

어느덧 나는 혼자 있을 때가 많았다. 그때마다 나는 나도 모르게 무언가를 끼적대고는 했다. 시인지 일기인지 낙서인지 모를 글자 나부랭이가 아무렇게나 공책 위를 굴러다니기 시작했다. 심리적인 안전감이 필요했는지도 몰랐다. 아무튼 나는 이런저런 몽상을 공책 위에 끼적대며 유년시절을 견뎌냈다. 세월을 견뎌내는 데 무언가 끼적대는 것만큼 좋은 것은 없었다. 제대로 세월을 견디지 못해 자신과 남의 생을 그르친 사람들이 얼마나 많은가.

아버지가 나를 낳은 것은 만 스무 살이 채 안 되었을 때였다. 아버지보다 한 살이 더 많기는 했지만 어머니는 아직 젊고 늘씬했다. 전쟁통에 손을 보기 위해 양가의 어른들끼리 서둘러 두 분을 결혼시킨 것이었다. 아버지는 초례청에서야 처음으로 어머니의 얼굴을 보았다고 했다. 초례청에서 아버지의 얼굴을 보기는 어머니도 마찬가지였다. 그러니 무슨 특별한 정이 있을 리 만무했다. 아버지는 내게도 별로 정을 나눠주지 않았다. 어린애가 어린애를 낳았으니 주고 싶어도 줄 정이 있지 않았을 것이었다. 어린 아버지는 어린 나를 낳고 얼마나 황당해 했을까.

단 한 번도 나는 아버지의 등에 업혀 보지를 못했다. 그러한 일들 때문에 아버지를 원망하거나 탓하지는 않았다. 그 시절의 아버지들은 모두 다 그랬다. 일제말기와 해방공간에 청소년기를 보냈던 그들, 6·25 전쟁통에 손을 보기 위해 우발적으로 결혼해야 했던 그들, 전쟁 중에는 여기저기 굴러다니는 시체를, 전쟁이 끝난 후에는 여기저기 굴러다니는 해골을 축구공처럼 발길로 차며 어른이 되어야 했던 그들……, 그들이 이런저런 방식으로 나름의 절망과 허무를 견뎌 왔다는 것을 아는 데는 많은 시간이 필요치 않았다. 철이 들면서 내게는 이들 모두가 측은할 따름이었다. 누군들 측은하지 않으랴. 측은하기는 나도 마찬가지였다.

무엇이 내게 시를 쓰게 했을까. 어떤 일들이 나로 하여금 시 쓰기를 업으로 삼지 않으면 안 되게 했을까. 쉰의 나이가 되어서도 가끔씩 나는 이러한 질문에 빠져들고는 한다. 지난날들을 이처럼 곱씹고 있는 나를 나는 그다지 싫어하지 않는다. 사는 일들이 막막해질 때마다 이렇게라도 해 운명을 풍성하게 만드는 나 자신이 더러는 대견해 보일 때도 있다. 늘 나는 남보다 한 걸음 뒤쳐진 채 살아왔지 않은가.(2002)

환멸, 탈현실의 궤변들

1994년 여름의 일이다. 나는 약 한 달가량 중국을 여행하고 돌아왔다. 소설을 쓰는 김영현, 김남일과 함께 떠난 여행이었다. 구체적인 여행의 목적은 각자 달랐지만 한 가지 면에서는 같았다. 그 무렵 우리는 모두 너무 지쳐 있었다. 모두들 가슴속에는 무언가 탁탁, 털어 내고 싶은 것들로 가득했다. 탁탁, 털어 내고 싶다는 것들······.

내 나이 마흔두 살이었다. 불혹의 나이를 넘기면서 어리석게도 나는 이미 세상을 다 읽은 듯 우쭐대고는 했다. 참으로 보잘것없는 세상이라니! 당시의 세상이 보여주는 천박성이 나는 너무도 싫었다. 천박하기 짝이 없는 이 세상을 견뎌내기 위해서는 그동안의 꿈이며 이상을 모조리 털어 내지 않을 수 없었다.

하지만······, 생각처럼 그것은 쉽지 않았다. 인간은 이성보다는 감성으로 살지, 감성보다는 본능으로 살지, 동물보다 별로 나을 게 없는 것이 사람이야, 하고 끊임없이 되새기면서도 나는 아직 인간으로서의 품격과 격조를 잃지 않고 싶었다. 아니, 나까지 그것을 포기할 수는 없었다. 그동안 내가 꿈꾸어왔던 공동체는 한갓 환상일 뿐이야, 사람은 참으로 이기적인, 단지 욕망 뿐의 짐승에 불과해, 무엇보다 시기심과 질투심을 견디지 못하는 좁쌀 부스러기이지, 하고 되뇌면서도 나는 쉽게 사람을 믿었고, 그리하여 숱한 상처 속을 헤매야 했다. 줄줄 피를 흘리면서도 먹고살기 위해 이리저리 뛰어다니는 염소새끼 같은 내가 나는 정말 싫었다.

함께 출발한 김영현은 이미 오래전에 청년시절의 꿈이며 이상을 곱게 접어 두터운 책갈피 속에 넣어둔 듯했다. 그는 하루 빨리 사막으로 가고 싶어 안달을 했다. 끝없이 펼쳐지는 모래밭……, 모래밭 한복판에 서서 온몸으로 허무의 극단을 겪고, 그만 반환점을 돌아 안정된 일상의 삶을 되돌아오고 싶은 듯했다. 아무런 근심도 없이 나른하게 사는 생활인의 평범한 삶이 차라리 그리운지도 몰랐다.

그리하여 사막의 한복판에 이르렀을 때, 사막의 한복판 오아시스에 이르렀을 때 김영현과 나는 옷을 홀홀 벗어 던진 채 팬티차림으로 한바탕 발광을 떨기도 했다. 아니, 나는 그렇게 김영현에게 동조했다. 하지만……, 이 황홀한 오늘의 자본주의의 쑥구렁이 김영현이 그토록 돌아가고자 하는 나른한 일상의 삶을 영구히 허용할 리는 없었다.

김남일은 여전히 지향으로서의 사회주의만은 믿고 있는 듯했다. 상해에서였다. 일제하의 임시정부 청사를 둘러보고 나와 터덜터덜 시내의 큰길을 걷고 있는 중이었다. 그가 혼잣말로 뭐라고 중얼거렸다.

"그래도 사회주의의 이상만은 아름답잖아."

요점은 사회주의가 품었던 꿈만은 숭고하지 않느냐는 것이었다. 실물 사회주의 국가는 몰락했지만 사회주의의 의지며 이념은 앞으로도 오랫동안 가치가 있으리라는 것이었다. 곧바로 김영현의 핀잔이 날아왔다.

"너는 아직도 사회주의 타령이니?"

그렇게 말했던가. 당연히 김남일의 순결한 마음은 즉각적으로 반응했다. 이내 이들 두 사람의 감정은 각자에게 주어진 철길을 향해 마주 달려오는 기차 같았다. 물론 이들의 감정은 가벼운 충돌을 일으킨 후 곧 제자리로 돌아왔다.

아직도 우리는 상해의 임시정부 주변에서 머물고 있었다. 김남일은 줄곧 중국의 농촌을 보고 싶어 했다. 이곳 농촌의 들판에는 아직도 사회주의라는 희망의 곡물이 무럭무럭 자라고 있는 것으로 믿는 것일까. 한 가닥 작은 흔적으로라도 희망을 잃지 않고 싶은 것으로 보였다.

이들과 달리 나는 양자강 건너 포동 쪽의 신개발지구로 가고 싶었다. 가능하다면 심천 등 상해 남쪽의 대단위 공업단지까지도 둘러보고 싶었다. 나는 내 몸으로 직접 개발독재시대의 중국 자본주의의 현장을 겪어야 가슴이 후련할 것만 같았다. 포기한 지 이미 오래인 바람이기는 하지만 나는 무슨 도둑놈이라도 되는 양 범죄의 현장을 직접 되돌아보는 것으로 죄를 확인하고 싶은 마음을 지니고 있었는지도 몰랐다. 바보 같은 짓이라니!

한때는 순수한 열정을 들끓어 오르던 홍위병의 나라……. 멀리서 책으로 읽던 모택동의 대장정은 얼마나 가슴 설레게 했던가. 에드가 스노와 님 웨일즈의 글을 읽으며 버티어내던 1970년대 말, 그리고 1980년대 초의 힘들던 시간이 말갈기를 날리며 되돌아오고는 했다.

결국 우리는 김영현의 의지를 쫓아 타클라마칸 사막을 건넜다. 유원을 거쳐 돈황, 돈황의 석굴 미술을 돌아본 다음에는 자전거를 빌려 타고 그곳 농촌을 둘러보기도 했다.

그곳 어딘가 사막의 한복판을 택시로 달리던 중이었다. 흥얼거리며 시작한 배호의 노래 〈마지막 잎새〉에 취해 나는 소리 내어 울기도 했다. 그렇게 우루무치의 사막을 헤매다 북경을 거쳐 서울로 돌아온 뒤였다.

당시 나는 세상의 모든 절망과 좌절을 뚫고 나온 것처럼 착각했다. 그리하여 감히 나는 "누군들 미워할 수 있으리"라고 노래하며 잘난 체했다. 부처님 가운데 토막이라도 된 듯 세상의 모든 것을 사랑하겠다는 작은 선언을 한 셈이었다.

그러니만큼 더는 두려울 것이 없었다. 당연히 나는 사람살이의 한복판을 향해 조금씩 걸어 나갔다. 담배씨만큼이라도 세상을 수정하기 위해 안간힘을 써댔다. 하지만 무슨 특별한 일이 있겠는가, 읽고, 쓰고, 가르치는 일밖에……. 그러나 그것조차 내게는 무수한 고통 속에서나 가능했다. 1995년 이후 한동안 나는 그렇게 믿고 속고, 속고 믿는 일을 거듭했다.

내가 세상의 중심이라는 사실을 깨닫게 되면서 나는 줄곧 세계와의 참된 조화, 참된 중용을 실천하기 위해 노력했다. 이 땅에서 눈곱만큼이라도 나 나름의 이상을 실천하기 위해서는 그 길밖에 없어 보였다. 나는 그 모든 것이 무엇보다 나의 품격 있는 정성에 의해, 격조 있는 성실에 의해 가능해지리라고 믿었다. 당시 나는 매사에 지극한 마음을 잃지 않고 있었다. 그래서 나는 예수가 말하는 사랑으로, 부처가 말하는 자비慈悲로, 공자가 말하는 인仁으로 세상을 살려고 무던히도 애썼다.

수평적으로만 그렇게 한 것이 아니었다. 수직적으로도 그렇게 했다. 나는 나도 모르게 습지처럼 하얀 마음이 되어 끊임없이 세상의 얼룩들을 빨아들여 댔다. 억지로 그렇게 한 것은 물론 아니었다. 그것이 좋았고, 그래서 저절로 그렇게 살아졌다. ……감히 성스러워지고 싶었던 것이었을까. 아무튼 마음속 깊이 피투성이로 쫓겨다니면서도 내 삶은 항상 그러한 조그만 떨림으로 충만했다.

그러나 그것도 잠시였다. 마침내 세기말의 마지막 해가 왔고, 그 해를 겪으면서 나는 점차 현실 안의 것들에 대한 환멸로 치를 떨어야 했다. 자세히 전말을 토로할 수는 없지만 1999년은 내게 죽음과 마찬가지였다. 세상에……, 인간의 얼굴을 하고 차마 이럴 수도 있다니! 지금까지의 내 모든 정성과 공경이 불화살로 되돌아와 가슴에, 허리에, 옆구리에, 허벅지에 마구 꽂히는 것이었다. 그해 내내 나는 죽음의 터널을 뚫고 나오기 위해 안간힘을 다했다.

이처럼 피를 줄줄 흘리는 날들을 겪으면서 나는 나를 포함한 모든 인간이, 인간이 만드는 모든 현실이 싫어지기 시작했다. 환멸, 그리고 탈현실, 그것밖에 달리 길이 없는 듯했다. 내 혓바닥 밑에서는 한동안 이 말이 저혼자 뒤뚱거리며 굴러다녔다, '환멸, 그리고 탈현실' 이라는 말이.

　　마침내 나는 실제로 탈현실을 각오하지 않을 수 없는 상황에까지 내팽개쳐지게 되었다. 이 아픈 세월을 견디기 위해 그해 여름 이후 나는 줄곧 소리내어 『노자』를 읽었다. 이른바 무책이 상책인 날들이었다.

　　새 천년이 되었고, 마침내 현실의 안보다 현실의 밖이 훨씬 더 순수하고 무구하다는 것을 깨달았을 때는 정말 아뜩했다. 현실 안의 것들이 우르르 몰려와 내게 끊임없이 이런저런 일로 협박을 해댔다. 따라서 현실의 안을 구성하는 모든 것들이 싫어지는 것은 당연했다.

　　내가 믿던 우정은, 사랑은 한갓 휴지조각에 불과했다. 절망감으로 다리가 후둘후둘 떨리는 날들이 계속되었다. 마침내 나는 시대의 밖으로 천천히 몸을 빼내기 시작했다. 언제나 시대는 사람들의 산물이었다.

　　사람들이 만드는 저 불결한 역사라니! 역사가 축적되며 만드는 저 추잡한 사회라니! 역사와 사회 속의 사람들이 이루는 저 너절한 모습을 보라. 무엇인들 믿을 수 있으랴.

　　계속해 이러한 생각들이 나를 사로잡고 놓아주지 않았다. 그러니 모든 현실은 불순하고, 그것을 담은 형상도 불순하다, 라는 외침이 내 귓가에서 떠나지 않는 것은 당연했다. 나는 현실이 내게 주는 어떤 감성과도, 어떤 욕망과도 단호히 결별하기로 작정했다. 이미 내게는 현실 안의 구체적인 사람들보다는 현실 밖의 관념적인 추상들이 훨씬 더 편하고 따뜻했다. 불화……, 이미 불화 따위의 차원은 떠난 지 오래였다.

　　구태여 현실 안의 너절한 것들과 만나야 하고, 또 만나 일하며 먹고 살아야 한다면 어쩔 수 없이 나는 그것들을 추상하지 않을 수 없었다. 배추씨만큼 작은 부분을 전체로 확대해 함께 놀거나, 아예 그것들의 줄가리들만 뽑아 대강의 윤곽으로 차가운 불투명을 즐기자는 것이었다. 이들 추상만이 나를 편안하게 했고, 나를 안도하게 했으며, 나를 두렵지 않게 했다. 차라리 나는 막연하고 모호한 추상 그 자체이고 싶었다. 더 이상은 어떤 것과도 싸우고 싶지 않았다.

도피만이 최대한의 저항이라고? 그따위 궤변까지 늘어놓고 싶지도 않았다. 과도하게 세상과 거리를 갖는다고 욕을 해도 감수한다, 과도하게 고립을 자초한다고 욕을 해도 감수한다, 라고 나는 수도 없이 다짐했다. 욕을 한다고……, 웃기는 일이다. 나는 이미 세상의 밖에 있거늘 세상 안의 무엇이 누가 나를 욕한다는 말인가.

"산골로 가자 출출이 우는 깊은 산골로 가 마가리에 살자…… 산골로 가는 것은 세상한테 지는 것이 아니다./세상 같은 건 더러워 버리는 것이다……" 라고 하며 한동안은 백석의 시를 외우고 다니기도 했다. 산골의 자연만이 가장 순수하고 정직해 보였다.

그러나 오래지 않아 나는 산골이 싫어지기 시작했다. 산골에는 지긋지긋한 사람이라는 짐승들이 없기는 했다. 그러나 산골도 역시 무수한 생명들이 밤낮으로 서로를 헐뜯고, 미워하고, 질투하며 우글거리는 세상 안의 공간이 아닌가. 당시의 내게는 현실 안의, 세상 안의 공간이라면 그 어느 곳도 싫었다.

급기야는 청마의 시를 외워 보기도 했다. "내 죽으면 한 개 바위가 되리라/아예 애련愛憐에 물들지 않고/희노喜怒에 움직이지 않고/비와 바람에 깎이는 대로/억년 비정非情의 함묵緘默에 안으로 안으로만 채찍질하여……" 청마의 이 시를 외우다 보면 정말 나는 바위가 되고 싶었다. 본성이나 감성으로부터, 나아가 이성으로부터, 인간 존재의 모든 기본 조건으로부터 완전히 해방이 된 바위…….

우선은 나로부터 해방되는 것이, 이성이니, 감성이니, 본성이니 하는 것들, 곧 나라는 인간의 기본 조건들로부터 해방되는 것이 선결 과제였다. 그것들로부터 완벽하게 배제되고 소외될 때 나는 대자유인이 되리라.

바위의 자아를 갖는 것 외에는 달리 방법이 없었다. 그리하여 정말 나는 바위가 되고 싶었다. 무기물만이, 무생물만이 세상 안의 짐승을 떠나 세상 밖의 평화로 살 수 있는 유일한 모범이었고, 가치였다. 꼭 바위가 아니라도 좋았다. 물이나 바람이라도 좋았다. 자연의 순환원리에 따라 몰개성, 탈감정으로 그냥 흘러가는 것이라면 어떤 것도 괜찮았다. 마침내 나는 어떤 형태이든 나를, 나라는 존재의 자아를 지워버리고 싶었다.

그렇게 아파 쩔쩔매던 어느 날이었다. 그날도 세상 안의 온갖 것들이 나를 향해 함부로 불화살을 쏟아댔다. 성한 곳이 하나도 없었다. 따라서 나는 흠뻑 피에 젖은 채 헐떡이며 시간을 보낼 수밖에 없었다. 정말 더는 어쩔 방법이 없는 날들이었다.

이번에는 책상 앞에 가부좌를 틀고 앉아 떼이야르드 샤르뎅을 읽기 시작했다. 책 속으로, 추상 속으로 훌쩍 뛰어드는 것밖에는 달리 숨을 곳이 없었다. 그런데……, 떼이야르드 샤르뎅은 다름 아닌 바위 속에서, 물속에서, 바람 속에서 생명이 태어난다고 점잖이 내게 말을 거는 것이었다. 빌어먹을, 하고 나는 그에게 욕부터 퍼부었다. 무생물에서, 무기물에서 생물이 잉태된다는 그의 말에 떡, 하니 입이 벌어지지 않을 수 없었다.

색즉시공色卽是空, 공즉시생空卽是色이라더니! 무이유無而有 유이무有而無라더니! 떼이야르드 샤르뎅의 얘기는 결국 생즉물生卽物이고 물즉생物卽生이었다. 그의 논리를 발전시키면 기즉물氣卽物, 물즉기物卽氣이었다. 그렇다면 기즉이氣卽理, 이즉기理卽氣가 되는 셈이었다. 서유기의 손오공도 바위 속에서 태어나지 않았는가. 하느님은 흙으로 아담을 빚었고! 참으로 지긋지긋한 윤회의 법칙이라니! 내 추상은 더 이상 갈 곳이 없었다. 막막했다.

여기까지 이르러 더 무엇을 말로 표현해 나를 투박하게 만들 것인가. 말(言語)이 순간의 충동을 못 이겨 제 무거운 몸뚱이를 끌고 여기까지 달려왔다고 하더라도 이제는 내가 직접 나서 말을 다독거려 제자리로 되돌려 보낼 수밖에 없었다. 물론 말이 쉽게 제자리로 돌아가지 않으리라는 것은 뻔했다. 말아. 세상의 안으로 돌아가거라. 싫으면 그만 여기서 다리쭉 뻗고 쉬기라도 하거라. 말아. 인간으로서의 나를 완전하게 소멸시키지 못한 나, 그 나를 불러내어 나는 이렇게 말했다. 나 역시 여전히 인간이라는 한 존재가 아닌가. 아직도 인간으로 남아 있는 내가 조금쯤은 딱해 보였다.

오늘의 현실이, 오늘의 시대가 저만큼 우뚝 서서 어느덧 우두커니 헤매고 있는 나를 바라보고 있었다. 여전히 불을 먹인 화살통을 등에 지고 있는 녀석의 모습이라니! 내게는 참으로 한심해 보였다. 와락, 적개심이 밀려왔지만 서둘러 나는 감정의 찌꺼기들을 밖으로 몰아냈다.

이처럼 아직도 나는 감정의 완전한 주인이 되어 있지 못했다. 마침내나는 대자유를, 해방을 포기했다. 이미 나도 불화살이 되어 있었기 때문이다. 불화살이 되어 여기저기 상처를 남기고 있었기 때문이다. 불화살이 되어 있기는 내 시도 다를 바 없었다.(2002)

밤이 한 가지 키워주는 것은 불빛이다

— 이성부의 시집 『우리들의 양식糧食』

    내가 맨 처음 통째로 읽은 개인 시집은……, 무엇이었지. 잠시 생각의
방향을 소년 시절로 돌려본다. 가물가물하다.

    중학교 시절의 공주公州……, 처음으로 가족들과 떨어져 살던 공주에서
의 날들은 늦가을 버드나무에 매달린 벌레집처럼 외롭고 쓸쓸했다. 수저
를 놓고 30분도 안 되어 배가 고팠던 하숙집, 중학교 2학년 초의 하숙집
은 언제나 적막했다. 거리에는 5원 만 줘, 하고 여기저기서 손을 벌리던
소년 깡패들로, 하숙집에는 터무니없는 배고픔과 공허로 가득했다. 따라
서 오직 활자만이 안심하고 믿을 수 있는 나의 친구였다. 공주에서도 한
참 버스를 타고 들어가야 했던 시골 출신인 나는 이들 폭력적인 억압이
싫고 두려웠다

    내 유일한 친구인 활자들……, 하지만 활자들은 황금알만큼이나 귀했
다. 과자봉지로 썼던 낡은 신문지, 군고마를 쌌던 묵은 잡지, 그것들 위로
기어가던 활자들만으로도 때로는 행복했다. 더구나 이들 활자들이 시의
모습을 하고 있으면 아예 환장을 했다. 화장지로 쓰던 신문지 조각 따위

에 실려 있던 시 나부랭이에조차도 나는 감동했다.

그 무렵 내가 좋아하고 따르던 막내 고모는 공주국립결핵요양원의 간호사였다. 그 예쁘고 맑던 백의천사를 나는 평생 잊을 수 없다. 뽀얀 피부, 화사한 낯빛의 젊고 아름답던 간호사……, 어느 날 그녀는 문득 서독으로 떠났다. 파독派獨 간호사의 길을 택한 것이었다. 막내 고모의 기숙사 책장에 꽂혀 있던 책들은 자연스럽게 내게로 왔다.

염무웅이 책임 편집한 신구문화사 판 한국문학전집, 안병욱의 수필집 『행복의 미학』, 김형석의 수필집 『운명도 허무도 아니라는 이야기』, 그리고 노란 표지의 소월 시집 『못잊어』(소월 시집으로는 성문각에서 발간한 붉은색 표지의 영어 대역본도 있었다), 그밖에 정태시가 편집한 『愛誦英詩 101選』 등등.

오래지 않아 이들 책은 내 손가락에 묻은 때로 하여 차츰차츰 더러워지기 시작했다. 그러는 동안 어느덧 나는 학교 앞 형설서점의 단골손님이 되어 있었다. 형설서점에서는 1주일에 5원씩 받고 만만한 책을 빌려주고는 했다. 이곳에서 빌려 읽던 책들 중에는 『괴도 루팡』, 『십오소년 표류기』, 『톰소여의 모험』, 『시이튼 동물기』, 『피노키오』 따위의 청소년 소설들도 섞여 있었다. 그리고 또 학교의 도서관에서 읽던 청소년 잡지 『학원』, 명랑소설 『얄개전』 등도 잊을 수 없다.

이들 책 중에도 나를 가장 오래도록 사로잡았던 것은 막내 고모가 남겨준 소월 시집 『못잊어』이다. 이 시집에 실려 있던 촉촉하고 슬픈 시들은 이내 나를 감상의 늪 속으로 던져 넣기에 충분했다. 끊임없이 읽고 또 읽던 이 시집……, 그러다 보니 어느덧 나도 몇 줄씩 시 비슷한 낙서를 하고 있었다.

내가 최초로 시 비슷한 것을 쓴 것은 초등학교 4학년 때였다. 제목은 「돗자리」……, 어머니가 혼수로 해온 낡은 돗자리를 보고 나도 모르게 절로 우러나는 마음에서 쓴 것이었다. 이러한 것들을 다 기억하고 있다니!

그렇게 세월이 갔다. 대전에서 고등학교에 다니던 시절, 열 번 스무 번이나 읽은 신구문화사 판 『한국문학전집』에 진력이 나 있을 무렵이었다. 아니, 박종화가 쓴 『임진왜란』을 읽고 그 방대한 지식에 기가 질려 있을 무렵이기도 했다. 내 손에는 함석헌이 번역한 칼릴지브란의 『예언자』, 또 다른 『소월시 전집』 등이 들려 있었다. 지금은 출판사 이름도 기억나지 않는 『소월시 전집』은 내 손으로 돈을 주고 산 최초의 시집이었다.

고등학교 1학년 때 늦가을이었던가. 나는 『소월시 전집』을 천천히 해체하기 시작했다. 소월의 시 같은 어떤 무엇을 쓰고 싶었지만 언제나 범람하는 감상을 드러내기에 급급했고, 그래서 나는 소월의 시에 내 무딘 칼을 들이대기 시작한 것이었다.

우선 나는 두툼한 노트 한 권을 샀다. 그러한 다음 이 시집에 실려 있는 단어들을 품사별로 나누어 노트에 옮겨 적기 시작했다 이렇게 어휘들을 분류하다 보니 어느새 나는 소월 시의 부사들에 깊이 빠져들고 있었다. 당시 내게는 소월 시의 매력이 오직 현란하고도 섬세한, 아련하고 치밀한 부사의 활용에서 오는 것처럼 보였다.

김소월 이후 나를 사로잡은 것은 김광균이었다. 「와사등」「외인촌」 등 그의 시들이 펼쳐내는 모던하고 선명한 이미지들이 나는 좋았다. 님의 행방을 쫓고 있는 만해의 시들도 나를 붙잡고 놓아주지 않았다. 영랑의 시들도, 미당의 시들도, 목월, 지훈의 시들도, 그리고 한하운, 김현승의 시들도 나를 깊이 빨아들였다.

고등학교를 졸업하고, 재수를 하고, 어쩔 수 없이 마음에도 안 드는 대학에 들어갔을 때는 나도 시인이 되고 싶었다. 중학교 이래로 몰래몰래 썼던 시들은 벌써 몇 권의 노트를 이루고 있었다. 대학에서 만난 김현승 선생님의 영향도 컸다.

김현승 선생님께 듣던 현대시 강의는 터무니없이 나를 고무시켰다. 이내 시인이 되고도 남을 듯싶었다. 김현승 선생님의 강의는 거대한 파도였다. 서정주에 대한 뿌리깊은 애증, 박인환에 대한 터무니없는 혐오……, 「목마와 숙녀」를 강의하던 무렵의, 그리고 6·25 전쟁 중 서정주의 삶을 말하던 무렵의 김현승 선생님의 열띤 목소리를 나는 아직도 잊지 못하고 있다. 정지용의 시를 낭송하면서 목이 메던 모습도 마찬가지이다.

선생님의 강의는 그분의 괴팍한 성미와 함께 이른바 시인 기질(?)에 대한 묘한 환상을 불러일으키기도 했다. 한 마디로 신비했다. 물론 이러한 환상이 말 그대로 환상에, 치기에, 감상에 불과하다는 것을 알게 되는 데는 긴 시간이 필요치 않았다.

대학의 도서관 구석구석에서는 무수히 많은 시집들이 처박혀 있었다. 시집들은 오직 나를 기다려 거기 그렇게 처박혀 있는 것처럼 보였다. 정지용의 『지용 시선』, 김기림의 『기상도』, 오장환의 『병든 서울』, 그리고 임종국 선생이 편집한 『이상전집』 등……, 이들 시집은 내게 야금야금 빨아먹기 좋은 알사탕이었다. 해방 이후에 간행된 여러 시인들, 곧 김종삼, 박용래, 노천명, 전봉건, 김용호, 김규동, 박재삼, 이형기, 김구용 등등의 시집을 빌려와 자취방 구석에 싸놓고 읽는 일은 더없이 즐거웠다.

그럴 무렵이었다. 민음사에서 '오늘의 시인총서'가 간행되기 시작했다. 김수영의 『거대한 뿌리』, 김춘수의 『처용』, 이성부의 『우리들의 양식』, 정현종의 『고통의 축제』, 강은교의 『풀잎』, 박용래의 『강아지풀』……, 일반 독자를 대상으로 기획된 이들 시집은 끊임없이 나를 서정의 열락 속으로 끌어들였다. 물론 이들 시집은 내 보잘것없는 감성으로는 완전히 다가가기에 어렵고 힘든 면도 없지 않았다.

이들 시집 중에서 내 마음을 가장 진지하게 잡아끌던 시집……, 은 이성부의 『우리들의 양식』이었다. 이 시집은 한참 활동 중인 젊은 평론가 김종철의 해설을 앞머리에 싣고 있었다. 편집도 참신했지만 우선은 녹색을 바탕으로 한 장정 자체가 새롭고 산뜻했다. 시린 지성과 뜨거운 감성이 하나로 용해되어 있는 이 시집의 작품들을 읽다 보면 언제나 내 마음은 서늘하면서도 홧홧했다.

　시인 이성부는 내게는 하늘같은 은사였던 김현승 선생님의 수제자이기도 했다. 그러니 그분이 피붙이처럼 느껴지는 것은 당연했다. 어렵고 힘들게 가까워진 김현승 선생님은 간간이 이성부의 시들에 대한 파편적인 칭찬을 내비치고는 했다. 그럴 때마다 이성부 시인은 「우리들의 양식」 첫 페이지에 실려 있는 흑백사진 속의 시원하고 반듯한 이마로 내게 다가왔다.

　이성부의 이 시집은 그의 대표작 「벼」로 모두冒頭를 장식하고 있었다. 유년시절 이래 벼농사를 짓는 농촌에서 성장해온 내게 이 작품 「벼」는 그야말로 새로운 상징이었고 관념이었다. 언제나 남들보다 늦되고 철이 없던 나로 하여금 이 시는 공동체와 개인 사이의 의미를 거듭해 되씹게 했다. 이 시가 계기가 되어 나는 '나와 사회', '나와 국가'의 의미에 대해 좀 더 본격적인 반문을 시작하게 되었다.

　　벼는 서로 어우러져
　　기대고 산다.
　　햇살 따가와질수록
　　깊이 익어 스스로를 아끼고
　　이웃들에게 저를 맡긴다

　이 시는 첫 문장부터 "벼는 서로 어우러져/기대고 산다"고 하여 민중적 연대감을 표현하고 있다. 아니, 남의 양식이 되어 살아야 하는 존재의 바른 삶의 태도를 강조하고 있다. "어우려져/기대고 사는 삶", 곧 공동체적 연대의 삶은 이 시를 읽던 무렵 이미 내 청춘의 중요한 의지가 되어 있었다. 아, 덧없는 공동체적 연대감이라니!

　이때의 내 이러한 의지가 오직 이 시에 의해서만 형성된 것은 아니다. 시집으로는 이른바 '창비시선'의 시리즈들로 간행된 신경림의 『농무』, 정희성의 『저문강에 삽을 씻고』 등, 그리고 '문지시선'의 시리즈들로 간행된 황동규, 정현종, 오규원의 시집 등도 중요한 자극의 원천이 되었다. 특히 신대철의 『무인도를 위하여』는 줄곧 나를 칠갑산의 달빛 속으로 끌고 다녔다. 김지하의 『황토』 또한 공동체적 삶의 의미를 거듭 되묻게 한 것은 마찬가지였다.

그랬다. 하지만 이와 관계없이 이성부의 시 「벼」가 보여주는 생명의 참모습은 내게 모범이 되고도 남았다. 시인은 벼와 관련하여 이 시의 마지막 연에서 다음과 같이 묘사하고 있다

벼가 떠나가며 바치는
이 넓디 넓은 사랑,
쓰러지고 쓰러지고
다시 일어서서 드리는
이 피묻은 그리움,
이 넉넉한 힘…….

표면의 내포로만 보면 이 대목은 추수 때가 되어 가을의 들판을 떠나가는 벼의 심리를 담고 있다. 시인의 마음에 비추어 보면 가을 들판을 떠나면서 벼는 무엇보다 먼저 "넓디 넓은 사랑"을 세상에 바치고 있다. 사람들의 양식이 되는 것을 시인은 여기서 "넓디 넓은 사랑"을 바치는 것으로 표현하고 있는 것이다.

사랑의 이미지는 이 시의 이어지는 구절에서 "다시 일어서서 드리는/이 피묻은 그리움,/이 넉넉한 힘……."으로 은유되고 있다. 섬세한 병치並置를 통해 벼를 가리켜 "넓디 넓은 사랑", "피묻은 그리움", "넉넉한 힘"이라고 말하고 있는 시인의 마음을 읽을 때마다 나는 곧바로 나도 "넓디 넓은 사랑", "피묻은 그리움", "넉넉한 힘"이 되어야지, 하고 생각했다.

당시 나는 젊었다. 갓 스물을 넘긴 나이였다. 따라서 벼처럼 사랑이 되고, 그리움이 되고, 힘이 되고 싶은 마음은 이내 나를 달뜨게 했다. 그랬다. 나는 그 어둡던 밤의 세월을 사랑으로, 그리움으로, 힘으로 살고 싶었다. 밤의 세월……, 가파르게 치달아가던 유신 독재를 이처럼 낡은 비유로 다 표현할 수 있을까. 온 세상이 캄캄하던 밤이었을 때 이성부의 시는 내게 늘 그렇게 한 가닥 불빛이었다.

이성부는 이처럼 계속되어가는 밤의 세월과 관련하여 다음과 같이 노래한 적도 있다.

　　밤이 한가지 키워주는 것은 불빛이다.
　　우리도 아직은 잠이 들면 안 된다.
　　거대한 어둠으로부터 비롯되는
　　싸움, 떨어진 살점과 창에 찔린 옆구리를
　　아직은 똑똑히 보고 있어야 한다.
　　쓰러져 죽음을 토해내는 사람들의 아픈 얼굴,
　　승리에 굶주린 그 고운 얼굴을
　　아직은 남아서 똑똑히 보아야 한다.

아직은 어린 나이였고, 그래서 나는 이성부 시의 대상이 감추고 있는 추상이나 관념을 제대로 알지 못했다. 하지만 "밤이 한가지 키워주는 것은 불빛이다"라는 이 시 「밤」의 한 구절은 그 자체로 내게 가슴 떨리는 놀라움이었다. 한가지 불빛을 키워주는 데 기여하는 배경일 뿐인 밤……, 적어도 당시 내가 보기에는 그랬다.

어떻게 이 어둡고 캄캄한 밤을 저처럼 냉정하게 노래할 수 있을까. 나는 단지 밤이 어둡고, 싫고, 두렵고, 답답하고……, 그래서 미칠 것 같은 마음일 뿐이었다. 그러나 시인은 "아직은 잠이 들면 안 된다", "남아서 똑똑히 보아야 한다"고 침착하게 말하고 있었다. 시인의 이러한 말로 하여 나는 얼핏 뜨거워지면서도 얼핏 차가워질 수 있었다.

이어지는 대목에서 시인은 "밤이 마지막으로 키워주는 것은 사랑"이라고 다시 한 번 공동체적 연대감을 강조하고 있다. "끝없는 형벌 가운데서도/우리는 아직 든든하게 결합되어 있다./쉽사리 죽음으로 가면 안 된다"라고 사랑을 노래하는 그의 시들은 거듭해 내 언어와 사유를 단단한 망치질로 담금질했다. 역설적으로 그에게서 밤은 "어떤 더러움도 아름답게 껴안는" 시간이었고, "어떤 패배를 다른 승리로 이어주는"(「눈뜬 밤」) 때이었다.

『우리들의 양식』을 간행하던 무렵 이성부의 시는 일정한 정도의 추상을 끌어안고 있었다. 더러는 모더니즘의 전통적 기교와 수사도 즐겁게 받아들이고 있었다. 하지만 뿌연 안개 속에서도 산마루 위로 고개를 쳐드는 그의 시의 아침 태양은 밝고 화사했다.

이 무렵까지만 해도 그의 시는 과도할 정도로 분명한 사실 세계는 거부하는 편이었다. 따라서 아직은 젊었던 내가 이들 시의 엷은 비의 속으로 한없이 빨려 들어가는 것은 당연했다.

시간은 세상의 모든 것을 산화시킨다. 시간의 풍화작용을 이기는 것은 어디에도 없다. 그동안 수많은 시간이 흘렀다. 이성부의 예의 시들 이외에도 수많은 시가 써지고, 읽혀 왔다. 나 자신만 하더라도 얼마나 많은 시를 쓰고, 또 발표해왔던가.

내가 밑줄을 긋고 읽으며 마음을 갈고 닦던 시들 역시 부침하는 시간으로부터 자유롭지 못하기는 마찬가지였다. 하지만 여전히 이 나라의 바위는 붉고, "붉은 바위는/나를 눌러/강변에 눕혀 버"리는 것이 사실이다. 30년 전처럼 크게 힘겹지는 않지만 아직도 붉은 바위에 가위눌려 나는 "눈을 떠 그대 얼굴 볼 수가 없"(「적벽」)는 시대를 살고 있는 것은 아닌가.(2001)

시인의 길
— 불온한 마음, 전복적 상상력

1.

이 짧은 '서사'의 주인공에게 어떤 이름을 붙일까. 서사? 이 글을 가리켜 서사라고 할 수 있을까. 그래도 이야기는 이야기니까.

이야기? 실제로는 이야기라고 할 수 있을는지도 잘 모르겠다. 물론 이 글이 경험과 기억을 피력하는 방식으로 써지고 있기는 하다.

정작 힘든 것은 주인공의 이름을 붙이는 일이다. 자신의 고향집에 청리당青李堂이라는 당호堂號를 붙이고 있으니 '청리'라고 해둘까. 아니, 보통의 소설처럼 3인칭 대명사로 '그'라고 하면 어떨까.

'그'라! 어쩌면 '그'라고 하는 것도 좋을 듯싶다.

2.

초등학교 시절부터 그는 슬쩍슬쩍 시를 써왔다. 슬쩍슬쩍 시를 써왔다는 것은 낙서를 하듯이 일기를 쓰듯이 시 비슷한 것을 끼적거렸다는 뜻이다. 하지만 정작 시인이 되기로 마음을 먹은 것은 성인이 다 된 후였다. 재수를 하고 또다시 입시에 실패해 후기로 모집하는 대학에 입학한 뒤의 일이니까.

본래 그는 고전을 연구하는 훌륭한 학자가 되고 싶었다. 어린 시절부터 줄곧 책을 좋아했기 때문이다. 그러나 재수를 하고 또다시 실패해 지방의 사립대학에 입학한 만큼 제대로 된 학자가 되기는 거의 난망難望해 보였다.

재수를 하는 동안에도 입시공부가 지겨워 그는 늘 시 비슷한 것을 끼적대며 시간을 보냈다. 새로운 이미지나 감정을 만나면 리듬 있는 언어로 기록하고 싶어 늘 쩔쩔매고는 했다. 그의 가슴에는 언제나 쓰고 싶은 것들로 가득했다.

이러한 일들로 대부분의 시간을 보냈으니 또다시 대학입시에 실패하는 것은 당연했다. 어쩔 수 없이 희망과는 다른 지방의 사립대학에 진학하게 되었을 때 그의 앞에는 거대한 절벽이 우뚝우뚝 솟아오르는 듯했다. 당시 그는 실패는 실패의 어머니일 뿐이라는 것을 잘 몰랐다. 아무리 생각해봐도 그에게는 남들보다 잘 할 수 있는 것이 없는 듯싶었다.

떠밀리다시피 등록을 하고 다니기 시작한 대학이었다. 3월이 지나고 4월이 왔다. 잘못 시작된 생이기는 했지만 시간의 발걸음은 빨랐다.

봄이 되자 대학의 본관 언덕 아래에서는 흐드러지게 개나리꽃이 피기 시작했다. 개나리꽃의 그늘에 앉아 그는 짜증스럽게 스탕달, 디킨스, 로렌스, 도스토예프스키 등의 소설을 읽어댔다. 읽어대며 생각했다. 아, 이번 생을 어떻게 하나. 아무리 되물어 봐도 길이 보이지 않았다. 깨진 독의 물일 따름이었다. 그는 이러한 몰골의 저 자신이 너무도 싫었다.

어디로 가야 하지. 어디로 가야 하지. 앉으나 서나 그는 자기 자신을 향해 이렇게 되물었다. 봄이 채 다 가기 전의 일이었다. 그는 자신의 안에서 어렴풋이 몇몇 대답이 들려오는 것을 느낄 수 있었다. 그러나 확실하고 분명하지는 않았다. 기왕이면 남들이 가지 않는 길로 가야지. 남들이 원하지 않는 꿈을 꾸어야지. 남들이 바라지 않는 생을 살아야지. 대답은 매번 이처럼 막연할 뿐이었다.

남들보다 잘 할 수 있는 것이 무엇일까. 남들보다 잘 할 수 있는 것이 있기나 할까. 문득문득 시를 읽고 쓰는 일만큼은 남들보다 잘 할 수 있을 것 같다는 생각이 들기는 했다. 시를 읽고 쓰는 일에 대해서만큼은 적잖은 시간을 투자해온 것이 그였다. 더러는 시를 읽고 쓰는 일로 칭찬을 들은 적도 있었다. 그럼에도 불구하고 그의 가슴에서는 첫 단추가 잘못 끼워져 이번 생은 영 틀려버렸다는 생각이 떠나지를 않았다.

평범하게 살기는 싫었다. 장삼이사로 생을 마치기는 억울했다. 사나이로 태어나 기껏 시를 쓰는 일에 목을 매달아야 하다니! 이러한 생각을 할 때마다 그는 화르르 슬펐다. 슬플 뿐이었다. 한때는 나폴레옹의 호연지기가 부럽지 않던 그였다.

형편이 이러니 미래의 삶에 대한 구체적인 전망이 떠오를 리 만무했다. 온몸을 기투企投할 수 있는 대상을 찾아야 하는데……. 더는 망설일 시간이 없었다. 봄이 가기 전에 그는 한꺼번에 이번 생을 던져 넣을 대상을 찾아야만 했다.

어쩌다 정신을 차리고 고개를 돌리면 개나리꽃이 그를 향해 어지러울 정도로 밝고 환하게 피어오르고 있었다. 어지러워 비틀거리면서도 그는 저 자신을 향해 묻고 또 물었다.

시를 쓴다? 시인이 된다? 시를 쓰는 것 자체가 싫지는 않았다. 그러나 시인이 되는 것만은 싫었다. 시인이라! 왠지 누추하고 초라하게 보였다. 여전히 그는 시인의 길을 선뜻 내켜 하지 않고 있었다.

시인은 누구인가. 시인의 삶은 어떠한가. 시인은 어떻게 사는가. 지금까지 읽은 책 속의 시인은 한결같이 누추하고 지저분했다. 언제나 불우하고 불행한 것이 그가 알고 있는 시인의 모습이었다. 빗지 않아 덥수룩한 머리칼, 깎지 않아 꾀죄죄한 턱수염……, 머리칼과 턱수염을 불결하게 흩날리고 다니는 것이 그에게 떠오르는 시인의 몰골이었다. 언제나 앞자락 여기저기에 막걸리 자국이나 지저분하게 묻히고 다니는 자가 시인 아닌가. 그러한 사람이 시인이라면 시인이 되기로 쉽게 마음을 정할 것이 아니었다.

시인의 길이 이처럼 누추하다고 생각하는 데도 시인의 길은 자꾸만 그를 유혹했다. 아니, 정작 그를 유혹하는 것은 시 자체였다. 그때마다 그는 속으로 중얼거렸다. 시를 쓰며 사는 것도 삶의 한 방법이 아닐까. 시는 쓰되 시인은 되지 말아야지. 남들이 가지 않는 길이니까. 정글을 뚫어 새로운 길을 만드는 길이니까. 이러한 질문과 대답을 거듭하면서 그는 자신의 미래를 점점 시인의 길로 좁혀 가기 시작했다.

그가 대학에 입학한 1970년대 초반만 해도 시인은 별로 많지 않았다. 아주 소수의 사람들만이 시에 빠져 지냈다. 빠져 지내기는 하더라도 시인이 되기로 뜻을 굳힌 사람은 거의 없었다. 아무도 가지 않는 길이기에 오히려 그는 시인의 길에 매력을 느끼고 있는 지도 몰랐다.

여름이 지나고 가을이 오면서 어느덧 그는 자기도 모르게 시의 길, 아니 시인의 길로 저 자신을 던져 넣고 있었다. 이렇게 그의 마음은 시인의 길로 굳혀지고 있었다. 그러면서도 그는 시인에 대한 기존의 인식만큼은 거부했다.

시인은 누구인가. 시인은 어떤 사람인가. 대부분 사람들은 시인에 대한 스테레오타입을 갖고 있었다. 교육을 받은 사람일수록 더욱 그랬다. 당연히 시인에 대한 사람들의 스테레오타입은 곱지 않았다. 철없는 낭만주의자……. 따져보면 그도 시인에 대한 정형적 인식에 깊이 갇혀 있는 셈이었다.

책에서 읽는 시인들의 삶은 언제나 더럽고 누추했다. 각혈이나 하는 폐

병환자, 굵은 테의 안경을 쓰고 신경질이나 부리는 정신병자, 술에 취해
아무 데서나 고함을 질러대는 미치광이…….

이러한 사람이 시인이라면 구태여 시인의 길을 선택할 필요가 있을까.
이러한 시인은 싫었다. 싫은 마음에서 그는 다음 같은 시를 쓰기까지 했다.

머리속에는 득시글거리는 구더기 떼들!
가슴속에는 윙윙대는 각다귀 떼들!
아랫도리 속에는 뒤엉키는 독사새끼들!

인공조명마저 빛을 잃은 컴컴한 선술집 한 귀퉁이, 웬 중년의 사내 마구
고함을 쳐대고 있었다. 환각의 마귀들이 달려들어 머리칼을 잡아당기기라
도 했나 발광하는 목소리, 죽일 거야 깡그리 매장시킬 거라고, 불과 십분
전만 해도 사내는 이 집 주인여자 함부로 덮쳐대고는 했다 그 여자 끝내 한
번 주지 않고 빠져나갔나 아직 사내 앞에는 청년들이 서넛, 멍청하게 고개
를 주억거리며 몰려 있었다 죽일 거야 깡그리 매장시킬 거라구 몽혼의 사
탄들이 달려들어 주둥이에 본드라도 물렸나 그냥 술 탓일 거야, 하는 순간
정주영이 다가와서 (아니, 김대중이던가) 어깨를 다독거리자 사내는 비로
소 난장을 멈췄다

머리 속에는 송곳니 날카로운 시궁쥐 떼들!
가슴 속에는 엉덩이 펑퍼진 늙은 곰새끼들!
아랫도리 속에는 콧수염 점잖은 물개 떼들!

―「詩人」전문

물론 시인의 삶이 다 이처럼 비정상적일 리는 없었다. 모든 시인의 삶
이 다 이처럼 추악할 리는 만무했다. 시인에 대한 기존의 이미지는 어딘

가 모르게 조작된 감이 없지 않았다. 어쩌면 시인에 대한 이러한 이미지는 기존의 시인들이 만들어온 자충수일 수도 있었다.

시인의 이미지가 이처럼 부정적인 것은 시인이라는 존재의 내용은 사라지고 형식만 남은 데서 비롯된 면이 없지 않았다. 아니, 시인이라는 존재의 내용과 형식이 뒤바뀐 데서 비롯된 일종의 허구라고 해야 옳았다. 그렇다면 시인에 대한 기존의 인식을 바로잡아야 하지 않을까. 점차 그는 자신의 내면에 존재하고 있는 시인에 대한 이미지를 객관적으로 성찰할 수 있게 되었다.

마침내 그는 저 자신의 내면에 존재하고 있는 시인에 대한 부정적인 이미지를 벗겨내기 시작했다. 아니, 일제강점기 이후에 형성된 시인에 대한 그동안의 이미지와 싸움부터 벌여 나갔다. 지저분하고 너저분한 시인, 퇴폐적이고 병적인 시인은 되지 않기로 한 것이었다. 이렇게 그는 시인의 길을 선택하기로 점차 마음을 다져갔다.

그럼에도 불구하고 그의 내면에는 여전히 시인에 대한 규격화된 인식이 깊이 도사려 있었다. 서둘러 그는 자신 안에 존재하고 있는 시인에 대한 스테레오타입부터 바꿔 나갔다. 시인에 대한 기존의 인식을 바꾸는 일은 우리 사회에 풍미해 있는 제도와 인습과 윤리와 도덕에 대한 기존의 인식을 바꾸는 일이기도 했다. 그것은 일종의 반란이었다.

이때의 반란이 자유를 이행하는 일이라는 것을 알기는 어렵지 않았다. 이미 고착화되어 있는 것을, 상식화되어 있는 것을 배반하는 일은 그것을 올곧게 깨닫는 일과 다르지 않기 때문이다. 그것은 편벽되어 있는 가치를 바로 잡는 일, 곧 조화와 균형을 꾀하는 일이기도 했다.

물론 시인에 대한 이러한 생각이 그에게 단번에, 한꺼번에 우르르 몰려온 것은 아니었다. 2학년이 되고, 3학년이 되고, 또 군에 다녀오면서 이러한 생각은 서서히 그의 내면에 쌓여 갔다. 기본적으로 그는 점진주의자였다.

차츰 그는 굳세고 의연한 시인, 단단하고 침착한 시인이 되는 것도 역사의 한 길이라는 생각을 갖게 되었다. 밝고 화사한 서정으로 건강하고도 씩씩한 시, 생활이 있는 시를 쓰는 일이라면 시인이 되는 것도 좋을 듯했다. 이른바 삶의 시……. 기존의 시를 바꾸듯이 기존의 삶을 바꿀 수 있다면 시인이 되는 것도 괜찮을 듯싶었다.

시인에 대한 자아개념을 이렇게 정립하자 그는 더 이상 시인을 혐오하지 않게 되었다. 그도 시인의 길을 사랑하게 된 셈이었다.

몇 권의 동인지와 무크지를 내는 동안 마침내 그는 시인이라는 '쯩'을 받게 되었다. 하지만 군부독재에 영합해 비웃음을 사던 신문이나 문예지를 통해 '쯩'을 받은 것은 아니었다. 어쩌면 그는 어느 누구한테 '쯩'을 받은 것이 아니라 저 스스로 '쯩'을 만들었다고 해야 옳다. 1980년대 초 이미 그는 이른바 '문학운동'의 전선에 서 있었다. '쯩'은 단지 그 과정에 얻어진 결과일 뿐이었다.

어차피 학문의 길, 지식인의 길을 가고자 하는 것이 그의 삶의 목표였다. 시를 쓰는 일도 실제로는 지식인의 길이었다. 어찌 보면 시 자체가 지식의 산물이고, 지식의 대상이기도 했다. 시가 지식과 무관하지 않다는 얘기는 진실과 무관하지 않다는 얘기였다. 진실에 대한 열정이 없이 시가 태어날 리 없었다.

어느덧 그도 지식인이 되어 있었다. 그가 보기에 지식인은 세상의 모순에 대해 끊임없이 걱정을 하고 발언을 하는 사람이었다. 그가 보기에 지식인은 세상의 편벽된 가치를 두고 끊임없이 고민하고 고뇌하는 사람이었다. 그가 보기에 세상은 사람이기도 하고, 자연이기도 하고, 신이기도 하고, 사회이기도 하고, 역사이기도 했다. 따라서 그가 고민하고, 고뇌하는 대상 역시 사람이기도 하고, 자연이기도 하고, 신이기도 하고, 사회이기도 했다.

시인이 되기 훨씬 전부터 그는 당대의 폭압적 정치체제에 대해 강한 염증을 느끼고 있었다. 거듭되는 억압체계가 국민들을 투망 속의 물고기들처럼 팔짝팔짝 뛰게 한다고 생각해온 것이 그였다. 투망을 찢고 밖으로 뛰쳐나오지 않고서는 당연히 자유로울 수 없었다.

세상을 진전시키는 일, 역사를 앞당기는 일이야말로 정작 그가 하고 싶은 일이었다. 역사와 사회에 대한 관심이 시를 쓰는 일과 무관하지 않다는 것을 깨달았을 때 그는 자신의 어깨에서 불끈불끈 근육이 솟구치는 것을 느낄 수 있었다. 꾀죄죄한 내면세계에 빠져 지내는 것만이 시의 전부가 아니라는 것은 그에게 큰 힘이 되었다.

시인의 길은 결국 모든 기득권에 도전하는 일이었다. 도전의 정신은 거부의 정신, 부정의 정신을 뜻했다. 이미 존재하고 있는 것들을 부정하고 거부하지 않고서는 새로운 것이 잉태될 리 만무했다. 하지만 그는 눈에 띄게 부정과 거부를 표방하지는 않았다.

이와 관련하여 그가 정작 걱정하는 것은 시인에 대한 기존의 이미지였다. 맹목적인 부정과 거부는 시인에 대한 기존의 스테레오타입을 강화시켜줄 수도 있다고 생각했기 때문이다. 따라서 그는 늘 부드러우면서도 날카로운 눈을 갖고자 애를 썼다. 이를 위해 그가 주력해온 것은 평범 속에서 비범을 찾는 일이었다. 행동은 평범하게 하더라도 생각은 비범하게 하지 않으면 안 된다고 늘 그는 생각했다. 평범 속의 비범 찾기……, 한동안 그는 이러한 생각에 빠져 지냈다.

반드시 행동과 실천을 전제로 하는 것이 시는 아니다. 그러나 행동과 실천이 함께 이루어질 때 시가 더욱 빛나는 것은 사실이다.

진작부터 그는 시가 지니고 있는 이러한 특징을 잘 알고 있었다. 이는 몇몇 문학사에도 잘 나와 있었다. 천하위공, 지공무사天下爲公, 至公無私를 꿈꾸는 것이 시정신의 본질이 아닌가.

물론 그가 의도적으로, 작위적으로 사회적인 행동과 실천에 나선 것은 아니었다. 하지만 그는 저 자신에게 부여되는 사회적 행동과 실천만은 구태여 피하려 하지 않았다. 캄캄하기 짝이 없던 지난 1980년대를 그는 이러한 마음으로 의연하게 통과했다.

당연히 그는 늘 역사의 현장과 함께 있었다. 아니, 역사의 현장과 함께 있으려고 애를 했다. 민중교육 사건 때는 배후주동자로 몰려 한동안 쫓겨 다니기도 했다. 박종철 사건 때만 해도, 강경대 사건 때만 해도 그는 수많은 시위대와 함께 연세대 앞에서부터 시청 앞까지 행진을 했다. 6월항쟁 때는 서울역과 퇴계로, 시청 앞과 명동 일대에서 오른 손을 씩씩하게 삼박자로 치켜들었다. 이 시기를 그는 고려대 옆 개운사에서 하루 두 끼를 먹으며 불덩어리로 보냈다.

그가 이러한 삶을 선택한 것은 시의 마음이 본래 불온한 것이라고 생각했기 때문인지도 모른다. 이 무렵 그는 자신의 시에서 늘 당대 사회의 중심을 이루는 것들에 대해 불온한 정신을 표현하려고 했다. 시가 아닌 다른 글에서도 그는 당시 사회의 중심에 대한 전복적 상상력을 담아내려고 애를 썼다. 물론 그의 전복적 상상력은 그 시대의 지배세력인 군부독재에만 한정되어 있지는 않았다.

정작 전복시켜야 할 것은 당시 사회의 지배이념인지도 몰랐다. 윤리나 제도나 관습을 지탱시켜 가는 지배이념이야말로 전복적 상상력의 대상이지 않을 수 없었다. 그것들의 배후에 자리해 있는 것은 언제나 사회의 중심을 조종해 가는 기득권 세력이었다. 따라서 불온한 마음의 대상, 즉 전복적 상상력의 대상은 그가 포착하는, 그가 관계하는 모든 존재에게로 확대될 수밖에 없었다.

그가 단지 계급모순과 민족모순에만 이 불온한 마음을 들이대지 않은 것은 바로 이러한 이유에서였다. 따라서 그에게는 생태환경의 현실 또한 중요한 전복적 상상력의 대상이 되지 않을 수 없었다. 함부로 뒤엉켜 있는 생태환경의 모순 또한 당대사회의 지배이념의 산물이었기 때문이다.

그에게는 생태환경의 모순 또한 지구상의 생물종 전체, 아니 지구 자체를 몰살시킬 수 있다는 점에서 늘 위기감으로 다가왔다.

근본적으로 그가 가꾸어 온 불온한 마음, 이른바 전복적 상상력의 뿌리에는 대자유大自由를 향한 원대한 꿈이 자리해 있었다. 이렇게 말하면 뭐 굉장한 듯 싶지만 대자유를 향한 그의 꿈이 실제로 목표로 하는 것은 조화와 균형의 세계, 달리 말해 사랑의 세계였다. 그가 생각하는 사랑의 세계는 인仁의 세계이기도 하고, 자비慈悲의 세계이기도 했다. 균형과 조화의 세계가 그렇듯이 사랑의 세계는 평등과 평화의 세계에서 비롯되기 마련이다. 결국 그는 세상의 모든 존재들이 대자유를 실천할 수 있게 되기를 희망했던 것이다.

천하위공, 지공무사天下爲公, 至公無私를 꿈꾸는 것이 시의 본질이라고 말했지만 이때의 공公이 사私를 완전히 소멸시킬 리는 없다. 진작부터 그는 사私가 없으면 공公도 없다는 것을 잘 알고 있었다. 실제로는 공公과 사私가 상호 순환하는 것으로 이해했다. 아니, 그보다는 사私를 전제로 하는 것이 공公인지도 몰랐다. 사私를 전제로 하지 않고서는 순식간에 폭력으로 전이되기 쉬운 것이 공公이기 때문이다.

그가 받아들이고 있는 불온한 마음은 이처럼 이상주의를 토대로 하고 있었다. 그의 시에서 이러한 이상주의는 미래의 유토피아로 구체화되기도 하고, 과거의 파라다이스로 구체화되기도 했다. 과거의 파라다이스와 미래의 유토피아 역시 항상 상호 순환하는 가운데 존재했다. 그가 보기에 상호 순환하는 것은 과거의 파라다이스와 미래의 유토피아만이 아니다. 주체와 객체도, 인간과 자연도, 인간과 신, 정신과 물질도 마찬가지이다.

최근에 들어 그의 생각은 명료한 가운데도 불명료했고, 불명료한 가운데에도 명료했다. 곱씹어 생각할수록 단선적으로 이것이 옳다, 라고 명명할 수 있는 것은 드물었다. 물론 저것이 그르다, 라고 명명할 수 있는 것도 드물었다. 정작의 모든 존재는 그르면서도 옳았고, 옳으면서도 글렀다. 그가 생각하기에는 이른바 기연불연其然不然이 세계의 본질이었다. 이는 자유가 평등이고, 평등이 사랑인 것과 마찬가지였다. 말하자면 현상이 본질이고, 본질이 현상인 것이었다. 그의 시에서 항용 인간과 자연이 상호 착종되어 드러나는 것도 다름 아닌 이 때문이었다.

결국 그는 사람들의 마음속에 가득 차 있는 이분법적 사고방식을 극복하고 싶었는지도 모른다. 끊임없이 세상을 둘로 나눠온 것이 그동안의 인간이었다. 적과 동지로, 나와 너로, 인간과 자연으로, 주체와 객체로, 껍질과 알맹이로 쉴 새 없이 세상을 둘로 분리, 분열시켜온 것이 인간이었다.

그는 인간의 모든 고통이 다름 아닌 이분법적 생활태도에서 온다고 생각했다. 그가 보기에는 이 땅의 인간들이 항상 서로를 살려 가는 것이 아니라 죽여 가는 것도 이 이분법적 의식구조 때문이었다. 끊임없이 세상을 나누고 쪼개는 가운데 서로를 적대시하는 사람들의 의식구조가 계속되는 한 그가 꿈꾸는 이상세계는 요원할 수밖에 없었다.

어느새 그는 또 다른 계몽을 실천하고 있었던 것이다. 하지만 그가 실천하고 있는 계몽의 궁극적인 대상은 저 자신이었다. 그는 인간이 끊임없이 저 자신을 고쳐 나가는 운명을 타고 난 존재라고 믿었다. 끊임없이 저 자신을 반성하고 성찰하는 존재……, 이렇게 그는 저 자신을 끊임없이 새롭게 고쳐 나가는 존재이고 싶었다.

어쩌면 그는 선객禪客이 되고 싶었는지도 몰랐다. 선객이 되었더라면 그에게 시인의 길은 존재할 리 만무했다. 그래도 그는 적어도 자신의 안에 불심佛心이라고 말할 수밖에 없는 어떤 무엇이 자리해 있다는 것쯤은 알고 있었다.

물론 그가 속세의 사바세계를 완전히 포기했던 것은 아니다. 한 쪽 발은 늘 성스러운 세계를 행해 있으면서도 다른 한 쪽은 발은 언제나 속세의 사바세계를 향해 있었다. 생활과 삶이 없이는 시가 존재하지 않는다는 것을 그가 모를 리 없었기 때문이다. 여전히 그는 시인의 길을 버리지 못하고 있었던 것이다. 생활에 실패하면 시도 실패하는 법이 아닌가.

3.

대강 여기서 글을 마치려 하니 찝찝한 마음이 가시지를 않는다. 아무래도 이 글이 '그'라는 사람이 걸어온 '시인의 길'을 제대로 다 드러내지 못한 것만 같다. 아직은 내가 '그'에 대해 제대로 이해하고 있지 못하기 때문이리라. 누군들 '그'에 대해 완벽하게 알 수 있으랴.

그건 그렇고……, 이 글을 가리켜 '서사'라고 할 수 있을까. 나로서는 도무지 자신이 없다. 실제로는 단순한 '이야기'에도 미치지 못한 것이 이 글인 듯 싶다. 끊임없이 사변과 추상이 뒤섞여 있기 때문이다.

지금 내가 쓰고 있는 겸사謙辭는 말할 것도 없이 능청이거나 내숭이다. 구태여 그것을 밝히는 것은 이 글의 표면만 읽는 독자들을 염려해서이다.

세상에는 이러한 방식의 글쓰기도 있을 수 있다고 생각해주기를 바란다.(2004)

나를 키워준 이 한 권의 책
— 신경림의 시집 『농무』

워낙 호기심이 많다 보니 내게는 아직도 세상이 온통 의문투성이로 존재한다. 그러니까 나는 여전히 대책 없는 화두話頭에 쫓겨 다니며 살고 있는 셈이다.

인생이란 끊임없이 자기 자신을 성숙시켜 가는 과정이라고도 할 수 있다. 고치고 매만지고 다듬으며 자기 자신을 성장시켜 나가는 과정이 인생이라는 것이다. 적어도 정상적인 삶을 살고 있는 사람이라면 말이다.

사람은 어떻게, 어떤 계기로 그러한 성숙을 체험하는가.

한때 나는 오랫동안 이러한 의문에 시달린 적이 있다. 유치원에서부터 대학까지, 그 긴 공교육 기간 동안, 그 긴 공교육 과정에 맞게 사람은 조금씩 조금씩 점진적으로 자기 자신을 변화, 성숙시켜 가는가. 반드시 그렇지만은 않은 것 같다. 역사가 그러한 것처럼 한 개인의 삶 또한 혁명적으로 비약, 발전할 수도 있기 때문이다.

사람이라면 누구나 문득, 별안간, 갑자기, 퍼뜩 저 자신의 삶이 무한대로 부풀어오르는 것을 경험할 때가 있다. 자기 삶의 주체로 서고자 할 경우, 세상 모든 것의 주인이 되고자 할 경우 특히 그러한 성숙과 함께 한다.

성숙의 매개로 책처럼 훌륭한 것은 많지 않다. 이른바 명저나 고전이라고 하는 책들만이 그러한 기능을 하는 것은 아니다. 조그만 시집 한 권으로부터도 때로 사람은 엄청난 내적 성숙을 얻고는 한다. 책 속의 내용과 함께 하는 사회 · 경제적 조건이 읽는 이의 정신적 현존과 기막히게 맞아떨어질 때 흔히 그것은 가능해진다.

내게도 그러한 경험이 있다. 한 권의 시집, 그 속에 실린 한 편의 시로부터 받았던 감동이라니! 감히 '인식의 단절', '존재의 전이'라고 할 수 있을지도 모르겠다.

1969년 나는 읍내의 중학교를 마치고 시내의 고등학교에 진학을 했다. 그러면서 길고도 지루한 내 자취생활은 시작되었다. 아무런 연고도 없는 도시, 도시의 남동쪽 한 구석인 '대동 산5번지'가 당시의 내 거처지였다. 시내버스에서 내린 뒤 30분은 족히 걸어 올라가야 하는 산동네, 거기서 나는 한참 감수성이 예민했던 고교시절의 일부를 보냈다. '대동 산5번지'는 수돗물이 나오지 않아 매일매일 경로당 근처 공동 펌프에 가 양동이를 들고 줄을 서며 기다려야 하는 곳이었고, 몇 번씩 연락을 해도 인분차가 오지 않아(실은 거기에 들이는 돈 몇 푼이 없어) 소낙비가 내리는 밤을 틈타 재빨리 똥을 퍼 하수구에 쓸려보내는 곳이었다.

학교 수업을 마치면 어김없이 돌아와야 하는 이 '산번지'가 나는 싫었다. 너무도 지겨워 그곳으로부터의 탈출을 꿈꾸는 것이 방과 후 내 일과의 전부였다. 아직은 여전히 전통적 공동체의식이 남아 있는 농촌에서 농촌의 방식으로 살아왔던 나에게 이곳에서의 삶은 도무지 견디기가 힘들었다. 사람이 어떻게 이처럼 처참하게 살아갈 수 있을까. 이처럼 천박하게 살아가는 것도 사람의 삶일까.

벌집처럼 촘촘히 붙어 있는 판자집들, 저녁 어스름만 깔리면, 사람들은 싸움판을 벌였다. 남편과 아내가, 아버지와 아들이, 어머니와 딸이, 언니와 동생이 멱살을 잡고 치고 받았다. 그뿐만이 아니었다. 골목으로 나가면 또 동네 청년들이, 동네 아저씨들이 마구 칼부림을 해댔고, 그리하여 길바닥에는 피가 마를 날이 없었다. 전봇대 밑에는 아무렇게나 개똥이 나뒹굴었고, 개똥처럼 술에 취한 이 동네 김씨, 이씨, 박씨가 함부로 나뒹굴었다.

이렇게 나뒹구는 그들이 나는 미웠다, 싫었다, 지겨웠다, 끔찍했다. 이러한 현실로부터 도망치고자 나는 혈서를 쓰듯 몰래몰래 시를 쓰고는 했다. 그러나 그들에 대해서는, 그들의 삶에 대해서는 한번도 노래하지 않았다. 몽롱한 의식에 취해 범람하는 감정의 찌꺼기를 뒤죽박죽 그려내는, 기껏해야 일종의 낙서일 터였다.

대동 산 5번지를 피해 이곳저곳으로 자취방을 옮겨 다녔고, 이윽고 나는 고등학교를 졸업했다. 대학입학시험에 떨어지고, 또 떨어지고, 또또 떨어져 하는 수없이 나는 지방의 모 사립대학교에 진학을 했다. 아버지가 마련해준 자취방은 이번에도 역시 산동네 판자집 근처였다. '용두동 산 95번지', 이곳에서의 사람살이도 다를 바 없었다.

그럴 즈음이었다. 평소부터 가깝게 들락거리던 시인 이가림 교수님의 연구실에서 우연히 한 권의 시집을 만나게 되었다. 월간문학사에서 나온 신경림의 시집 『농무』의 초판본이었다. 이 시집에 수록되어 있는 시들을 읽으며 나는 그야말로 온몸이 후둘후둘 떨려 어찌할 바를 몰랐다. 이 시집 속에는 내가 그토록 싫어하던, 부정하던, 증오하던, 지긋지긋해 하던 산동네의 사람살이가 고스란히 눈 부릅뜬 채 담겨 있었다.

이 시집을 읽고 난 뒤 나는 단숨에, 한순간에, 문득, 별안간, 갑자기, 퍼뜩 다른 사람으로 변모되어 있는 것을 느낄 수 있었다. 이 시집의 시들로 하여 나는 이제 더 이상 수동적 객체가 아니었다, 주어진 세상의 노예가 아니었다, 주어진 학습의 머슴이 아니었다. 특히 그의 시 「山 1番地산 일번지」는 내가 익히 보아왔던, 피부로 경험했던 산동네 사람들의 전형적인 형상을 담고 있었다. 이 시는 우선 나 자신의 현존을 객관적으로 성찰할 수 있도록 해주었다. 말하자면 더 이상 나로 하여금 나날의 세상에 매몰되지 않을 수 있게 해준 것이었다. 이를 계기로 마침내 나는 나를 낳아준, 나를 키워준, 어머니와 아버지가 누구인가를, 무엇인가를 바로 알게 되었고, 마침내 허심탄회하게 그들을 온몸으로 사랑하고, 신뢰하고, 받아들이게 되었다.

물론 나는 신경림의 이 시집의 작품들이 지금까지도 그처럼 감동적으로 다가오리라고 생각하지는 않는다. 텍스트와 독자를 둘러싸고 있는 사회·경제적 기초 자체가 그동안 많이 달라졌기 때문이다. 무엇보다 나 자신의 정신적 현존이 많이 변했다는 것을 강조하지 않을 수 없다. 그럼에도 불구하고 당시의 내게 이 시집이 준 충격이 너무도 컸던 것은 사실이다.

인간은 어떻게, 어떤 계기로 성숙을 체험하는가. 유치원에서부터 대학까지, 그 긴 공교육 기간 동안, 그 긴 공교육 과정에 맞게 조금씩 조금씩 점진적으로 변화, 성숙해 가는 것만은 아니라는 것이 내 생각이다. 4·19, 5·18 등의 역사가 그러했던 것처럼 개인의 삶 또한 혁명적 발전을 보여주는 경우가 적잖은 것이 사실이다. 좋은 책이야말로 한 개인에게 그러한 혁명적 성숙을 체험하게 한다. 『바이블』이나 『논어』, 『도덕경』이나 『자본론』 등이 인류의 역사에게 그렇게 했던 것처럼 말이다.

신경림의 예의 시 「山 1番地산 일번지」를 함께 읽으며 글을 맺기로 한다. (1989)

해가 지기 전에 산 일번지에는
바람이 찾아온다.
집집마다 지붕으로 덮은 루핑을 날리고
문을 바른 신문지를 찢고

불행한 사람들의 얼굴에
돌모래를 끼어 얹는다.
해가 지면 산 일번지에는
청솔가지 타는 연기가 깔린다
나라의 은혜를 입지 못한 사내들은
서로 속이고 목을 조르고 마침내는
칼을 들고 피를 흘리는데
정거장을 향해 굴러가는
가난이 싫어진 아낙네의 치맛자락에
연기가 붙어 흐늘댄다
어둠이 내리기 전에 산 일번지에는
통곡이 온다. 모두 함께
죽어버리자고 복어알을 구해 온
어버이는 술에 취해 뉘우치고
애비 없는 애기를 밴 처녀는
산벼랑을 찾아가 몸을 던진다.
그리하여 산 일번지에 밤이 오면
대밋벌을 건너온 강바람은
뒷산에 와 부딪혀
모든 사람의 울음이 되어 쏟아진다.

—「山 1番地」 전문

나를 움직인 이 한 편의 시

— 신동문의 시 「내 노동으로」

고등학교 2학년 때의 국어 선생님, ROTC 장교로 전역을 하고 우리학교에 부임을 한 지 채 5년도 안 되는 이정웅 선생님……, 젊고 미남인 선생님의 수업시간은 언제나 열기로 가득 차 있었다.

어느 날 선생님은 제법 두툼한 책 한 권을 들고 수업에 들어오셨다. 출석도 부르지 않고 선생님은 그 책에 대한 설명부터 시작했다.

"여러분에게 책 한 권을 소개한다. 제목은 『한국현대시해설』이고, 저자는 조남익 시인이다. 신문학 이후의 우리 현대시를 가려 뽑아 친절하게 해설을 붙인 책인데, 시에 관심 있는 사람들은 한 권쯤 사 두어도 좋겠다. 대학입시 본고사를 준비하는 데도 도움이 될 거다. 관심 있는 학생은 수업 끝나고 교무실로 찾아오도록!"

이 책의 저자인 조남익 시인은 당시 대전의 모 고등학교 국어 선생님이었다. 물론 그때는 나도 대전에서 고등학교에 다니고 있었다. 이정웅 선생님은 아마도 이러한 인연으로 책의 판매에 도움을 주기 위해 잠시 나선 듯싶었다. 하지만 선생님의 뜻과는 달리 실제로 『한국현대시해설』을 원하는 친구들은 많지 않았다.

며칠 후에야 나는 이정웅 선생님을 통해 그 책을 구입할 수 있었다. 손에 잡히는 대로 아무 페이지나 펴놓고 읽어도 좋은 이 책은 어느덧 내게 바이블만큼이나 소중히 받아들여지게 되었다. 하도 많이 읽어 고등학교를 졸업하기도 전에 책의 표지가 너덜너덜 떨어질 정도였다.

늦가을이었고, 일요일 오전이었다. 아침밥을 먹고 모처럼 한가해져 이 책을 꺼내 뒤적거리고 있는 중이었다. 갑자기 배가 아파 오기 시작했다.

잠시 후 나는 마당가의 변소(?) 안에 쪼그려 앉아 있었다. 무심코 『한국현대시 해설』의 책장을 넘기고 있는데, 뒤쪽에 실려 있는 시 한 편이 선뜻 눈에 들어왔다. 신동문의 「내 노동勞動으로」였다. 삽시간에 이 시는 나를, 내 온몸을 소용돌이치는 물결 속으로 빨아들이기 시작했다. 황홀했다. 그렇게 나는 점차 얼어붙어 갔다.

한참의 시간이 지난 뒤였다. 다리가 저려 오고, 오금이 아파 왔다. 그때서야 겨우 정신을 차리고 마당가의 변소에서 나올 수 있었다.

방안으로 들어와 이불더미에 기대고 누워 있는 데도 한동안 멍한 내 눈은 천장의 사방연속무늬에 박혀 있었다. 어느덧 입술에서는 "내 노동으로/오늘을 살자고/결심한 것이 언제인가./머슴살이하듯이/바친 청춘은/다 무엇인가. 돌이킬 수 없는/젊은 날의 실수들은/다 무엇인가" 등 시의 구절들이 중얼중얼 새어나오기 시작했다.

맨 처음 내게 이 시는 프라이팬 위로 튀어 오르는 기름방울처럼 뜨겁고 빠른 리듬으로 다가왔다. 짧은 시행의 박진감 있는 전개들 또한 나를 놀라게 했다. 연을 나누지 않고 거칠 것 없이 내달리는 짧은 시행의 격한 호흡들이라니! 그랬다. 이 시는 무엇보다 폭풍처럼 휘몰아치는 급박한 가락으로 나를 사로잡았다. "……은 다 무엇인가"라고 하며 거듭해 되묻는 질문 또한 나를 들뜨게 했다. 이처럼 거듭되는 반성적 성찰로 해 이 시는 순간순간 살아 꿈틀대는 생명체로 탄생되지 않았을까.

당시 나는 기껏 2학년짜리 고등학교 학생에 불과했다. 한 마디로 풋내기 문학소년이었다. 따라서 "머슴살이하듯이/바친 청춘은/다 무엇인가" 등의 구절은 내 삶의 경험들과는 다소 멀 수밖에 없었다. 그럼에도 불구하고 나는 이내 이 시의 실존적 분위기에 깊이 빠져 버렸다.

이 무렵의 내게 시를 읽는 것, 소설을 읽는 것만큼 즐거운 일은 없었다. 시나 소설을 읽을 때만 온전히 행복했다. 전화도 텔레비전도 없던 시절의 오류동의 자취집……, 나와 형제들의 학교공부를 위해 늙으신 할머니가 고향에서 올라와 밥이며 빨래를 해주고 있었다.

오류동의 자취집으로 막 이사를 갔을 때였다. 안방의 한 쪽 구석에서 다락방으로 올라가는 입구가 눈에 띄었다. 더듬거리며 기어 올라간 비좁은 다락방에는 뜻밖에도 전 주인이 버려두고 간 『사상계』와 『창작과비평』의 과월 호가 가득가득 쌓여 있었다.

정신없이 나는 이들 잡지에 실려 있는 장용학의 소설 『원형의 전설』, 방영웅의 소설 『분례기』의 속으로 빨려들어 갔다. 황홀경의 날들이었다. 대강 이들 잡지들을 다 읽어치웠을 때였다. 엉뚱하게도 내 손에는 신구문화사 판 '한국문학전집' 중의 하나인 『손창섭 선집』이 들려 있었다. 이미 표지가 닳아버린 이 책 속의 소설들 「낙서족」 「유실몽」 「비 오는 날」 「잉여인간」 「혈서」 등을 다시 읽던 날들 또한 황홀경이었다. 특히 「혈서」에는 "혈서를 쓰듯/혈서를 쓰듯/이 모가지를 뎅강 잘라/혈서라도 쓰듯" 등의 시 구절이 삽입되어 있어 나를 더욱 어지럽게 했다.

어느덧 내 문학적 관심은 까뮈의 「이방인」, 카프카의 「변신」 등의 세계로 옮겨가고 있었다. 문예반 활동에 적극적이던 친구와 교실 복도에서 만나 「이방인」의 주인공 뮈르소 등에 대해 열변을 토하는 일도 잦아졌다.

내가 신동문의 시 「내 노동勞動으로」를 읽은 것은 바로 이 무렵이었다. 막 실존주의적 분위기에 빠져들기 시작하던 때였다.

이 시는 무기력하게 반복되는 지식인의 일상과 허위의식을 반성의 시각으로 포착하며 출발하고 있다. 겉으로는 고상한 체하면서도 속으로는 거짓으로 가득 차 있는 지식인의 속물근성에 대한 비판적 성찰을 담고 있는 것이 이 시이다. 요컨대 "내 노동으로/오늘을 살자고/결심한 것이 언제인데" 아직까지도 "창백한 얼굴로 명동에/모"여 "밤 새워" 술이나 마시며 "여자의 입술"이나 꾀는 등 "거짓말들"을 일삼고 있느냐는 것이다. 따라서 이 시는 무엇보다 지식인의 실존적 자의식에 기초하고 있다고 해야 마땅하다.

우선 이러한 반성은 저 자신의 노동으로 떳떳하게 살아가자고 시인이 누차 결심을 해왔다는 것에서 비롯된다. 그러나 실제의 삶은 이와는 반대 방향에서 이루어져 왔고, 바로 그러한 점에서 시인의 자의식으로 가득 찬 반성은 출발한다. "청춘은" "머슴살이하듯" 타인을 위해 바쳐졌고, "젊은 날"은 "돌이킬 수 없는" "실수들"로 점철되었으며, 그리하여 "거짓말들"로 "여자의 입술"이나 꾀고, "어릿광대 표정"으로 "그 눈물을 달래"며 살아온 것이 지금까지의 저 자신의 삶이라는 것이다.

비판적으로 반성하고 극복해야 하는 일은 물론 그것들뿐만이 아니다. 노동과는 전혀 무관한 "야위고 흰/손가락", "맛도 모르면서/밤새워 마시는" "술버릇", "창백한 얼굴", 친구들과 "명동에/모이는" 쓸쓸한 습성 또한 그에게는 반성과 극복의 대상이 되고 있다.

하지만 시인의 좀 더 정직한 성찰은 이어지는 구절, 즉 "절반을 더 살고도/절반을 못 깨친/이 답답한 목숨의 미련/미련을 되씹는/이 어리석음은/다 무엇인가" 등의 구절과 함께 한다. 인생의 "절반을 더 살고도" 남은 인생의 "절반을 못 깨친" 저 자신의 목숨에 대한 미련을 통찰하고 있는 이 구절은 절실한 뉘우침으로 가득 차 있다. 이 시의 절정에 해당하는 구절이다. 어리석기 짝이 없는 그동안의 삶을 온몸으로 거부하고 있는 것이, 다시 말해 시인의 실존적 자의식이 극단적인 반성의 정서로 구체화되어 있는 것이 이 대목이다.

이 시에 함유되어 있는 시인의 정직한 자기반성과 자기성찰은 아주 오랫동안 내게 삶의 염결성에 대한 의미 있는 척도로 존재했다. 겨우 세계를 발견해 나가기 시작한 당시의 어린 내게 인간의 순수한 이상을 끝까지 포기하지 않는 시인의 강렬한 자의식은 엄청난 자극이 되고도 남았다. 아직까지 내가 어린 시절 이래의 순수한 이상을 잃지 않고 살아가고 있는 것도, 내면의 정직성을 무엇보다 소중히 여기며 살아가고 있는 것도 실제로는 이 시로부터 받은 영향 때문인지도 모른다.

다음은 신동문의 예의 시 「내 노동으로」의 전문이다.(2001)

내 노동으로
오늘을 살자고
결심한 것이 언제인가.
머슴살이하듯이
바친 청춘은
다 무엇인가.
돌이킬 수 없는
젊은 날의 실수들은
다 무엇인가.
그 여자의 입술을
꾀던 내 거짓말들은
다 무엇인가.
그 눈물을 달래던
내 어릿광대 표정은
다 무엇인가.
이 야위고 흰
손가락은

다 무엇인가.
제 맛도 모르면서
밤새워 마시는
이 술버릇은
다 무엇인가.
그리고
친구여
모두가 모두
창백한 얼굴로 명동에
모이는 친구여
당신들을 만나는
쓸쓸한 이 습성은
다 무엇인가.
절반을 더 살고도
절반을 못 깨친
이 답답한 목숨의 미련
미련을 되씹는
이 어리석음은
다 무엇인가.
내 노동으로
오늘을 살자고
결심한 것이 언제인데.

고향 앞에서, 고향 뒤에서

— 오장환의 시 「고향 앞에서」

전국의 산야山野를 덮는 폭설이 TV 뉴스의 화제로 떠오른다. TV가 비춰주는 영상이 많이 아름답다. 눈을 감는다. 감은 눈의 앞에 펼쳐지는 폭설의 산야는 고향이다.

거기 어떤 흡인력이 있다. 어떤 흡인력이 있어 나를 그곳으로 끌어들인다. 어느덧 나는 고향 앞에 선다. 장터를 지나면 모듬내, 모듬내를 건너면 방앗간 삼거리, 지금 나는 방앗간 삼거리 둑방 위에 서 있다. 서 있다 보면 고향의 산과 강과 들, 산과 강과 들의 사계四季가 밀려온다. 그 중에서도 눈 내리는, 눈 덮인 고향의 모습이 압권이다. 아름답고 행복하다.

방앗간 집 굴뚝에서 저녁연기가 솟아오른다. 오른쪽으로 가면 내가 태어나고 자란 '막은골', 왼쪽으로 가면 '엄고개'와 '속골'이다. 하지만 그것들은 모두 유년의 것들, 어린 시절의 것들이다. 아직 철이 들기 전, 그러니까 사춘기의 발광을 겪기 전의 것들이다.

고향은 세상 물정을 알기 전의 모습으로 존재해야 한다. 그럴 때 아름답고 행복하게 회억回憶되기 때문이다. 사람 사는 세상의 복잡함을 알게 되고, 그 부정함과 부패함, 그 곤고함과 고통스러움을 알게 된 뒤에는 어디에도 순수하게 아름다운 것이 없다. 고향이라고 해도 다를 바 없다. 고향 역시 사람 사는 세상의 일부 아닌가.

당연히 고향도 철이 든 이후에는 구체적인 삶의 공간으로 다가오기 마련이다. '고향'이라는 단어와 함께 '농촌현장'이라는 단어를 연상하지 않을 수 없는 것은 바로 이 때문이다. 그렇게 하다 보면 그와 더불어 수많은 문제들, 이른바 농촌문제들이 다가온다. 고령화 문제, 총각들 결혼 문제, 부채 문제, 무엇보다 UR대책 문제……. 형편이 이러하니 어떻게 고향의 풍광이 아름답고 행복하게만 비추어질 수 있겠는가.

어쩌면 고향인 농촌은 이제 완전히 버려진 공간인지도 모른다. 따라서 고향 앞에서 느끼는 것은 평화와 안식이기보다는 고통과 절망일 수밖에 없다. 누가 있어 나의 이러한 느낌을 감히 욕하랴.

나이가 들고, 고향을 떠나고, 그리하여 도시의 한복판에 거주하면서 생존의 굴레에 끌려가는 것이 대부분의 현대인들이다. 도시 중심의 현대사회, 이름하여 '근대산업사회'의 중심에서 우리는 살아가고 있다.

물론 인류의 역사가 도시를 중심으로 이루어졌던 것이 '근대' 이후의 일만은 아니다. 근대 이전에도, 다시 말해 그리스 시대 등에도 도시를 중심으로 인간의 삶이 펼쳐졌던 적이 있었다는 것을 잘 알고 있다. 하지만 오늘날처럼 도시가 인간의 사람을 깡그리 황폐화시킨 예는 없다고 해야 옳다. 그렇다. 현금의 도시의 삶은 그것 자체로 인간의 자아를 분열시키고 파괴시키고 있다. 이처럼 현란하고 허위로 가득 찬 도시의 일상에서 온전하고 단일한 자아를 간직하기는 거의 불가능하다.

농촌에서는 어떠한가. 도시인들에게 오늘날의 농촌은 아직도 고향이다. 농촌으로서의 고향이 여전히 평화와 안식의 공간일 수는 없는가. 그럴 수 있으면 오죽 좋으랴. 하지만 오늘날에는 한갓 환상에 불과할 뿐이다. 고향으로서의 농촌 역시 영악하고 되바라진 공간으로, 분열되고 파괴된 공간으로 존재하기 때문이다.

지난 100여 년 동안 고향으로서의 농촌이 분열과 파괴의 대상일 뿐이 었다는 것은 새삼스럽게 강조할 바가 못 된다. 근대 이래 세계의 역사는 농촌공동체를 파괴하고 해체하는 가운데 영위되어온 것이 사실이다. 따라서 감수성이 예민한 시인들에게는 고향으로서의 농촌이 충족의 공간이기보다는 결핍의 공간일 수밖에 없다. 다시 말해 고향은 슬픔의 공간, 상실의 공간일 수밖에 없다는 것이다.

그것은 60여 년의 전의 한국에서도 마찬가지이다. 60여 년 전의 시인 오장환은 일제강점하의 농촌현실, 농촌으로서의 고향의 파행적 해체를 바라보며 다음과 같이 슬픔에 젖는다.

흙이 풀리는 내음새
강바람은
산짐승의 우는 소릴 불러……
다 녹지 않은 얼음장 울멍울멍 떠나려 간다.

진종일
나룻가에 서성거리다
행인의 손을 쥐면 따듯하리라.

고향 가차운 주막에 들려
누구와 지난날의 꿈을 이야기하랴.
양귀비를 끓여다 놓고
주인집 늙은이는 조용히 눈물 지운다.

간간이 잿내비 우는 산기슭에는

아직도 무덤 속에 조상이 잠자고
설레는 바람이 가랑잎 휩쓸어간다.

「고향 앞에서」의 일부이다. 이 시는 무엇보다 파행적으로 해체되어 가는 농촌공동체에 대한 시인의 슬픔과 안타까움을 주조로 하고 있다. "다녹지 않은 얼음장이 울멍울멍 떠나려" 가는 곳, 주막집 늙은이가 "양귀비 끓여다 놓고" "조용히 눈물지"우며 죽음을 예비하는 곳이 오장환이 파악한 당시의 고향이다.

이 시는 바로 이러한 점에서 감동으로 다가온다. 그러나 농촌으로서의 고향이 항상 이처럼 아프고 시린 모습이어야 하는가. 유년의, 철이 들기 전의 아름답고 행복한 공간일 수는 없는가. 이미 나와 분리된, 나로부터 소외된 공간이기 때문에 그것은 불가능한 꿈일는지도 모른다.

농촌의 공간이든 자연의 공간이든 나는 고향이 온전하고 바른 모습으로, 평화와 안식의 공간으로 받아들여지고 인식되기를 바란다. 그렇게 되려면 고향의 공간이 본래의 의미대로, 즉 온전하고 바른 공간으로, 평화와 안식의 공간으로 존재해야 해야 한다. 그러나 그보다 먼저 선행되어야 할 것은 인식과 실천의 대전환이다. 인식과 실천의 대전환이 있지 않고 그것은 영영 불가능하다. 오직 산업화 일변도로 역사가 꾸려질 때 고향은, 자연은 결코 본래의 의미로 환원될 수 없기 때문이다.

흔히 고향은 어머니에 비유된다. 이때의 어머니의 자식이 인간이다. 인간은 대지인 어머니를 떠나 또 다른 어머니가 된다. 어머니가 되어 대지를 낳는다.

어머니는 영원한 휴식처이라는 점에서 의의가 있다. 삶의 미로에 지쳐 쓰러졌을 때 우리가 돌아갈 곳이, 우리에게 휴식과 에너지를 주는 곳이 어머니인 고향이라는 것은 불문가지이다.

어머니인 고향, 고향을 아름답고 행복한 공간으로 회억하는 것은 인간으로서의 본연의 자세이다. 그러나 오늘의 인간에게 고향은 아직 그렇지를 못해 마음이 아프다.

지금의 고향은 분명히 일그러진 농촌현장이요, 피폐한 삶의 터전이다. 이러한 사실은 누구도 부인하지 못한다. 하지만 동시에 고향은 어머니인 대지이요, 언젠가는 우리가 다시 돌아갈 곳이다. 죽어 묻힐 곳이 어머니인 대지로서의 고향이다.

어머니에게 우리가 효孝를 다 하듯이 고향에, 고향의 대지에 정성을 다할 수는 없는가. 강조하거니와 고향은, 자연은 우리 모두의 생명의 원천이다.

겨울이 되면 눈이 오기 마련이다. 따라서 전국의 산야山野를 덮는 폭설이 새삼스러울 것은 없다. 그럼에도 불구하고 그러한 사실이 TV 뉴스의 화제로 떠오른다. 그리고 TV가 소개하는 영상을 보며 많은 사람들이 감동한다. 단순히 그 영상이 많이 아름답기 때문인가. 그렇지만은 않으리라.

잠시 어떤 흡인력에 이끌려 나는, 내 상상력은 고향 나들이를 해본다. 한껏 어머니인 대지의 품에 안겨 보는 것이다.(1993)

떠돌이 삶의 자잘한 소식들

— 한용운의 시 「오도송悟道頌」

상급학교 진학을 위해 고향을 떠나 시내로 진출한 이후 단 한 달도 같은 지역에 머물러 산 적이 없다. 중심이 되는 삶의 터전이야 없지 않았지만 보름 이상을 한 곳에 정주하지 못하고 어딘가로 떠났다가 다시 돌아오는 삶을 계속 살고 있다. 벌써 40년 가까이 나그네로서의 일상을 살고 있는 것이다. 육체적 건강이 뒷받침되고 정신적 활기가 남아 있으니 아직도 이런 삶을 즐기고 있는 것이리라.

지금 나의 주요 거처지居處地는 광주이다. 10년이 넘도록 나는 광주를 주요 거처지로 삼은 채 전국을 떠돌며 살고 있다. 어머니는 공주에 살고 있고, 아우들은 대전에 살고 있고, 아내와 아이들은 서울에 살고 있으니 이들을 만나기 위해서라도 나는 대부분의 시간을 길 위에서 보낼 수밖에 없다. 이처럼 길 위에 내던져져 살다 보니 더러는 외로울 때도 있고, 더러는 서러울 때도 있다. 마음이 그런 지경에 이르면 무엇인가를 읽거나 끼적거릴 경우도 있지만 만해의 시 「오도송悟道頌」을 중얼거릴 경우도 있다.

男兒到處是故鄕(남아도처시고향)

幾人長在客愁中(기인장재객수중)

一聲喝破三千界(일성갈파삼천계)

雪裏桃花片片紅(설리도화편편홍)

사나이에게는 발 닿는 곳마다 고향!

어찌 사람들 나그네의 설움에 빠져 있는가.

한 소리로 삼천대천세계 깨뜨리리.

눈 속의 복사꽃 조각조각 붉어지도록!

　전반부에는 장부로서의 호연지기浩然之氣와 관련된 정서가 담겨 있고, 후반부에는 선승禪僧으로서의 깨달음이 담겨 있다. 여전히 나그네의 삶을 살아가고 있는 내게는 아무래도 전반부의 두 행이 좀 더 실감 있게 다가온다. 전반부의 두 행은 후반부의 두 행을 위해 존재하지만 말이다.

　물론 전반부의 두 행과 관련해 말하고 있는 '호연지기'는 맹자의 말이다. 하지만 이는 정상적인 인간이라면 누구나 경험하는 마음의 상태이기도 하다. 호연지기, 곧 '넓고 큰 기운'은 자강불식自彊不息하고자 하는 군자라면 누구라도 가까이 하지 않을 수 없는 마음이기 때문이다.

　이 두 행의 내용을 좀 더 산문적으로 의역하면 '사나이에게는 발 닿는 곳마다 고향이거늘 어찌 사람들은 나그네의 설움에 빠져 있는가' 정도가 될 듯싶다. 사는 곳이, 서 있는 곳이 다 고향이니만큼 고향(자연, 대지, 어머니 자궁)으로부터 분리되는 데서 오는 정서, 곧 분리감의 일종인 설움, 외로움, 쓸쓸함 따위에 시달리며 살면 되겠느냐는 뜻이다. 만해가 여기서 이런 다짐을 하는 것은 말할 것도 없이 눈 속의 복사꽃이 조각조각 붉어지도록 할 만큼 한 소리로 삼천대천세계, 곧 우주 전체를 깨닫기 위해서이리라.

이처럼 거칠게 의역을 하고 보면 만해의 「오도송」은 이미 깨달은 바의 선리禪理를 노래한 것이 아니라 깨달음에 이르기 위한 각오를 노래한 것으로 읽힌다. 그런 점에서 만해의 「오도송」에 대한 위의 내 해석은 일정한 한계를 지닐 수도 있다. 하지만 단박에 삼천대천세계, 곧 우주 전체를 깨닫는 것보다 깨닫기 위해 끊임없이 정진하는 것이, 끊임없이 노력하는 것이, 그 과정의 실천이 훨씬 더 아름답지 않은가.

어린 시절 한때에는 나도 세상 전체를 한 몫에 다 알겠다고, 다 깨닫겠다고 서원誓願을 세운 적이 있다. 상급학교 진학을 위해 고향을 떠나 시내로 진출한 이후 같은 지역에 오래 머물러 산 적이 없는 것도 그와 무관하지 않다. 물론 이런 떠돌이의 과정에, 나그네의 과정에 얻은 자잘한 소식들로 채워져 있는 것이 내 시의 형식이고 내용이다. 하지만 나는 최근 들어 소식들의 내용보다는 소식들을 얻기까지의 끊임없는 정진과 노력, 그 과정의 실천들을 오히려 더 소중하게 여기고 있다.

이번에 받게 되는 〈유신작품상〉도 그동안 내가 기울여온 정진과 노력, 그 과정의 실천들에게 주는 것으로 알고 있다. 그러니 더욱 정진하고, 더욱 노력하고, 더욱 실천하기 위해서라도 감사하는 마음으로 이 상에 임하지 않을 수 없다. 상을 주신 귀한 마음들을 받들어 지극하고 정성된 마음으로 내게 주어진 일과 시에 최선을 다할 생각이다. (2006)

그윽하고 오묘한 세계

— 추자 역해 『노자』

언제나 그래왔듯이 올해 초여름에도 나는 학기말의 몇 주를 바쁘고 분주하게 보내고 있다. 리포트 체크, 시험지 채점, 대학원 논문 심사 등에 쫓겨 눈코 뜰 사이조차 없는 것이 요즈음의 날들이다. 일일이 학생들의 작품을 검토해 돌려주어야 하니 몸이 열 개라도 모자라지 않을 수 없다. 그래도 나는 아직 이러한 일들이 좋다. 좋아서 하는 것이니 만큼 일에 빠져 있을 때는 힘든 줄을 모른다.

하지만 자정이 다 되어 연구실의 불을 끄고 혼자 사는 아파트로 돌아오면 형용하기 어려운 쓸쓸함과 함께 퍼뜩 피로가 몰려오고는 한다. TV를 보기도 하고 음악을 듣기도 하다가 훌쩍 침대 위로 몸을 던진다. 이불 속에 몸을 묻다 보면 어느새 내 손에는 앙증맞은 책 한 권이 들려 있다. 추자 역해譯解의 『노자』, 민족사에서 나온 손바닥만한 '온고지신' 문고 중의 하나이다.

아무 장章이나 눈에 띄는 대로 소리내어 읽어본다. 道(도)는 生之(생지)하고, 德(덕)은 畜之(축지)하며, 物(물)은 形之(형지)하고, 勢(세)는

成之(성지)라. 잠시 추자의 번역을 살펴본다. 마음에 다 들지는 않는다. 내 식으로 고쳐 다시 번역을 해본다. 도는 무엇인가를 낳게 하고, 덕은 무엇인가를 길러주며, 物물은 무엇인가를 드러내주고, 勢세는 무엇인가를 이루도록 하느니라. 소리 내어 읽던 입을 닫고 조용히 머릿속으로 의미를 굴려본다. 어느덧 나는 아무런 의식도 없이 스스로 잠에 빠져든다.

민족사에서 나온 이 책 『노자』는 말 그대로 손바닥만하여 어느 주머니에나 쏙 들어가서 좋다. 앞뒤의 어느 주머니에나 넣고 다니며 아무 곳에서나 펼쳐 볼 수 있어 더욱 좋은 것이 이 책이다. KTX를 타고 서울을 오가다가도, 서울에 와 전철을 타고 일을 보러 가다가도 문득 나는 이 책을 펼쳐놓고 중얼중얼 소리내어 읽는다. 어떤 때는 이 장의 내용이 좀 더 다가오기도 하고, 어떤 때는 저 장의 내용이 좀 더 다가오기도 한다.

『노자』를 처음 접한 것이 언제인가. 고등학교 2학년 때이니 벌써 30년이 넘는 세월이 지났다. 그때 나는 흥사단 아카데미의 회원이었다. 대학의 철학과에 다니는 아카데미 선배들이 『노자』를 읽는 모임을 만들었고, 나는 제대로 이해도 못하며 그 모임에 나갔다. 왠지 『노자』는 내게 늘 그윽하고 오묘하게 다가왔다. 당시 나의 독서는 안병욱과 김형석의 에세이류와 신구문화사 판의 『한국문학전집』을 읽은 것 정도가 전부였다. 중학교 때나 고등학교 1학년 때도 이런저런 청소년 소설이나 김소월·한용운 등의 시집을 읽는 데서 크게 벗어나지 못했다. 칼릴 지브란의 『예언자』를 뒤적인 적도 있는데, 당시의 내게는 제대로 이해가 되지 않았다.

하지만 『노자』는 달랐다. 어떤 무엇인가가 있어 자꾸만 나를 잡아끌었다. 그때 내가 읽던 『노자』는 을류문화사 판의 문고본이었다.

"『노자』는 제1장에 전체의 내용이 다 축약되어 있어. 제1장만 이해하면 나머지는 절로 꿰어진다고……. '독서백편의자현' 이라는 말 알지."

철학과에 다니던 선배들은 내게 이렇게 말하고는 했다. 그들의 이러한 말을 나는 아무런 의심 없이 받아들였다. 道可道(도가도)는 非常道(비상도)요, 名可名(명가명)은 非常名(비상명)이라. 無名(무명)은 天地之始(천지지시)요, 有名(유명)은 萬物之母(만물지모)라. 이렇게 거듭해서 외우며 나는 나 자신에게 끊임없이 되묻고는 했다. 도道라는 것이 무엇이지? 상常이라는 것이? 명名은? 무명無名은? 유명有名은? 시始는? 모母는? 계속되는 질문을 통해 부족한 대로 나는 조금씩 답을 마련할 수 있었다.

서너 달이 지났을까. 어렴풋이 제1장의 내용을 소화하기 시작했을 때쯤 『노자』를 읽는 모임은 흐지부지 없어지고 말았다. 기껏 20장까지나 제대로 읽었을까. 아쉬웠지만 그러한 정도에서 『노자』 읽기는 그칠 수밖에 없었다.

이렇게 인연을 맺은 『노자』를 겨우 일독一讀이나마 떠듬떠듬 마친 것은 군대를 마치고 대학을 졸업할 무렵이었다. 그때 읽은 『노자』는 『장자』와 함께 묶어 출간한 삼성출판사 판이었다. 『노자』 제81장을 읽는 데 무려 10년의 세월이 걸린 셈이었다. 하지만 이러한 정도의 얄팍한 독서도 그것으로 끝이었다. 다시 한번 읽어야지, 하고 마음만 먹을 뿐 더는 『노자』를 읽을 기회가 오지 않았다.

내가 『노자』를 다시 손에 잡은 것은 1999년의 일이다. 마침 그 해에는 도올 김용옥이 EBS에서 『노자』를 강의해 선풍적인 인기를 끌고 있었다. 하지만 내가 『노자』를 다시 손에 잡은 것은 그것과는 다른 이유에서였다. 그해 여름 이후 나는 평생 잊지 못할 기막힌 시련에 빠져 허우적대야만 했다. 시련을 이겨내기 위해 선택한 것이 『노자』의 번역이었다. 당시 나는 『노자』를 번역하며 무책이 상책이라는 진실을 실천해 나갔다.

이런저런 이유로 또다시 『노자』를 손에 들게 된 것은 올해(2004) 봄이었다. 추자 역해의 이 책은 작은 수첩만 했다. 책을 열자마자 나는 내가 그동안 『노자』와 많이 친숙해져 있었다는 것을 알 수 있었다. 별 불편 없이 각 장의 내용이 쏙쏙 머리에 들어왔기 때문이었다. 당연히 다시 읽는 『노자』는 맛이 달랐다.

아직도 나는 틈틈이 내게 『노자』를 매개로 도와 덕에 대해, 자연에 대해 되묻고 있다. 이렇게 묻다 보면 내 안에서 소록소록 답이 떠오르고는 한다. 오늘도 그것이 즐겁다.(2004)

풍경 만들기의 방법과 의미

— 제5시집 『내 몸에는 달이 살고 있다』를 중심으로

1. 여는 말

제대로 된 시인이라면 누구라도 자신의 시와 관련하여 저 나름의 표현 방법을 갖고 있기 마련이다. 특별히 스타일리스트나 기교파가 아니라고 하더라도 정작의 시인이라면 시의 표현방법에 대한 자기 나름의 운산運算을 갖지 않을 수 없다.

이 글에서는 내가 응용하고 있는 아주 초보적인 표현방법 몇 가지를 독자들과 함께 고민하려고 한다. 언젠가는 시적 대상을 인식하고 응용하는 나 나름의 기법적 탐구 전체를 구체적으로 소개하는 좀 더 큰 글자리가 만들어지기를 빈다.

시인에게는 풍경이 곧 재산이라는 말이 있다. 기본적으로 나는 시를 '풍경 만들기'의 하나라고 생각한다. 이때의 풍경은 단지 하나의 서정적 컷일 수도 있고, 서사적 동영상일 수도 있고, 이미지들이 마구 혼재되어 있는 무의식의 장면일 수도 있다. 풍경이 만드는 화폭의 질감은 이처럼 그것이 담아내는 상황에 따라 매우 다양할 수밖에 없다. 그러나 나는 내 시가 일단 따뜻하고 정겨운, 다시 말해 온유도후溫柔敦厚한 아우라를 불러 일으키기를 바란다.

이때의 풍경이 반드시 선명하고 명징한 구상일 필요는 없다. 아예 접근이 불가능한 추상이나 관념일 필요도 없지만 구태여 지나칠 정도로 선명한 형상일 필요도 없다. 실제로는 드러내기와 감추기를 적절히 조절하려는 의도도 없지 않다. 그러나 작품이 선택하는 대상에 따라 달라지기 때문에 이를 단정적으로 요약하는 것은 불가능하다.

이렇게 만들어진 풍경은 당연히 그 자체로 우리 시대의 제반 문제들을 상징할 수 있어야 한다. 개인사이든 세계사이든 움직이는 보편적인 역사와 무관한, 오늘 이곳의 삶과 무관한 풍경을 만들려고 하지는 않는다. 말할 것도 없이 풍경의 선택은 세계관의 선택일 수밖에 없다. 지금 이곳의 삶에 대해 무엇인가 말할 것이 있어 그려내는 것이 시에서의 풍경이다.

그러나 내가 쓴 시에 드러나 있는 풍경이 있는 그대로의 풍경을 선택한 것은 아니다. 내 시에 함유되어 있는 풍경이 있는 그대로의 풍경을 선택해 객관적으로 묘사해낸 것은 아니기 때문이다. 실제로 내 손을 떠난 시가 담아내고 있는 풍경은 그동안의 관찰과 경험을 토대로 내가 만들어낸, 창조해낸 것일 따름이다. 내 시에 함유되어 있는 풍경이 있는 그대로의 풍경을 선택한 것이 아니라 없는 것을 자의로 창조하고 생산한 것이라는 뜻이다. 그렇다고는 하더라도 이때의 창조와 생산이 경험이나 체험과 전혀 무관한 것은 아니다. 창조와 생산이라고는 하지만 결국은 그것이 경험이나 체험을 재조립하는 과정에 태어날 수밖에 없기 때문이다.

나는 상대적으로 진전된 실감을 획득하기 위해 풍경의 대상을 섬세한 사실화로 그려내기도 하고 몽롱한 반추상화半抽象畵로 그려내기도 한다. 이는 당연히 시의 소재와 주제가 지니고 있는 특징에 따라 그때그때의 상황과 연계되어 자연스럽게 이루어진다.

그럼 표현방법과 관련한 풍경 만들기의 내포를 좀 더 구체적으로 진전시켜 보기로 하자.

단일한 체험을 곧바로 하나의 풍경으로 만드는 적은 내게 별로 없다. 두 개 이상의 경험이 만드는 장면을 중첩시켜 재구성되는 것이 보통이라는 것이다.

2. 체험의 중첩화

1) 장면 모으기

일단은 각각의 체험에서 비롯된 중첩되는 장면을 단일한 풍경으로 재구성하여 묘사하는 방법을 주목할 필요가 있다. 이는 두 개 이상의 장면을 하나의 장면으로 통일시켜 독립된 풍경을 만드는 기법을 가리킨다. 그것은 시인으로서 세계에 대한 나의 사유를 육화肉化하기 위해 다양한 체험으로부터 기인하는 여러 장면들을 재구성해 새로운 하나의 풍경으로 재창조해 내는 것을 뜻한다.

구체적으로 졸시 「사이, 소리」를 예로 들어보자. 어린 시절 고향집 뒤란에는 장독대가 있었고, 감나무가 있었고, 대숲이 있었다. 이러한 풍경 속에서 나는 유년시절을 보냈다. 대숲은 6·25 직후 입대를 했던 아버지가 군생활을 견디지 못해 잠시 탈영해 숨어 있던 곳이기도 하다. 아버지는 나중에 재입대하여 군생활을 마친다. 내 뇌리 속에는 언제나 이러한 고향집 뒤란의 풍경이 박혀 있다.

몇 년 전의 일이다. 오랜 친구인 이영진 시인이 잠시 전남 화순의 어느 시골마을로 내려와 산 적이 있다. 이 시골 마을은 소설을 쓰는 김훈 씨가 은거하며 『칼의 노래』를 쓴 곳이기도 하다. 이영진 시인이 살던 화순의 시골집에 방문했을 때 나는 감전이 되는 듯한 충격을 받았다. 이 집을 둘러싸고 있는 풍경이 순식간에 나를 어린 시절로 돌아가게 했기 때문이다. 이 시골집은 동신대학교 미술과의 김경주 교수가 화실로 사용하던 곳으로도 알려져 있다.

고향집과 화순의 이 시골집의 풍경을 바탕으로 이곳저곳에서 경험한 풍경을 재조립해 단일한 풍경으로 제시하고 있는 것이 아래의 시이다.

뒤란 대나무 숲 울타리
뭉게구름 잠시 멈춰 선 자리

장독들 옴죽옴죽 비켜선 사이
푸드득, 숨죽이는 바람 소리

낯부끄러운 홍시들
얼싸안고 뺨 비비는 소리

오조조, 보조개 피우는 사이
포르르, 날아가는 박새 한 마리

흙바닥 위 호두알만한 그림자
또로록, 떨어져 내리는 사이

제 울음 하얗게 되씹는 소리
뭉게구름 우줄우줄 걸어 내려오는 자리

마른 감나무 잎사귀

아하, 저 혼자 팔랑거리는 소리.

—「사이, 소리」 전문

이 시에는 별다른 내용이 담겨져 있지 않다. 굳이 말하자면 무의미의 순수 서정시라고 할 수 있다. 이러한 시를 쓰게 된 데는 지난 1980년대 시들이 지니고 있던 무거운 역사의식, 곧 시에 대한 그 무렵의 획일적 시각에서 벗어나고 싶은 마음도 크게 작용을 했다.

자신의 정체성과 관련해 깊은 고민에 빠져 있었던 것이 이 시를 쓰던 무렵의 나이다. 당시에는 나 자신에 대한 질문이 끊이지를 않았다. 나는 누구인가. 나는 서정 시인이다. 그렇다면 순수서정만으로 이루어진 시도 써야 하지 않을까. 정신의 깊이가 살아 있는 순수서정시 만큼 생명력이 긴 것도 없다. 그 즈음 나는 늘 이러한 생각에 쫓겨 다니고 있었다.

어쩌다 보니 서정시 자체가 너무도 귀한 시대를 살고 있다. 근래에 들어 부쩍 강화된 현상이기는 하지만 순수서정시가 존재하지 않는 세상 또한 내게는 바람직하게 생각되지 않았다.

많은 사람들이 오늘의 이 시대를 가리켜 잡종의 시대라고 한다. 맞는 말이다. 잡종이야말로 신생이 이루어지는 첨경이다. 최근 들어 흔히 퓨전 문화라고 불리는 잡종문화, 곧 틈의 문화가 더 많이 요구되고 것은 사실이다. 하지만 잡종문화를 만들기 위해서라도 순수 토종은 존재해야 하지 않을까. 나이가 들다 보니 이러한 생각에까지 이르게 된 것이다.

나는 지금 10여 년 가까이 광주에, 이른바 빛고을에 살고 있다. 빛고을은 말 그대로 빛이 아름다운 고장이다. 이 고장의 햇빛은 무수한 아우라를 동반하고 있어 특히 나를 감동시킨다. 나는 시를 통해 빛고을의 햇빛은 말할 것도 없거니와 자연 일반이 지니고 있는 소리며 파동, 색이며 질감(결)까지 시로 살려내고 싶었다.

물론 '풍경 만들기'의 방법은 다양하다. 이 시에서처럼 이곳저곳에서 체험한 이미지를 단일한 장면으로 수렴시켜 드러내는 방법만 있는 것은 아니다. 풍경을 뒤섞거나 겹쳐 드러내는 방법도 충분히 있을 수 있기 때문이다.

2) 장면 뒤섞기

시에 수용되는 장면을 해체하여 반드시 단일한 풍경으로 재구성할 필요는 없다. 혼재되는 풍경을 있는 그대로 뒤섞어 드러내는 방법도 있을 수 있다. 장면들을 이리저리 혼재시켜 드러내는 방법을 택할 수도 있다는 뜻이다. 영화의 기법을 시창작의 기법으로 응용하는 것이라고 해도 괜찮다.

시를 가리켜 흔히 언어그림이라고 한다. 시를 그림과 비교해 논의하는 일은 흔히 있는 일이다. 하지만 너무 사실적인 그림, 즉 구상화는 금방 싫증을 느끼기 마련이다. 약간의 추상이 가미된 그림, 다시 말해 반추상半抽象의 그림이 두고두고 호기심을 불러일으키며 재미를 주는 경우가 적잖다. 시의 경우에도 이는 크게 다를 바 없다. 서너 개의 풍경을 덧씌워 창작한 시가 양파껍질을 벗기는 것과 같은 재미와 호기심을 줄 수도 있기 때문이다. 다름 아닌 바로 이러한 점에서 나는 시에 여러 풍경을 뒤섞어 환상적인 이미지를 만드는 기법을 선호한다. 시에 약간의 비현실적인, 비의적인 분위기를 담아내려고 하는 것인데, 이때의 혼재된 풍경은 당연히 혼재된 의미를 생산한다.

현대시의 모호성은 현대사회의 모호성, 곧 불확정성을 반영하기도 하지만 시어 자체의 특수성에서 기인하기도 한다. 물론 그것이 시인이 지니고 있는 인식능력의 무능성을 드러내서는 안 되겠지만 말이다.

아래의 예는 이러한 생각에서 시의 풍경을 단일하게 재구성한 것이 아니라 몇 개의 풍경을 뒤섞어 표현해본 작품이다.

허겁지겁 몇 숟가락 점심 떠먹고 마악, 일터로 돌아오는 길, 환하게 거리를 메우는 것들, 배꼽티를 입고 날렵하게 여기저기 다리 쭈욱 뻗는 것들, 백양나무 하얀 우듬지들, 그것들 아랫도리 후둘후둘 흔드는 것들

　　석간을 사기 위해
　　잠시 머뭇거리고 서 있는데
　　정신들이 없군 우르르 흩어 퍼지는
　　아흐, 치자꽃 향기라니!

　　흠흠 말 더듬으며 돌아보니 원시의 숲들, 신비를 만들며 솟구쳐 오르는 생령生靈덩어리들, 그렇지 풀무질로 커 오르던 고향마을 유년의 에너지들, 시원도 하지 쿵쿵, 코 홀쩍이며 몇 숟가락 점심 떠먹고 마악, 일터로 돌아오는 길

　　석간을 사기 위해
　　잠시 머뭇거리고 서 있는데
　　정신들이 없군 우르르 뿜어져 나오는
　　하여튼 저 젊어터진 향기라니!

—「아흐, 치자꽃 향기라니!」 전문

　이 시를 가리켜 의미를 갖지 않는 순수서정시라고 할 수는 없다. 이 시의 풍경이 내포하고 있는 정서와 이미지는 공히 그 나름의 의미를 거느리고 있기 때문이다. 나로서는 이 시의 혼재된 장면을 통해 자연과 인간이 지니고 있는 원초적 생명력을 표현하고 싶었다. 그것이 얼마나 잘 형상화되어 있는지는 알 수 없지만 말이다.
　초봄에 엿볼 수 있는 자연의 활기와, 막 대학에 입학한 젊은이들의 활기는 본원적인 생명력을 지니고 있다는 점에서 공통점을 갖는다. 이 시에

서 나는 바로 이러한 점, 즉 인간과 자연이 지니고 있는 지칠 줄 모르는 생명력을 담아내고 싶었다. 인간이나 자연이나 신생하는 것들은 늘 아름답지 않은가.

이 시에는 몇 가지 장면이 뒤섞여 있다. 당연히 이들 장면은 시인인 나의 체험에서 기인한다. 전체적인 계절의 배경은 초봄이다. a) 점심 식사를 하고 나서 가판대에서 석간을 사고 있는 시인, b) 가로수로 서 있는 한참 물이 오르는 백양나무 가지들, c) 짧은 치마를 입고 다리를 쭉쭉 뻗으며 거리를 활보하는 젊은 여대생들, d) 화자가 통과해온 젊은 시절의 몇몇 체험, 이 네 가지 것들이 이 시에 혼재되어 있는 이미지 혹은 영상들이다. 그것들이 뒤섞여 약간은 추상적인 풍경으로 드러나 있는 것이 이 시이다.

이 시 전체의 공간적 배경은 서울 어디쯤으로 설정되어 있다. 하지만 내가 초봄의 존재들이 지니고 있는 생명력에 대한 어떤 감흥(영감)을 실제로 느낀 것은 우리 대학의 정문 앞에서이다. 물론 점심식사를 하고 연구실로 돌아오면서이다. 현재의 구체적인 체험과 관련된 실질적인 장면에 과거의 경험과 관련된 가상적인 장면을 떼다 붙이며 새로운 반추상의 풍경을 만들려고 한 것이다.

기본적인 포맷을 중심으로 다양한 이미지들을 뒤섞어내는 것이 이 시의 방법적 특징이다. 이러한 방법으로 쓴 시들은 자칫 독자들의 접근을 멈칫거리게 할 수도 있다. 시인의 상상력을 독자들이 미처 따라오지 못할 수도 있기 때문이다. 하지만 이를 지나치게 두려워하면 새로운 시를 만들기가 어렵다. 언제나 새로운 시는 낯설고 어렵게 느껴지기 마련이다. 아는 만큼 보인다고 하지 않는가.

3) 장면 겹치기

지금까지의 논의에 따르면 시 역시 하나의 허구라는 것을 잘 알게 된다. 경험에서 비롯되는 장면들을 표나지 않게 짜깁기해내는 것이, 그렇게 사기를 치는 것이 시가 지니고 있는 보편적인 풍경이기 때문이다. 시에서도 있는 그대로의 풍경을 모사模寫해내는 것이 아니라 허구적으로 새로운 풍경을 창조하고 생산하는 것이라는 뜻이다.

이러한 '풍경 만들기'를 진실이 아니라 허구라고 낯설어 하는 사람이 있다면 그는 시가 무엇인지, 예술이 무엇인지 잘 모르는 사람이다. 원래 리얼리스트들이 그려내는 삶의 풍경은 늘 자신의 경험을 바탕으로 자신의 의도에 맞게 재구성한 것, 말하자면 새롭게 허구화한 것이기 때문이다. 이는 리얼리스트의 경우가 아니라고 하더라도 마찬가지이다. 다름 아닌 이러한 이유로 시를 가리켜, 예술을 가리켜 창조라고, 생산이라고 하는 것이다.

따라서 겉으로 드러나 있는 풍경과, 안으로 감추어져 있는 풍경을 다르게 그려내는 방법도 있을 수 있다. 겉으로는 단일한 풍경처럼 보이도록 하면서도 속으로는 두 개 이상의 풍경(장면/체험)을 숨겨 두고 감춰 두는 방법이 그것이다. 말하자면 풍경을 거듭해 중첩시켜 가는 표현방법인 것이다. 이러한 연유로 이중의 겹을 지니고 있는 시의 경우에는 전경화되어 있는 풍경과 후경화되어 있는 풍경이 서로 다르게 구성될 수도 있다. 이때 후경화되어 있는 풍경은 전경화되어 있는 풍경과는 달리 역사적, 사회적 의미를 갖도록 만들 수도 있으리라. 풍경을 제시하는 과정에 있을 수 있는 일종의 양동작전이고, 위장전술인 셈이다. 물론 시에서의 정작의 풍경은 두 겹이 될 수도 있고, 세 겹이 될 수도 있고, 그 이상의 겹이 될 수도 있다.

실제로는 이러한 방법으로 시를 쓰기가 가장 어렵다. 중첩되어 있는 풍경, 즉 겉으로 드러나 있는 풍경과는 달리 속으로 감추어져 있는 풍경을 통해 시인이 역사, 사회적 진실을 종합적으로 압축해낼 수 있는 안목을 지니고 있어야 하기 때문이다. 이러한 방식의 시는 시인이 그 나름의 세계관을 지니고 각각의 풍경이 함유하고 있는 문명사적 의미를 바르게 해석해내고 비판해낼 수 있을 경우에나 가능해진다. 랭보가 말하는 견자見者일 수 있어야 한다는 것인데, 그럴 때 시인이 비로소 풍경의 본질을 통찰할 수 있기 때문이다. 현상의 배후에 자리해 있는 본질을 읽을 수 있는 안목을 시인이 지니고 있어야 한다는 뜻이다.

다음의 예는 그러한 맥락에서 살펴 볼 수 있는 시이다.

　겨우겨우 가슴으로 모시고 다니는 집, 전쟁통에 허겁지겁 정신없이 지은 집 너무 낡았네

　걸핏하면 굴뚝 밑 무너지는 집, 함부로 방고래 막히는 집 아궁이 가득 불덩이 처먹고도 방구들 뜨뜻하질 않네

　사람들 아랫목 이불 속 손 넣어보고는 아이, 차가워라 마음까지 얼어붙고는 하네

　청솔가지 타는 냄새 매캐한 집, 도둑고양이들 우르르 몰려다니는 집, 고방 밑까지 우수수 무너지고 있네

　전쟁통에 지은 집, 다들 그러하네 이 집 수리하느라고 병원엘 다니는 내게, 현일 스님은 그만 다 버리라고 하네

　……버리면 어쩌지 이 낡은 집, 그래도 그 동안 나를 키워준 집.
　　　　　　　　　　　　　　　　　　　　　　　　—「낡은 집」 전문

이 시에 드러나 있는 집은 일단 말 그대로의 집, 곧 주거공간을 가리킨

다. 따라서 그냥 집으로, 주거공간으로 읽어도 충분히 일정한 시적 형상, 즉 시적 풍경을 펼쳐 보여준다. 처음 읽을 때는 일단 '낡은 집'으로 읽히도록 장치를 하고 있는 셈이다. 하지만 두 번 세 번 읽으며 문을 열고 안으로 들어가면 이 시에서의 집이 이내 시인의 시원찮은 몸, 아픈 육체를 가리키는 것을 알게 된다.

이 시가 내포하는 의미망은 그 뿐만이 아니다. 눈을 밝혀 읽으면 여기서의 집은 시인의 몸뿐만 아니라 시인의 계집, 즉 시인의 아내의 아픈 몸을 가리키기도 한다. 적어도 나는 그렇게도 읽힐 수 있도록 몇몇 심미적 장치를 숨겨 두려고 했다. 시인이든 시인의 아내든 집을 몸으로 읽었을 경우 신통치 않은 몸을 지켜내기 위해 시인이 이런저런 애를 쓰는 풍경이 떠오르도록 몇몇 징후들을 장치해 두려고 했다는 것이다. "이 집 수리하느라고 병원엘 다니는 내게" 등이 그 구체적인 예이다.

그러한 가운데에도 나는 이 몸이 역사적 산물임을, 6·25 전쟁의 산물임을 암시하려고 했다. 전쟁통에 대를 잇기 위해 우발적으로 만들어진 몸, 곧 "전쟁통에 허겁지겁 정신없이 지은 집", 즉 그렇게 해서 태어난 몸이라는 것을 드러내려 했다는 뜻이다. 요컨대 겉으로는 단일한 풍경처럼 보이도록 했지만 속으로는 두개 이상의 풍경(체험)을 중첩시키려고 한 것이다.

당연한 얘기이기는 하지만 이러한 방법적 자각이 방법적 자각 자체로만 머무는 것은 아니다. 형식이 곧 내용이라는 역설적 정의를 떠나 이러한 방법적 고려를 통해 나는 나 나름으로 우리 시의 내포를 확장시키기 위해 많은 애를 써본 것이다. 물론 그것은 역사적 전망과 함께 하는 시대가 만드는 양심에 충실하려는 의지와도 무관하지 않다.

3. 닫는 말

평소에 나는 기법에 대한 자각이 없는 단지 내용 위주의 시인들을 대수롭지 않게 생각해 온 바 있다. 한국의 현대시사現代詩史에서도 자기 형식이 없이 힘으로 밀어붙여 시를 써온 시인들을 수용하는 데는 매우 인색했던 것이 사실이다. 이들이 생산한 시의 경우 예술 이전의 줄글의 차원에서 멈춰 있는 경우가 대부분이기 때문이다.

이는 지금 우리 시단에서 따끈따끈하게 생산되고 있는 시들의 경우에도 마찬가지이다. 수많은 문예지가 쏟아져 나오고, 수많은 시가 써지고 있지만 세월의 여과를 거치고도 살아남을 작품은 그다지 많지 않아 보인다. 우발적 영감만으로 시가 탄탄한 심미적 형식으로 영그는 것은 아니다.

새삼스러운 얘기이기는 하지만 기법에 대한 자각은 곧바로 예술적 심미의식에 대한 자각과 통한다. 뿐만 아니라 기법의 계발은 곧바로 내용의 계발을 낳는다. 기법에 대한 고민이 없는 시인이 제대로 된 시인의 반열에 들기 어려운 것은 바로 이 때문이다.

심미적 형식의 하나인 기법에 대한 자각은 비평가들에 의해 조명을 받는 것과는 아무런 상관이 없다. 비평가들의 경우 언어들이 이루는 맛이며 멋과 관련하여 머리에서 쥐가 나도록 몰두하는 시인들의 심미적 고뇌를 제대로 이해하지 못하기 때문이다. 언제나 비평가들이 집착하는 것은 시의 언어들이 이루는 형식이기보다는 내용이기 쉽다.

시가 '풍경 만들기' 라는 것은 시가 이미지 만들기라는 것을 가리키기도 한다. 묘사적인 것이든 비유적인 것이든 새로운 이미지를 생산하지 않고서는 새로운 시라고 주장하기가 힘들다. 장면의 중첩과 해체, 그리고 재구성을 통해 이루어지는 풍경들을 바탕으로 하는 시들 역시 궁극적으로는 새로운 이미지를 생산하여 문화적 재부로 축적하려는 데 의미를 두고 있다. 이때의 문화적 재부는 말할 것도 없이 시를 사랑하는 사람들 모두의 것이다.(2003)

합평이란 무엇인가

1. 시창작의 과정과 합평의 이모저모

습작의 과정에 흔히 체험하게 되는 합평은 작품에 대한 공동토론과 공동평가의 과정을 가리킨다. 여러 사람들이 모여 작품을 읽고 난 후 각각의 생각과 견해를 함께 나누며 그 한계를 밝혀 나가는 과정이 곧 합평인셈이다. 따라서 합평은 작품에 대한 공동의 학습과정이라고 할 수 있다.

합평의 과정을 거치지 않고 시를 공부해온 사람은 거의 없다. 합평이야말로 아주 일찍부터 계발되어온 시를 공부하는 전통적인 방식이다. 시를 공부하는 과정에 이처럼 합평의 방식이 응용되어 온 것은 더 말할 나위없이 그것이 매우 효과적이기 때문이다. 집단적으로 학습을 할 경우 창작능력을 증진시키기 위해 선택할 수 있는 방식으로는 사실 합평만한 것이없다.

물론 합평이 오직 창작능력을 기르기 위한 방식으로만 존재해온 것은아니다. 기존의 작품을 제대로 읽고 이해하기 위한 방식으로도 합평은 기꺼이 선택되어온 바 있다. 초보적인 연구자들 역시 작품을 바르게 읽고 이해하기 위해 합평의 방식을 선택해왔다는 것은 이미 잘 알려져 있는 사실이다. 필자만 하더라도 대학시절에는 명작들은 물론이거니와 그때그때 발표되는 작품들도 합평의 형식으로 공부한 적이 많다.

그럼에도 불구하고 여기서는 일단 합평을 창작능력을 증진시키기 위한 학습의 한 방식으로 받아들인다. 창작능력을 증진시키기 위해 선택하는 합평이 지니고 있는 이모저모를 따져 보려는 데 이 글의 목표가 있다는 뜻이다. 합평의 의미며 과정, 실제와 방법 등을 점검해보는 일에 이 글의 의의를 두겠다는 얘기이다.

합평은 실제로 좀 더 잘 완성된 작품을 만들기 위한 공동창작의 과정, 곧 개작의 과정이 되는 경우가 상당하다. 공동으로 참여해 어느 한 개인의 작품을 수정하고 첨삭했다고 하여 굳이 창작 주체가 바뀌었다고까지 이해할 필요는 없다. 정작 중요한 것은 시인이 아니라 시이기 때문이다.

혹자 중에는 합평의 과정에 작품의 면면들이 달라지는 것을 우려해 합평 자체를 거부하는 예도 없지 않다. 이러한 태도를 보여주는 것은 작품을 철저하게 창작자 자신의 산물로, 개인의 소유물로 받아들이는 데서 비롯된다. 작품이 창작자 개인의 산물이고 소유물인 것만은 분명하다. 작품의 지적 소유권이 창작자 개인에게 귀속되는 것을 부인할 사람은 어디에도 없다. 그렇다고 하더라도 이는 창작자 개인이 아직 살아 있는 시대에나 가능할 따름이다. 창작자가 세상을 떠나고 일정한 시간이 지나고 나서도 작품의 지적 소유권을 주장하기는 어렵다. 몇 대 이후의 후손에게까지 지적 소유권이 이월되지는 않는다는 뜻이다.

일단 활자화되어 발표되면 모든 작품은 인류 전체의 문화적 재산으로 등록되기 마련이다. 인류 전체의 정신적 유산을 창작자의 후손이라고 해 지적 소유권을 주장하는 것은 우습다. 소유권자로서 창작 주체인 시인도 중요하게 취급되어야 하지만 정작 중요하게 취급해야 할 것은 인류 전체의 문화적 재산인 작품 자체라는 것을 잊어서는 안 된다.

따라서 시인 위주의 사고방식보다는 시 위주의 사고방식이 좀 더 확대되어야 할 필요가 있다. 시 위주로 받아들이면 합평의 과정에 있을 수 있는 수정이나 개작 등을 부정적으로 생각할 이유가 없다. 좀 더 완성도가 높은 작품으로 태어날 수만 있으면 합평의 과정에 이루어지는 수정이나 개작을 오히려 긍정적으로 평가해야 마땅하다.

시의 역사를 돌아보면 주변의 동료나 친구의 수정이나 가필로 인해 좀 더 나은 작품이 된 예가 허다하다. T.S 엘리어트의 적잖은 시들이 에지라 파운드의 손을 거쳐 훨씬 나은 작품으로 거듭났다는 것도 그 한 예이다. 랭보의 시들도 적잖이 베르렌느의 손을 거쳤다고 하는 소문도 마찬가지이다. 그렇다면 합평의 과정에 행해지는 수정이나 개작은 충분히 있을 수 있는 일이라고 해야 옳다. 시를 즐기고 향유하는 과정에 시인의 역할이 소중한 것은 사실이지만 좀 더 소중한 것은 작품 자체의 심미적 완성도라는 점을 항상 염두에 두어야 한다.

합평의 과정은 주어진 대상의 작품을 읽고 각자의 소감을 말하는 것으로부터 시작되는 것이 보통이다. 소감을 말하다 보면 당연히 작품에 대한 참석자들의 간략한 평가도 곁들여지기 마련이다. 이때의 평가에는 참석자들의 심미적 수준이 곧바로 반영되지 않을 수 없다. 합평의 과정에 좀 더 깊은 안목을 지니고 있는 주재자가 이런저런 조정을 하지 않을 수 없는 까닭이 바로 여기에 있다. 따라서 주재자는 흥분하기 쉬운 참석자들의 감정이 일정한 질서를 갖도록 이모저모 도와 줄 필요가 있다.

이처럼 각자가 작품에 대한 소감을 주고받는 것이 합평의 첫 번째 순서이다. 소감을 주고받다 보면 자연스럽게 합평 대상의 작품이 지니고 있는 한계도 드러나게 된다. 각자의 의견이 교환되면서 좀 더 확실한 모습으로 다가오는 것이 작품의 실제라고 할 수 있다.

하지만 이러한 정도의 소감을 피력하는 것만으로는 부족하다. 따라서 다음 단계에는 시인이 작품을 발상하게 된 계기, 즉 작품의 기본 모티프를 찾아보는 일이 필요하다. 기본 모티프를 찾는 일은 곧바로 작품의 싹을 틔운 씨앗을 찾는 일이다. 씨앗이 튼튼하고 견실할 때 좋은 열매가 맺게 되리라는 것은 불문가지이다. 시의 씨앗을 찾는 과정에 참석자들이 공유해야 할 것은 그것에 함유되어 있는 발상의 기발성, 참신성 등이다. 이와 동시에 그것들을 토대로 상상력의 전복성, 다시 말해 역발상의 실제성 등도 검토하는 과정이 뒤따라야 할 것이다. 일상을 뒤집어 새로운 언어의 질서를 이루는 과정, 즉 반상합도反常合道의 언어적 질서를 이루는 과정에 대한 점검도 필요하다는 말이다.

이러한 과정에 합평의 주재자는 당연히 시의 씨앗의 발육 정도, 즉 성숙 정도 등도 구체적인 표현의 실제와 관련하여 따져 보아야 한다. 제대로 싹을 틔우고, 발육시키고, 성숙시키지 못한 시의 나무가 제대로 영근 열매를 맺기는 어렵다. 합평의 과정은 결국 옳게 뿌려진 시의 씨앗을 찾아 그것을 발육시키고 성숙시켜 제대로 된 열매로 익혀 가는 과정을 돌아보는 일이라고 할 수 있다. 물론 그렇게 하려면 참석자들 모두 열린 마음으로 합평의 대상이 되는 작품을 제출할 수 있어야 한다.

여기서 말하는 시의 씨앗은 시의 핵심 이미지를 가리킨다. 시가 주관적인 정서를 토로하는 언어예술이라면 시를 이루는 핵심 이미지가 창작자의 입장 및 시각을 중심으로 전개되어야 하는 것은 자명하다. 시의 핵심 이미지는 화자의 위치 및 시점과 함께 하는 가운데 꽃을 피울 수밖에 없다.

따라서 좀 더 완성도를 높이기 위해서는 화자의 위치와 시점을 중심으로 작품들의 면면을 점검해 가는 과정 또한 필요하다. 그럴 때 작품의 내포를 이루는 상상력의 국면과 단계를 명확히 조정해 나갈 수 있기 때문이다. 물론 이는 시의 핵심 이미지로부터 싹튼 파생 이미지들이 이루는 내적 통일성과 일관성을 점검해 가는 과정이기도 하다. 당연히 이 과정에 작품을 구성하는 리듬과 가락도 바로 잡을 수 있어야 한다. 합평이 참석자들의 다양한 의견을 통해 대상 작품을 수정, 개작해 가는 과정이라고 하는 것은 바로 이 때문이다.

이때 시간의 여유가 있으면 합평 작품을 제출한 사람이 최종적으로 수정, 개작된 것을 그 자리에서 큰 소리로 낭송하는 것도 좋다. 큰 소리로 낭송을 하다 보면 심미적 거리가 생겨 작품 자체의 한계와 결점이 좀 더 분명해질 수도 있다. 물론 또다시 드러나는 작품 자체의 한계와 결점에 대한 전체적인 합의를 도출하기는 쉽지 않다. 그렇다고는 하더라도 이 과정에 참석자들 모두 심미적 가공능력을 향상시킬 수는 있다. 이 과정에 참석자들은 언어감각, 예술적 질서의식 등은 물론 작품의 체계적인 이해능력, 심미적 창작기량 등도 익힐 수 있게 된다.

그럼에도 불구하고 작품의 완성도와 관련하여 최종적인 책임을 져야 할 사람은 창작자 자신일 수밖에 없다. 좋은 작품으로 거듭나기 위해 궁극적인 노력을 기울일 사람은 결국 창작자 자신이라는 것이다.

2. 합평의 실제 ; 시의 씨앗찾기

시가 노래로부터 나왔다는 것은 두루 잘 알려져 있는 사실이다. 물론 이때의 노래는 놀이에서 기원한다. 그렇다면 시도 놀이에서 비롯되었다고 할 수 있다. 이른바 시놀이, 물론 지금 우리나라에 시놀이는 존재하지 않는다.

그러나 아직도 일본에서는 하이쿠(俳句) 및 엥카(演歌)의 창작과 향유과정을 고급한 놀이로 즐기고 있다. 한시의 시회詩會가 지니고 있던 전통을 되살리고 있는 셈이다. 하이쿠(俳句) 및 엥카(演歌)의 놀이 과정도 궁극적으로는 합평의 과정과 별로 다르지 않다. 자유시가 아니라 시조라면 하이쿠(俳句) 및 엥카(演歌)의 놀이와 비슷한 방법으로 한번 놀아 볼만도 하다.

정작 문제가 되는 것은 이 글에서의 논의의 대상이 시조가 아니라 자유시라는 점이다. 자유시도 공동으로 창작하고 향유할 수 있는가. 그것도 놀이의 형태로? 물론 향유에서만은 시낭송 등의 형태로 놀이가 가능할 수도 있다. 하지만 여기서 정작 관심을 두고 있는 것은 향유가 아니라 창작이다. 물론 지난 1980년대에는 자유시도 여러 차례 공동으로 창작된 바 있다. 단순한 놀이로서가 아니라 민중과의 연대를 위한 운동의 한 방식으로 채택되기는 했지만 말이다.

본래 자유시는 개인의식의 성장·발전과 맞물려 성장, 발전해 온 바 있다. 자유시가 갖고 있는 이러한 특징은 현대에 이를수록 더욱 강화되고 있다. 따라서 자유시는 처음부터 한 자리에 모여 공동으로 창작되기 어려운 장르적 특징을 지니고 있다. 오늘날 합평이 각자 따로 써온 시를 내놓고 참석자들의 의견을 나누는 방식으로 정착된 것도 이와 무관하지 않다.

하지만 합평에서 대상작품을 공동으로 퇴고하는 과정마저 사라진 것은 아니다. 따져보면 합평의 의의는 바로 이러한 점에 있다. 참석자들 모두 자신의 의견을 발표하는 가운데 장단점을 밝혀 대상작품을 수정하고 개작하는 과정이 곧 합평이라는 뜻이다. 물론 수정하고 개작하는 궁극적인 주체는 시인 자신이어야 마땅하다.

합평의 과정에는 우선 시인이 작품을 발상發想하게 된 계기, 즉 작품의 핵심 모티프를 찾아보는 일이 필요하다. 핵심 모티프를 찾는 일은 작품의 싹을 틔운 씨앗을 찾는 일이기도 하다. 이 씨앗찾기는 합평의 궁극적 실제라고도 할 수 있다. 씨앗이 어떻게 발아되어 하나의 완전한 존재로 성장해 가는가를 확인할 수 있기 때문이다. 시의 경우에도 씨앗이 튼튼하고 견실할 때 좋은 열매가 맺게 되리라는 것은 불문가지이다.

그러면 씨앗찾기의 구체적인 면모를 확인해 보기로 한다. 다음의 시는 광주대학교 대학원 문예창작과 2학기 학생의 작품이다.

애써 잠잠해진 나에게
수천수만의 대침으로 꽂혀 오는 그대
일순간 환장으로 뒤틀린 몸 속
구석구석 황토가 일고
마음 가득 엎드려 있던 소란들
일제히 물살로 고개 든다

썩어 가는 나뭇가지
뿌리 뽑힌 수초들, 찢겨진 비닐봉지
내 안의 온갖 잡다한 것들 끄집어내며
마구 토악질시키는 그대
비수의 몸짓으로 달려들지만
아직도 옹이 박힌 자리에는 소용돌이 일으키는데

어쩔 것인가 퉁퉁 부어오른 몸속
자꾸만 휘저어대는 그대
휘모리로 다가서는데
살풀이춤 추어대는데
한때 여울목 같던 사랑을 위해
몸 쑤셔대는 수침들을 견뎌내 볼 것인가

그대, 점점 거세게 꽂혀 들 때
내 안의 상흔들 부표되어 쓸려 가는 것인가

—「폭우에게」전문

시의 씨앗을 찾는 과정에 참석자들이 확인해야 할 것은 작품에 함유되어 있는 발상의 기발성, 참신성 등이다. 그와 동시에 상상력의 전복성, 즉 역발상의 실제 등을 검토하는 과정도 뒤따라야 한다. 일상을 뒤집어 새로운 언어질서를 만들어 가는 과정에 대한 점검도 필요하다는 것이다. 뿐만 아니라 구체적인 표현의 실제와 관련하여 시의 씨앗의 발육 정도, 즉 성숙 정도 등도 살펴보아야 한다. 제대로 싹을 틔워 발육, 성숙시키지 못한 시의 나무가 바르게 영근 열매를 맺기는 불가능하다. 앞에서도 말했듯이 결국 합평의 과정은 옳게 뿌려진 시의 씨앗을 찾아 그것을 발육, 성숙시켜 올곧은 열매로 키워 가는 과정이라고 할 수 있다.

이런저런 논의 끝에 우리 대학원 학생들은 이내 위의 시의 기본 모티프, 즉 시의 씨앗을 찾기에 이르게 되었다. 이견이 없지는 않았지만 대부분 학생들은 1연 2행의 "수천수만의 대침으로 꽂혀 오는 그대"라는 구절에 이 시의 씨앗이 들어 있다는 데 동의를 했다. 폭우를 "수천수만의 대침으로 꽂혀 오는 그대"로 인식하면서 이 시가 발상되었다는 견해이다.

폭우를 대침으로 인식하는 것은 일종의 역발상의 결과라고 할 수 있다. 동시에 이는 근본비유를 설정하는 일이기도 하다. 따라서 이하의 언술들은 대침과 관련하여 제자리를 잡아가야만 한다. 그럴 때 이 시가 하나의 유기체로서 질서와 체계를 형성해갈 수 있기 때문이다. 이를테면 반상反常에 따른 합도合道가 필요하다는 뜻이다. 이 시의 이어지는 구절에 "뒤틀린 몸 속/구석구석 황토가 일고/마음 가득 엎드려 있던 소란들/일제히 물살로 고개 든다"와 같은 표현이 뒤따르는 것도 바로 이에서 연유한다.

이러한 정도의 논의만으로 이 시가 지니고 있는 한계와 결점이 다 드러나는 것은 아니다. 무엇보다 이 시는 싹을 틔운 씨앗이 제대로 발육, 성장되어 있지 못하다는 것을 알 수 있다. 이 시가 지니고 있는 한계와 결점은 여기서 그치지 않는다. 좀 더 정밀하고 완미한 시가 되기 위해서는 첨가되고 삭제되어야 할 부분이 적잖다.

시는 주관적인 정서를 토로하는 언어 예술이다. 하지만 시의 전체 형상은 창작자의 입장 및 시각을 중심으로 통일성 있고 일관성 있게 전개되어야 한다. 따라서 전체 형상의 완성도를 높이기 위해서는 화자의 위치 및 시점을 중심으로 작품의 세부를 좀 더 섬세하게 점검해 나가는 일이 필요하다. 이는 동시에 시의 핵심 이미지로부터 싹튼 파생 이미지들이 형성하는 내적 질서와 체계를 바르게 점검해내는 과정이기도 하다. 이 과정에 당연히 작품을 구성하는 리듬과 가락도 바로 잡을 수 있어야 한다. 리듬과 가락은 시인이 선택한 어휘들을 섬세한 계산에 따라 배열하고 배치하는 과정에 구체화되기 마련이다. 누가 뭐라고 해도 합평은 결국 서로 다른 사람들의 여러 의견이 오가는 과정에 대상 작품을 수정하고 개작해 나가는 작업일 수밖에 없다.

최종적으로 완성된 작품을 합평의 자리에서 큰 소리로 낭송해 보는 것도 좋은 방법이다. 큰 소리로 낭송을 하다 보면 객관적인 거리를 확보할 수 있고, 이를 바탕으로 또다시 작품의 한계나 결점을 수정할 수 있어 좋다. 이 과정에 참석자들이 언어감각, 예술적 조형능력 등은 말할 것도 없거니와, 작품의 체계적인 이해능력, 심미적 창작기량 등도 익힐 수 있다는 점을 염두에 둘 필요가 있다.

다음의 예는 지금까지의 논의해온 합평의 과정에 따라 위의 시를 거듭 첨삭하고 퇴고하여 완성시킨 시이다. 합평이 각각의 시를 얼마나 정밀하고 완미하게 만드는지를 잘 알 수 있게 해주는 예라고 할 수 있다.(2002)

애써 마음 갈아 앉히는 내게
수천수만의 대침으로 꽂혀 오는 그대
순간 뒤틀리는 몸 속
구석구석 황토가 일고

마음 가득 엎드려 있던 소란들
일제히 물살로 고개 쳐드는구나

썩어 가는 나뭇가지
뿌리 뽑힌 수초들, 찢겨진 비닐봉지
내 안의 온갖 것들 다 끄집어내어
마구 토악질시키는 그대
끝내 비수의 날카로움으로 달려드는구나
옹이 박힌 자리마다
거센 소용돌이 일으키며

어쩔 것인가 퉁퉁 부어오른 몸 속
자꾸만 휘저어대는 그대,
휘모리로 다가서는데
살풀이춤 추며 밀려드는데
한때는 여울목 같던 사랑 위해
몸 쑤셔대는 물침들, 그대
끝내 견뎌 낼 수 있을 것인가

그대, 점점 더 거세게 꽂혀 들지만
내 안의 오랜 침전물들
정말 다 부표로 띄워 쓸어갈 수 있을 것인가

—「폭우에게」 전문

좋은 시란 무엇인가

1. 여는 글

나는 시를 읽고, 쓰고, 고르고, 연구하고, 가르치는 것이 직업인 사람이다. 시를 팔아 생계를 유지하지는 않지만 시를 매개로 먹고사는 사람인 것만은 분명하다. 이렇게 살아가는 것이 행인지 불행인지는 잘 모르겠다. 일 자체가 크게 싫거나 질리지 않는 것을 보면 그러한 대로 잘 살고 있는 것처럼 느껴지기도 한다.

형편이 이러하니 좋은 시를 읽고, 쓰고, 고르고, 연구하고, 가르치는 일에 게을러서는 안 된다. 물론 이들 일에 내가 크게 게으른 것으로 생각되지는 않는다. 하지만 어떤 시가 좋은 시이냐고 누가 물으면 막막해지기 일쑤이다. 무엇이 좋은 시를 만드는 보편적인 조건인지 아직도 나는 잘 모르겠다.

좋은 시란 무엇인가. 더러는 그 기준이 명확히 떠오를 때도 있다. 확실한 깨달음으로 그것이 내 안에 자리 잡고 있을 때도 있다. 하지만 그 기준이 언제나 변함없이 내 안에 도사리고 있는 것은 아니다. 무언가 또 다른 기준을 찾아 내 마음이 자꾸 발걸음을 움직이고 있기 때문이다.

이러한 연유로 나는 지금 '좋은 시란 무엇인가'라는 질문에 확실하게 대답할 자신이 없다. 뭐라고 대답을 하면 그것은 이미 한시적인 대답일 따름이다. 삶의 현실이 변하면 시의 현실도 변하기 마련이다. 그래서인지 내게는 좋은 시에 대한 기준이 확실하게 고정되어 있지 않다. 오늘의 논의가 지극히 주관적인 내 생각을 중언부언하는 정도에 지나지 않을 수 없는 것도 이와 무관하지 않다. 이 글의 경우 이른바 '좋은 시'에 대한 내 사사로운 생각을 두서 없이 지껄여대는 정도에 불과할 수도 있다는 뜻이다.

따져보면 객관적인 기준을 세워 '좋은 시'에 대해 논의하는 것은 원천적으로 불가능한 일일는지도 모른다. '좋은'이라는 수식어 자체가 본래 감정가치를 지니고 있기 때문이다. 그것이 여기서 내가 '좋은 시'가 아니라 '좋아하는 시'에 대해 이런저런 군말을 하지 않을 수 없는 까닭이라고도 할 수 있다. 차라리 나는 이 글이 '좋은 시'가 아니라 '좋아하는 시'에 대한 말 그대로의 부질없고 시시한 군말이 되었으면 좋겠다.

2. 활기 있는 언어

시의 질료가 언어라는 것은 새삼스럽게 강조할 바가 못된다. 언어를 매개로 하지 않는 시는 있을 수 없다. 물론 그림이나 만화, 사진 등을 곁들여 언어로 다 드러낼 수 없는 부분을 채워 넣을 수는 있다. 시가 그림과 결합했던 예는 조선조의 문인화라든지 현대의 시화 등을 통해서도 확인된다. 근래에 들어서는 황지우, 신현림, 이승하 등이 만화나 사진 등을 빌려 언어로 표현될 수 없는 부분을 보충해온 바 있다. 이처럼 예외적인 경우가 없지는 않지만 언어 바깥으로 튀어 나가버리면 어떤 무엇이라고 하더라도 시가 되기가 어렵다.

장르로서 시를 잘 의식하고 있고, 또 언어를 질료로 하고 있다고 해 모두 좋은 시가 되는 것은 아니다. 셀 수 없이 많은 문예지에 실려 있는 셀 수 없이 많은 시들이 이러한 사실을 잘 증명해 준다. 차마 시라고 하기조차 힘들 정도의 언어뭉치로 뒤덮여 있는 것이 오늘의 문예지들이 안고 있는 현실이다. 사실 오늘의 문예지에서 심미적으로 잘 정제된 언어를 담고 있는 작품을 찾기는 너무도 힘들다.

말이 제대로 닦여져 있지 않고 좋은 시가 되기는 불가능하다. 아무런 운산運算도 없이 제멋대로 토해지는 언어뭉치가 감동을 주기는 어렵다. 언어운용에 대한 시인 자신의 섬세한 운산이 없는 시를 내가 별로 좋아하지 않는 것은 바로 이 때문이다. 섬세하고 세밀한 정서를 담아낼 수 있도록 오랫동안 언어를 갈고 닦아온 시인만이 감동을 주는 좋은 시를 쓸 수 있다.

언어를 갈고 닦는 것은 언어에 활기를 불어넣는다는 것과 다르지 않다. 언어의 결이 오롯이 살아 있는 시, 그로부터 발생하는 정서의 촉기燭氣가 치열하게 운동하고 있는 시를 나는 좋아한다. 리듬과 어조 하나 하나에까지 섬세하게 운산이 되어 있으면서도 언어의 결이 활달하게 트여 있는 시를 읽을 때 가슴이 활짝 열린다.

살아 있는 언어를 담고 있는 시는 개별 시어에 갇히지 않는다. 뿐만 아니라 그러한 시는 일상의 문장을 뛰어넘는 독특하고 활기 있는 기세氣勢를 보여준다. 활기 있는 기세를 보여주는 시는 주제나 의미 따위에 갇히지 않는다. 이러한 시는 이미 그 자체로 언어가 자기 안에 지니고 있는 참신한 아름다움에 봉사한다.

한 마디로 말해 나는 물여울의 피라미 떼처럼 꼬리를 치며 튀어 오르는 기세를 갖는 시를 좋아한다. 이러한 시는 화장을 하지 않은 맨 얼굴의 미인 같은 신선한 감각을 준다. 순식간에 독자들의 영혼을 사로잡는 특징을 갖고 있는 것이 이러한 시이다.

깊이 있는 내공의 염력을 갖고 있는 이러한 좋은 시는 읽을수록 울렁이는 영성靈性을 자각하게 한다. 영성의 자각은 시의 언어들이 내뿜는 기氣로부터 비롯된다. 이러한 시는 기氣를 중심으로 하되 충분히 이理를 받아들인다. 이理를 중심으로 하되 충분히 기氣를 받아들인다. 아니 그보다는 기氣에서 이理로, 이理에서 기氣로 순환하는 활발한 운동성을 갖고 있다. 일의적—義的으로 규정할 수 없는 현란한 운세運勢를 지니고 있는 것이 이러한 종류의 시이다.

2. 단단한 구조

낭만주의 이후 많은 사람들이 시를 일종의 유기체로 파악하고 있다. 시역시 살아 있는 구조를 갖는 생명의 조직이라는 뜻이다. 시에서 생명의조직을 만드는 것은 말할 것도 없이 깨어 있는 언어이다.

깨어 있는 언어가 옳고 바르게 사용되지 못한 시는 생명을 갖지 못한다. 언어들이 활기 있게 운동할 때 시는 비로소 생명을 갖는다. 생명을 갖는 시는 리듬과 가락이 팽팽한 결을 만들며 활동하기 마련이다. 리듬과가락이 만드는 운세運氣를 꺾고, 젖히고, 밀고, 당기고, 끊고, 맺는 가운데써지는 시가 생명을 갖는다.

시의 조직은 리듬과 가락이 활발하게 살아 있을 때 완성된다. 운동하는리듬과 가락을 꺾고, 젖히고, 밀고, 당기고, 끊고, 맺는 가운데 시의 조직은 완성된다. 시의 조직은 그 자질들이 치열한 기세로 운동을 할 때 신선하고 상쾌한 감동을 만든다. 이러한 시가 구조적으로 완미한 형상에 이르리라는 것은 불문가지이다.

구조적으로 완미하게 마무리가 되어 있는 시는 장작개비로 뒤통수를 맞는 듯한 충격을 준다. 이러한 시는 후딱 한번 읽었을 때부터 다리가 후둘후둘 떨리는 감동을 체험하게 한다. 한꺼번에 심장이 멈추는 듯한 충격을 주는 것이 이러한 시이다. 몸 전체로 오르가슴을 느끼게 하는 시, 내가 '좋아하는 시'는 바로 이러한 시이다. 단숨에 읽혀 가슴을 치도록 하면서도 두고두고 다시 읽지 않을 수 없게 하는 시를 결국 나는 좋아하는 셈이다. 이러한 시를 읽으면 가슴이 둥그렇게 부풀어오르다가 팍, 하고 터지는 듯한 느낌을 겪게 된다. 하지만 이러한 시를 읽기란 쉽지 않다. 너무 많이 시를 읽어 신경이 예민해진 탓도 없지 않으리라.

문제는 이러한 시에 절대적인 가치기준이 없다는 점이다. 물론 형식적으로 완미한 시, 구조적으로 잘 통일되어 있는 시, 섬세하게 대칭적 구조를 갖는 시가 이러한 시인 것만은 분명하다. 그러나 이러한 정도의 형식적 특징만으로는 무언가 부족하다는 느낌을 지울 수 없다.

매 편의 시는 매 편의 자기 형식을 갖기 마련이다. 시 쓰기가 어려운 것도 매 편의 시가 갖는 이러한 형식적 특징에서 발생한다. 좋은 시는 그 자체로 정밀하게 다듬어진 대리석 조각 같은, 예쁘게 구어진 항아리 같은 형식미를 불러일으킨다. 하지만 단지 이러한 형식미만으로는 장작개비로 뒤통수를 맞고 철썩 주저앉는 것과 같은 감동을 체험하지 못한다.

정말 좋은 시는 지속적으로 매력을 불러일으키는 어떤 파격, 어떤 흠집을 지니고 있다. 흠집이 애간장을 녹이는 매력으로 튀어 오르는 시를 나는 좋아한다. 이를 가리켜 흔히 말하는 '청자 연적의 파격'이라고 불러도 좋다. 미완성되어 있으면서도 완성되어 있는 시, 부족하면서도 넘치는 시, 비어 있으면서도 가득 차 있는 시가 그러한 시라고 할 수 있다.

모든 좋은 시가 다 압축과 응축의 형식을 갖는 것은 아니다. 시인이 의도하는 초점을 향해 각각의 자질들이 수렴되고 집합되는 시만이 좋은 시는 아니다. 특별한 초점이 없이 부연되고 나열되는 형식을 갖고 있어도 얼마든지 좋은 시가 될 수 있다. 말들을 통일시키는 시만이 아니라 말들을 풀어헤치는 시도 살을 저미는 것 같은 감동을 주는 경우가 적잖다. 통사체統辭體의 시만이 아니라 해사체解辭體의 시도 충분히 좋은 시가 될 수 있다는 뜻이다.

이러한 시는 열린 구조를 갖고 있다. 하지만 무작정 열려 있지만은 않다. 열려 있으면서도 닫혀 있는 것이 이러한 시이다. 초점을 향해 수렴되고 집합되는 압축과 응축의 시들의 경우에도 이는 마찬가지이다. 정작의 압축과 응축의 시는 폐쇄되어 있으면서도 개방되어 있기 때문이다. 한 마디로 단정할 수 없는 구조적 특징을 갖고 있는 것이 좋은 시가 갖고 있는 형식적 특징이다.

3. 충만한 문제의식

좋은 시는 역사의 한복판을 꿰뚫는 화살의 내포를 갖고 있다. 이를 가리켜 단숨에 역사적 현재를 담아내는 시라고 해도 좋다. 역사적 현재라고 할 때 그것은 구체적으로 자본주의적 근대로서의 오늘의 현실을 가리킨다. 그렇다. 오늘의 현실을 향해 수렴되고 집합되는, 어제와 내일을 하나로 꿰뚫는 화살로서의 시, 이러한 시를 나는 좋아한다.

이러한 시는 충만한 문제의식을 지니고 있다, 나날의 역사를 앞당기기 위한 깊은 고뇌를 함축하고 있다. 이러한 시를 가리켜 시간과 공간이 교차하는, 역사와 사회가 교차하는 순간의 크로노토프를 담고 있다고 해도 좋다. 이때의 순간은 언제나 내일의 유토피아를 향해 열려 있기 마련이다. 내일의 유토피아가 아니라 어제의 파라다이스를 향해 열려 있다고 해도 그것은 마찬가지이다.

이러한 시를 투쟁의 시나 저항의 시로 이해할 필요까지는 없다. 과도하게 투쟁적이거나 저항적인 작품은 시를 시 이전의 언어뭉치로 돌려놓기 십상이다. 따라서 자본주의적 근대로서의 오늘의 문제를 확실하게 통과하는 의지 정도를 담고 있으면 족하다. 이러한 뜻에서의 좋은 시에는 언제나 지금 이곳의 현실이 적실하게 담겨 있기 마련이다. 지금 이곳의 현실이 적실하게 담겨 있다는 것은 나날의 생활이 적실하게 담겨 있다는 것을 가리킨다.

생활의 주체는 물론 사람이다. 이때의 사람이 구체적인 생활을 꾸려 나가는 일상의 현존재라는 것은 불문가지이다. 이렇게 생존해 나가는 삶의 주체들을 구태여 서민이라거나 민중이라고 명명할 필요까지는 없다. 나로서는 이들 삶의 주체들이 되도록 해학과 연민의 대상으로 포섭되기를 바란다. 누군들, 어떤 계급의 삶의 주체인들 해학과 연민의 대상이 될 수 없으랴.

가능하다면 나는 시 속에 그려지는 생활이 계급의 중심을 좀 더 아래로 이행시키는 데 기여할 수 있기를 바란다. 적어도 시에 그러한 의지나 고뇌가 담겨 있으면 좋겠다. 그럴 때 과거와 미래가 현재로 수렴되는 역사와 사회의 한 순간을 꿰뚫는 충격을 담는 시로 존재할 가능성이 크기 때문이다.

좋은 시는 사람의 형상을 그려내는 것만으로는 부족하다. 자연도 사람 속에 어울려 참여할 때 좋은 시는 더욱 빛난다. 언제나 자연의 문제와 뒤얽혀 있는 것이 사람의 문제이다. 여기서 뒤얽혀 있다는 것은 사람과 자연이 뫼비우스의 띠처럼 상호 순환하는 관계라는 것을 뜻한다. 적어도 나는 지금의 단계에서는 자연과 사람의 관계를 상호 순환하는 관계로 이해하는 것이, 아니 실천하는 것이 역사를 진전시키는 일이라고 생각한다.

이는 결국 인간과 자연이 서로 공존하는 시를 좋아한다는 뜻이 된다. 겉과 속이 상호 순환하는 관계를 갖는 시를 좋아한다고 해도 마찬가지이다. 물론 이러한 시는 어디가 속이고 어디가 겉인지 잘 분간이 되지 않는다. 현상과 본질이 언제나 서로 뒤얽히고 있기 때문이다. 이는 고도로 세련된 아이러니의 시, 능청과 내숭의 시가 갖고 있는 의미의 이중성과도 무관하지 않다. 이러한 시는 무엇이 표면적 의미이고 무엇이 내면적 의미인지 쉽게 가늠되지 않는다.

이러한 모호성은 정작의 시적 형상이 구체적이면서도 추상적이고, 추상적이면서도 구체적인 데서 비롯된다. 그러니까 시 속에 추상과 구상이 공존하고 있는 셈이다. 대개의 이러한 시는 풍경이 겹쳐 드러난다. 하나의 장면을 걷어내면 또 하나의 장면이 나오는 시, 양파껍질처럼 거듭해 장면을 벗겨낼 수 있는 시가 이러한 시라고 할 수 있다. 이를테면 장면이 겹쳐 짜여져 있는 시를 좋아한다는 것이다. 물론 각각의 장면을 이루는 중심은 정신일 수도 있고, 사람일 수도 있고, 자연일 수도 있다.

4. 닫는 글

지금까지 '좋은 시' 혹은 '좋아하는 시'에 대한 지극히 주관적인 내 생각을 중언부언 떠들어 왔다. 실제로는 '좋은 시'나 '좋아하는 시'가 아니라 '쓰고 싶은 시'에 대한 이런저런 사변을 무질서하게 토로해온 것일 수도 있다. 물론 지금 내가 매번 이러한 뜻에서의 '좋은 시'를 쓰고 있다는 것은 아니다. 나로서는 객관적으로 '좋은 시'라기보다는 주관적으로 '좋아하는 시'에 대한 내 생각을 몇 토막 언급해 본 것일 따름이다.

이른바 등단이라는 것을 하고 시인으로 행세를 해온 지도 벌써 20년이 넘었다. 등단을 한 이후 줄곧 나는 시에 목을 매고 살아왔다. 그동안 나는 단 하루도 '좋은 시'를 써야 한다는 자기다짐을 버린 적이 없다. 누가 뭐라고 해도 나는 이 말에 대해 확신할 수 있다. 좋은 시를 쓰기 위해 좋은 시가 갖는 특성에 대해 내가 끊임없이 고뇌하고 고민해온 것은 사실이다.

물론 내가 써온 시는 아직 크게 인정을 받지 못하고 있다. 어쩌면 독자들이 내가 써온 시의 코드를 미처 충분히 헤아리지 못하고 있는 지도 모른다. 그렇다고 하더라도 크게 섭섭해하지는 않는다. 나날의 삶이 만드는 이런저런 국면에 대해 언제나 내가 시를 통해 온몸으로 대응해왔기 때문이다. 그것만으로도 충분히 행복한 일이지 않은가.

좋은 시를 말하는 데 그것이 지니고 있는 방법적 장치를 도외시할 수는 없다. 하지만 좀 더 중요한 것은 다양한 시적 국면과 마주하는 시인 자신의 진정성이다. 여기서 진정성을 강조하는 까닭은 비교적 단순하다. 내면에서 우러나오는 시인 자신의 진정성이 없이는 어떤 시도 제대로 된 감동을 주지 않기 때문이다. 매 편의 시에 시인 자신의 온몸이 실리지 않을 수 없는 까닭이 바로 여기에 있다.

온몸을 던지지 않은 시가 독자들의 영혼을 사로잡을 리 만무하다. 진정한 마음이 무르녹아 있을 때 시는 저 스스로 독자의 심장을 꿰뚫는 화살이 된다. 심장에 꽂혀 있는 화살을 타고 피가 줄줄 흘러나올 때의 흥분을 상상해 보라.

상상력을 바탕으로 한다는 점에서 보면 어차피 시도 허구의 세계를 함축하기 마련이다. 진실을 드러내기 위해 그럴듯한 상상력을 펼쳐내는 것이, 곧 거짓 세계를 꾸며내는 것이 시의 언어용법이다. 이러한 언어용법이 깨어 있는 진실로 되살아나는 과정에 작용하는 것이 시의 진정성이다. 따라서 내면에서 우러나오는 진정성의 토로 없이 좋은 시가 되기는 어렵다.

좋은 시에 투사되어 있는 진정성은 언제나 거칠 것 없는 대자유의 세계를 꿈꾼다. 활기 있고 탄력 있는 운기運氣를 바탕으로 하고 있는 것이 시의 진정성이다. 솟구쳐 오르는 순간의 염력이 창출하는 시의 언어들만이 저 스스로 완미한 자기형식을 갖추리라는 것은 자명하다.

이러한 시는 이미 자본주의적 근대의 제반 문제의식을 하나의 화살로 꿰뚫는 통찰력을 지니고 있다. 누가 뭐라고 해도 나는 이렇게 해서 태어나는, 어딘가 좀 흠집 있으면서도 튼실한 자기형식을 갖는 시를 좋아한다. 차돌처럼 단단하고 딱딱하면서도 인절미처럼 부드럽고 따뜻한 시가 이러한 시라고 할 수 있다. 내가 좋아하는 시는 이처럼 항상 역설적 자기 모순을 끌어안고 있다.(2003)

<<<<<< 제4부 화두 또는 호기심

희망이 보이지 않는 날들, 거리에서 희망 찾기

― 대담 ; 이은봉 · 이창수

1993년 9월 14일(일), 추석 연휴 마지막 날의 오전의 서울은 너무나 고요했다. 짙은 안개가 낀 도심을 지나 돈암동으로 가기 위해 지하철역으로 향했다. 세 번씩이나 지하철을 갈아타는 동안 마주치는 사람들의 표정에서는 웃음을 찾아보기가 어려웠다. 수도 서울의 얼굴이 왜 이렇게 우울할까. 엊그제 다녀온 고향은 오랜 장마로 인해 수확을 할 수 없어 하늘만 탓하고 있었다. 냉해와 적조현상으로 고통을 받는 농어촌의 고통스런 표정도 서울시민들의 표정과 다를 바 없었다. 더구나 태풍 '매미'가 남긴 상처를 뉴스로 접하고 나니 마치 페스트가 휩쓸고 지나간 중세의 성곽처럼 서울의 도심이 폐허로 다가왔다.

정오를 십분 남겨두고 돈암동 성신여대 지하철역에서 월간 『현대시』 편집장인 시인 이재훈을 만났다. 내가 십분 늦었던 것이다. 이은봉 시인에게 전화를 하니 곧바로 우리를 마중 나왔다. 일전에 집에서 점심이나 함께 하자던 약속이 오늘에서야 이루어진 것이다.

이은봉 시인은 언제 보아도 정갈하다. 깔끔한 옷차림이며 살짝 입술을 드러내며 웃는 표정에서 오는 느낌은 언제나 사람을 편안하게 만든다. 그의 집 분위기도 집주인을 닮아 조용하고 소박했다. 거실 벽에는 그가 근무하는 광주대학교의 연구실만큼이나 많은 책들이 쌓여 있었다. 천성이 부지런하고 공부를 게을리 하지 않는 그의 습관을 거실에서도 엿볼 수 있었다. 요즘 들어 부쩍 늘어난 흰 머리칼이 그의 근황을 짐작하게 한다. 며칠 전 공주에 사시는 아버지를 잃은 것이다. 장남인 이은봉 시인은 장례를 치르고 추석을 지낸 다음 곧바로 서울로 올라왔다고 한다. 그러나 인터뷰를 하는 동안 자신의 근황에 대한 이야기는 한마디도 않는다.

이은봉 시인은 내 스승이기도 하다. 내가 맨 처음 시를 배운 것도, 문학을 평생의 업으로 받아들인 것도 그를 만나고 난 이후의 일이다. 초창기의 형편없는 내 시들을 일일이 지적해준 것이 그이다. 단언컨대 이은봉 시인을 만나지 않았다면 나는 평생을 건달로 살았을 것이다. "나는 시인이기 전에 선생이다. 선생은 선생으로서의 최소한의 품성을 지녀야 한다"고 사석에서 그가 평소에 하던 말이 생각난다. 시인의 길과 선생의 길을 동시에 품고 가는 그의 길은 그가 노래한 시집의 제목처럼 절망적으로 보인다. 하지만 그의 시는 충청도 사람 특유의 기질인 여유와 느림을 바탕으로 천천히 제 길을 걸어가고 있다. 선해 보이기는 하지만 그에게는 그러한 뚝심이 자리해 있다. 시인으로서 이은봉 선생은 절대로 만만한 사람이 아니다.

첫 시집 『좋은 세상』(실천문학사, 1986)에서부터 작년에 출간된 『내 몸에는 달이 살고 있다』(창작과비평사, 2002)까지 모두 5권의 시집을 출간하는 동안 그에게는 일관되게 걸어온 길이 있다. 희망을 찾고 노래해온 긴 고통의 여정이 바로 그것이다. 그의 시에서 드러나는 길은 고통 받는 인간들을 대한 연민과 사랑에 기초해 있다. 이들의 고통을 자신의 고통으로 받아드리면서 이은봉 시인은 인간 존재 자체를 황폐화시키는 다양한 조건들과 사투를 벌이고 있다. 이 싸움이 인류가 존재하는 한 끝나지 않을 것이란 것을 그는 이미 잘 알고 있다. 하지만 그는 아직 이 지루한 싸움을 포기하지 않고 있다. 지난 1980년대 그와 함께 했던 시인들이 싸움을 포기하고 떠난 공간을 아직도 그는 혼자서 외롭게 지키고 있는 셈이다. 한때 싸움마다 혁혁한 공적을 쌓던 그의 친구들과 동료들의 경우 전망이 보이지 않는다며 염증을 느끼고 모두 시를 버리고 떠났는 데도 말이다. 혈기왕성하던 시절 싸움의 맨 앞자리에 섰던 친구들이 자신들이 걸어왔던 길을 되돌아보며 회한을 느끼고 있을 때 이미 그는 또 다른 싸움을 준비하고 있었던 것이다. 물론 그가 싸우고 있는 대상은 과거의 것들과 많이 다르다. 중요한 것은 그가 아직도 오늘의 현실에 대한 탐구를 게을리 하지 않고 있다는 점이다. 그렇다. 시의 길과 관련해 생각하면 그는 결코 만만한 사람이 아니다. 어쩌면 순해 보이는 그의 얼굴은 쉬지 않고 자신의 길을 가기 위한 세련된 가면일 수도 있다.

절망은 어깨동무를 하고
온다 입모아 휘파람을 불며
주머니 가득 설움덩이 쑤셔 넣은 채
빌딩 옆 가로등 뒤에서
가로등 뒤 철문 옆에서
절망은 불현듯
그대 가슴으로 온다 떼를 지어
서너 명씩 무리를 지어
허리춤 가득 눈물덩어리 찔러 넣은 채
눈빛 부드러이 절망은
별안간 그대 심장으로
온다 금빛 내일을 깔고 앉아
간혹 슬픈 낯빛으로 울먹이기도 하면서
전철역 지하광장에서

지하광장 신문판매대에서
절망은 콧노래를 부르며
온다 사람들 눈길을 피해
붐비는 발길을 피해
그대 여린 손목에
은빛 수정을 채우기도 하면서
온다 우쭐우쭐 어깻짓하며
투구를 쓰고 일렬횡대로
절망이여 잠시 너희들의 날들이여
그렇구나 오늘은 이미
네가 이 세상 절대권력이로구나.

—「절망은 어깨동무를 하고」 전문

이 시집의 시가 써지는 동안 나라 안팎의 일들이 너무 많이 변했다. (…중략…) 그동안 나는 이 변화와 함께 하려고 무던히도 애썼다. 그 속에서 진실을 발견하려고. 변화로 하여 세상은 행복해 보였고, 나는 불행해 보였다. 그렇게 밖에 보이지 않는 것을 어찌하랴. 그것이 그동안 나로 하여금 시를 쓰게 했거늘. 돌이켜보면 어느새 1980년대가 아득하다. 지난 1980년대 내내 나는 그 끝에 이르면 어떤 희망이, 어떤 설레임이 반갑게 나를 기다리고 있으리라 믿었다. 그 끝이 지난지도 한참, 그리하여 1990년대의 중간에 이르른 지금, 희망은, 설레임은 어디에도 없다. 멀리 사라져버렸다. (…중략…) 그동안 나는 잘 견뎌왔다. 끊임없이 절망을 노래하면서도, 내 절망으로 감싸 안을 수 있는 것이 얼마나 적은가를 잘 알면서도.

위에 인용한 시와 글은 피아彼我가 확실하던 지난 1980년대에서 막 벗어나게 되는 1990년대 초에 간행된 그의 세 번째 시집 『절망은 어깨동무를 하고』의 표제시와 서문이다. 이전의 시편들에서 그의 시선은 늘 낮은 곳의 사람들에게로 초점이 맞춰져 있었다. 하지만 세 번째 시집에 이르면서 이러한 시세계는 서서히 변모되고 있음을 알 수 있다. 우선은 그러한 과정을 추적할 필요가 있다.

이창수: 지난 1980년대 선생님께서 추구하셨던 시세계에 관해 듣고 싶습니다.

이은봉: 이렇게 말하면 이상하게 들릴지 모르지만, 1980년대는 시인에게 행복한 시기였습니다. 시인들의 작업에도 분명한 목적이 있었던 시기였으니까 말이지요. 적과 동지를 명확히 구분하는 가운데 가야 할 길을 확실히 설정할 수 있었으니까요. 1984년 창작과비평사의 신작시집 『마침내 시인이여』로 제가 문단에 나올 무렵 문인들은 너나 할 것 없이 당면한 현실의 부조리에 저항하는 것이 의무라고 여겼습니다. 지금 생각해도 모든 것이 선명했던 그 시절은 행복했다고 생각됩니다. 왜냐하면 역사가 시인에게 부여해준 소명을 우리 모두 잘 알고 있었으니까요.

이창수: 외람된 말이지만 당시에 활동했던 많은 시인들이 지금에 와서는 두드러진 문학적 성과를 내지 못하고 있다는 지적이 있습니다. 저 또한 그러한 지적을 대체로 수긍하는 편입니다. 우리 사회를 진전시키는 데, 정치, 사회적으로 열매를 맺도록 하는 데 그들의 역할이 컸다고는 생각하지만 오늘날에 이르러서는 우리 시의 미래에 대한 건전한 활로를 열지 못하고 있다는 생각이 들기도 합니다. 물론 선생님의 경우는 그렇지 않지만 말입니다. 궁극적으로 시인이 가야 하는 길이 있다고 생각한다면 말씀해 주시기 바랍니다.

이은봉: 제 생각으로는 김대중 정권이 들어서면서 민주와 반민주의 대립구도가 극복되었다고 생각됩니다. 김영삼 정권 때만 해도 전통성이 결

여된 정권이라고 하여 일부 진보적 문인들의 경우 부정적으로 생각했지만 김대중 정권이 들어서면서, 즉 여야가 바뀌게 되면서 많은 문인들의 경우 정치·사회를 개혁하는 문제에는 나서지 않게 되었습니다. 더군다나 1997년 외환위기를 겪고 난 뒤에는 일상인으로서 느끼는 무기력감이 시인들을 더욱 더 절망으로 내몰았던 것으로 생각됩니다.

모든 문학이 그렇지만 시 역시 제반 관계 속에서 탄생됩니다. 인간과 인간, 인간과 자연, 인간과 신의 관계 속에서 시는 존재가치를 얻습니다. 관계란 만남을 의미하며 만남은 구체적인 삶의 현실 속에서 이루어지기 마련입니다. 때문에 시는 삶의 현실을 기반으로 생산될 수밖에 없습니다. 물론 꼭 그렇지는 않다고 말 할 수도 있겠지만 현실에 대한 성찰이나 탐구가 없는 시는 궁극적으로 무의미하기 마련입니다. 지금 이곳을 소중하게 여기는 시인만이 의미 있는 시를 쓸 수 있다고 생각합니다. 지금 이곳은 과거와 미래가 하나로 수렴되고 응축된 시공時空이기도 하기 때문입니다. 이러한 현실의 시공時空을 각성하고, 자각하고, 발견하는 것이 다름 아닌 시라는 것입니다.

1970년대와 1980년대에는 대부분 시인들이 부의 공평한 분배와 관련된 계급문제나 분단현실과 관련된 민족문제에 많은 관심을 기울였습니다. 물론 당시의 시인들이 부조리한 현실의 제반문제를 해결하는 일에 관심을 가지거나, 권력에서 소외된 민중들에 대해 사랑과 연민의 마음을 보여준 것을 낮게 평가하려는 것은 아닙니다. 저 자신도 당시의 현장에 함께 있었으며 지금도 그 시절을 자랑스럽게 생각하니까요.

하지만 이제는 적과 동지로, 곧 양자택일적으로 현실을 재단하는 시대는 끝났다고 봅니다. 우리 시단이 주춤거리는 이유 중에는 그러한 사고방식, 즉 세상을 대립적 구조로, 양자택일적 구조로 이해하는 방식도 크게 작용하고 있다고 생각이 듭니다. 이제는 세상을 그러한 대립적 구조로 단순화시켜서는 안 된다는 말이지요.

돌이켜 보면 러시아혁명이 끝난 후의 마야코프스키처럼 오늘날의 시인들도 자기역할을 정치적 의미 속에서만 생각하려는 게 아닌가 하는 걱정도 있습니다. 러시아혁명을 그토록 원했던 마야코프스키는 정작 레닌이 죽고 스탈린의 등장하여 사회주의 사회가 정착되어 가자 자살을 하고 맙니다. 당시 지식인 사회에서 가장 생각이 자유로웠던 마야코프스키가 말입니다. 마야코프스키는 모든 권력이 지니고 있는 경직성까지는, 권력의 내면적 속성까지는 보지 못했던 것입니다.

오늘을 살아가는 시인이라면 이미 개인으로 존재할 수밖에 없게 되었을지라도 진보적인 차원을 넘어 급진적인 차원의 전망을 할 필요가 있습니다. 제가 말하는 급진적이란 표현은 좀 더 근본에 천착할 필요가 있다는 뜻입니다. 일상적인 수준의 진보가 아니라 인간의 근본조건에 대한 원천적인 성찰을 구체적인 진실의 언어를 통해 탐구할 수 있어야 한다는 것입니다.

이를 가리켜 이제는 좀 더 멀리 보는 지혜가 필요하다고 해도 좋습니다. 그렇습니다. 이분법적인 사고는 군부독재시대, 나아가 냉전시대의 유물입니다. 시인들은 이를 명확하게 인식하는 가운데 빠르게 변화하는 시대를 선도해가야만 합니다. 현대는 중심은 필요하지만 다양성이 추구되는 시대입니다. 한겨레신문이나 민주노동당 정도의 진보적인 사고로는 빠르게 변화하는 시대의 흐름을 따라잡을 수조차 없습니다. 그 정도의 사고는 의식 있는 문인이라면 이미 30년 전부터 고민해왔던 것입니다. 어찌 보면 당시에 고민했던 것들이 지금에 와서야 서서히 실현되고 있다고 할 수도 있지요. 시인들이 급진적인 사고, 근본적인 사고를 해야 할 필요는 바로 여기에도 있습니다. 역사를 앞서 살아가야 하니까요. 아직까지 그 영향력을 잃지 않고 있는 리얼리즘이나 모더니즘, 그리고 1990년대에 몰아쳤던 포스트모더니즘 역시 자시 시대의 문제, 곧 오늘의 문제를 해결하고 극복하기 위한 귀중한 노력의 하나였다고는 생각합니다.

이창수: 그렇다면 『절망은 어깨동무를 하고』 이후 선생님의 시에서 추구하는 목표는 무엇인가요. 이전의 시들과 구별되는 점이 있다면 듣고 싶습니다.

이은봉: 지난 세기는 사회주의와 자본주의가 대립하는 이념의 세기였습니다. 그렇지만 소련을 중심으로 한 사회주의 국가의 몰락으로 지금은 자본주의 국가를 대표하는 미국의 신자유주의 이념이 세계를 지배하고 있습니다. 한때 세계를 제패했던 로마제국처럼 미제국이 그들의 가치를 막강한 무력과 경제력으로 펼쳐내고 있는 것입니다. 물론 미국의 이러한 세계 경영은 매우 위험한 짓입니다. 비단 저 뿐만이 아니라 세계의 수많은 사람들이 같은 생각을 하고 있을 것입니다. 사람들은 저마다 역사와 문화가 다른 삶을 살고 있습니다. 서로의 존재방식을 부정하려고 하면 인류의 앞날은 누구도 장담하지 못하게 됩니다. 다른 문화를 인정하는 것이 무엇보다 필요하다는 것입니다. 서로 다른 문화 혹은 문명이 서로 충돌하면서 세계를 위험의 도가니에 처넣고 있다는 사실을 직시할 필요가 있습니다.

시인이란 바로 인류의 문제, 나아가 지구 생태계의 문제를 자신의 문제로 인식하는 존재여야만 합니다. 타인에 의한 일방적이고 폭력적인 강제는 인간존재 자체를 말살시키는 행위가 되기 쉽습니다. 서로 상대방을 존중하는 여유와 포용이 필요한 시대라는 것입니다.

내게는 상대적으로 『논어』의 세계관으로부터 받은 영향력이 적잖습니다. 다소 고리타분하다고 생각할 수도 있겠지만 『논어』에 숨겨져 있는 공자의 사상은 성리학으로 발전하면서 우주의 근본이치를 밝히고자 하는 철학으로 정립됩니다. 이러한 면에서 『논어』의 가르침은 혼탁한 오늘을 살아가는 우리들에게 상당한 지혜를 주기도 합니다. 『논어』의 세계관은 바로 인간과 인간, 인간과 자연, 인간과 신의 관계를 밝히는 철학이기도 하기 때문입니다. 논어에 화이부동和而不同 혹은 화이불류和而不流라는 말이 있습니다. 이는 곧 동학의 최시형이 말한 기연불연其然不然과 통하며, 주역의 일이이一而二, 이이일二而一과도 의미가 다르지 않습니다. 화和하면서도 동同하지는 않는 관계, 그러면서도 그렇지 않은 관계, 하나이면서 둘이고 둘이면서 하나인 관계야말로 평화와 행복을 만들 수 있는 세상의 이치입니다.

다소 모호한 표현처럼 들리겠지만 오늘날처럼 혼탁한 세상에서는 서정시의 세계관이 절대적으로 필요합니다. 서정시의 세계관이란 바로 동일성의 추구하기 때문입니다. 물론 외압에 의한 동일성이 아닌 자발적인 동일성이기 때문에 의의를 갖습니다. 이때의 동일성도 일이이一而二, 이이일二而一일 수 있어야 할 것입니다. 맹목적인 합일이 아니라 주체와 객체가 상호 자각하고 있는 가운데서의 합일이라는 것입니다.

모든 존재란 관계에 의해서만 참다운 가치를 갖습니다. 오늘날처럼 남을 적대시하고 믿지 못하는 불신의 시대일수록 기연불연其然不然의 세계관은 절실하게 요구됩니다. 그렇습니다. 카오스이면서도 코스모스인 것이 현실의 실재實在라고 할 수 있습니다.

그러한 측면에서 요즘의 생태시는 큰 의미를 갖는다고 생각됩니다. 앞선 말한 것처럼 대립과 갈등의 양자택일의 이분법적 세계에서 좀 더 발전된 순환하는 양자공존의 세계로 나아가려면 인간과 인간, 인간과 자연, 인간과 신의 관계를 바르게 정립하는 가운데 미래를 모색하는 것이 좀 더 필요하다는 얘기입니다. 작년에 출간된 5번째 시집 『내 몸에는 달이 살고 있다』에서는 이러한 생각을 담고 싶었습니다.

이창수: 5번째 시집 『내 몸에는 달이 살고 있다』에 대해 좀 더 말씀을 해주시지요.

이은봉: 달은 여성, 즉 모성을 상징합니다. 즉, 달의 주기는 생명을 잉태하는 모성과 불가피하게 얽혀 있기 마련입니다. 월경月經이 있어야 생명의 잉태가 가능하지 않습니까. 달을 경전으로 모시는 것은 바로 이 때문입니다. 물론 달은 늘 무섭고 권위적인 대상으로 상징되는 태양, 즉 남성과는 반대의 개념을 지니고 있습니다. 그러나 남성 속에는 여성이 들어 있고, 여성 속에는 남성이 들어 있는 것도 사실입니다. 권력과 수탈의 상징인 태양보다는 포용과 상처의 치유를 상징하는 달을 주목한 것이죠. 그러나 이때의 모성, 즉 달은 지금 피를 흘리고 있습니다. 인간과 우주, 좀더 구체적으로 말해 달과의 소통이 파괴되어 있다는 것이죠. 이것이야말로 생태 환경적인 인식이거니와, 이는 제가 말한 성리학적 사유와도 무관하지 않습니다. 성리학의 하나인 예학의 근본이 우주의 질서와 인간의 질서가 이루는 조화와 균형에 초점을 두고 있다는 것을 기억할 필요가 있습니다. 생태 환경의 파괴는 인간의 근본 조건을 파괴하는 것과 다르지 않다는 것을 강조해 두고 싶습니다. 인성人性과 물성物性은 같으면서 다르고, 다르면서 같지 않습니까.

이창수: 요즘에 생산되는 시들의 특징과 문제점에 대해 말씀을 듣는 것으로 이 자리를 마칠까 합니다.

이은봉: 근대 전체의 슬로건이기도 한 프랑스 대혁명의 핵심 정신은 자유와 평등과 사랑(박애)입니다. 근대 이후 사회는, 인간의 역사는 우여곡절이 없지는 않았지만 자유와 평등과 사랑을 추구하는 방향으로 일관되게 진행되어 왔습니다. 자유와 평등과 사랑은 개인의 삶을 전제로 한 것입니다. 개인들 사이의 관계가 자유와 평등과 사랑으로 이루어져야 한다는 것입니다. 물론 개인의 신장은 공동체의 몰락을 낳기도 했습니다. '인권'이라는 것이 우리 사회의 중심가치로 자리잡게 되는 것도 이러한 이유

에서라고 할 것입니다.

개인의 성장이라는 가치의 실현은 문학의 장르 가운데 특히 시에서 두드러지게 나타나고 있습니다. 낭만주의 시대에 서정시가 중심 장르로 부상하게 된 것도 바로 이 때문입니다. 시인은 누구보다도 저 자신의 자유와 평등과 사랑을 갈망하는 존재입니다. 시인이 근본을 성찰하고 탐구하는 사람이기 때문입니다. 사회가 발전하고 의식수준이 높아질수록 국가의 간섭은 약화되고 자유에 대한 개인의 열망은 커지고 있습니다. 결국 개인의 삶에서 국가의 역할은 최소화되는 방향으로 나갈 것입니다. 이것이야말로 바람직한 현상이며 그렇게 하는 것은 인간의 오랜 소망이기도 합니다.

하지만 모든 자유와 평등과 사랑에는 절차가 필요하기 마련입니다. 남의 자유와 평등과 사랑을 인정해주는 자유와 평등과 사랑이어야지요. 이는 자기 규제를 의미하기도 합니다. 이처럼 시에서도 자기 규제, 즉 자기 절제가 필요합니다. 진정한 프로 시인은 절제된 가운데 내용과 형식이 일치하는 시를 쓰는 사람입니다. 그러한 시를 쓰려면 무엇보다 시인이 저 자신의 고유의 언술방식을 갖고 있어야 합니다. 그렇습니다. 제대로 된 훌륭한 시인은 누구나 저 자신의 고유의 언술방식을 갖고 있습니다. 누가 읽어도 누구의 작품인지 곧바로 알 수 있는 것은 이 때문이지요. 가령 신경림 시인이나 고은 시인의 경우가 그렇습니다. 이들의 시가 재미와 감동을 주는 이유는 내용에 있지 않습니다. 시인 자신이 갖고 있는 언술방식에 그 이유가 있다는 뜻입니다.

시인은 철학자가 아닙니다. 사유하는 과정은 철학자의 그것과 유사하지만 기본적으로 시인은 언어예술가입니다. 오늘날의 젊은 시인들은 다름 아닌 이 점을 소홀히 여기고 있는 것으로 보입니다. 매 편의 훌륭한 시는 필연적으로 매 편의 훌륭한 형식을 갖기 마련입니다. 훌륭한 시인은 의미가 배제된 리듬이나 이미지만을 갖고도 얼마든지 감동을 주는 시를 쓸 수 있어야 합니다. 요즘의 젊은 시인들의 시를 읽으면 이러한 면에서도 자기검열을 게을리하고 있다는 느낌이 듭니다. 이는 무엇보다 형식을 완성하는 시인의 능력에 문제가 있기 때문으로 보입니다. 형식에서 실패하면 내용에서도 실패하도록 되어 있습니다. 좋은 시는 형식과 내용이 하나로 모아지지 않을 수 없습니다.

형식의 실패가 자주 발생하는 원인에는 평론가들에게도 일부 책임이 있다고 생각합니다. 시의 형식을 등한시하는 평론, 주제를 우선으로 다루는 평론은 필연적으로 함량 미달의 작품을 높이 평가하게 마련입니다. 형식의 실패에는 지나치게 협소한 진실에 집착하는 시인의 태도에도 이유가 있습니다. 젊은 시인들도 전체를 통찰할 수 있는 깊은 눈으로 세상을 바라보았으면 합니다. 멀리 보는 지혜가 필요한 시대입니다. 절망의 시대에는 희망을 찾으려는 사람에게만 희망이 보이기 마련입니다.

이창수: 감사합니다. 지면도 그렇고, 시간도 그렇고, 이러한 정도에서 선생님의 말씀을 듣는 것을 마쳐야 할 것 같습니다.

이은봉 : 다소 미진한 느낌이 없지 않지만 여기서 얘기를 미치도록 합시다. 감사합니다.

집으로 돌아오는 길은 여전히 가파르다. 잠시 어둠이 깔리는 언덕 위에서 바라보는 시가지에는 붉은 십자가가 하나둘 나타나더니 어느새 도시를 공동묘지로 만들어버린다. 나는 밤을 세워 눈 부릅뜬 첨탑의 십자가 싫다. 그렇지만 어둠 깊은 곳에서는 희미한 별들이 실눈을 뜨고 있을 것이라는 생각이 든다. 가다가 다리가 아프면 잠시 쉬어가자. 천천히 그러나 멈추지는 말자. 돈암동 언덕을 내려오며 나는 내가 걸어온 길을 잠시 돌아다보았다.(2003)

시의 파라다이스를 꿈꾸는 시인

― 대담 ; 이은봉 · 이은규

《육조단경》의 한 장면, 혜능 선사가 보니 두 젊은 스님이 깃발 앞에서 논쟁이 한창이다. 한 스님이 흔들리는 그것을 '깃발'이라 말할 때, 다른 스님은 '바람'이라고 말한다. 혜능이 흔들리는 것은 그대들의 '마음'이라 깨우친다. 경전의 종이냄새가 피어오를 것 같은 오후, 마음에 "오래된 책을 숨기고 있"(이은봉,「책바위」中)는 시인을 멀리서 가까이서 만난다.

● 시와 마을공동체의 복원

이은규: 이은봉 선생님 안녕하세요, 입동 즈음 근황은 어떠신가요?

이은봉: 올해 2월부터 한국작가회의 사무총장으로 복무하고 있지요. 광주대학교 문예창작과 교수직은 올해 '연구년'이라는 이름으로 쉬고 있고요. 한국의 대표적인 문인단체인 한국작가회의에 대해 몸으로 연구하고

있는 셈입니다.

이은규 : 잘 알겠습니다. 이제 여는 질문을 드려볼까 해요. 선생님의 최근 발표작에서 '막은골(杜谷)' 혹은 '모듬내'라는 지명이 자주 호출되는 중요한 연유가 있을 것 같습니다.

이은봉: '막은골(杜谷)'은 내가 태어나고 자란 고향마을이에요. 유년시절 이래 내 문학의 원초적 '장소'라고도 할 수 있지요. 문학적 감수성은 말할 것도 없고 내 이상, 꿈, 희망 등을 키워준 곳이 이 마을 '막은골'입니다. 내 마음의 별이라고도 할 수 있는 곳이지요. 한자로는 막을 두杜 자에 골짜기(고을) 곡谷 자, 곧 두곡杜谷이라고 쓰는데, 속칭으로 '망골'이라고 부르기도 합니다.

그리고 '모듬내'는 이 마을 '막은골'의 왼쪽으로 흐르는 시내의 이름입니다. 한자로는 모을 제濟 자에 내 천川 자, 곧 제천濟川이라고 쓰는데, 마을사람들은 그냥 모듬내라고 부르지요. 1980년대 중반까지만 해도 여름 내내 맑은 물이 늘 흐르던 곳이었어요. 여름에는 미역을 감던 곳이고, 겨울에는 썰매를 타던 곳이지요.

이은규: '모듬내'라는 어감이 참 좋아요. 올 여름 《시와시》에 발표하신 「모듬내 참게─막은골 이야기」라는 작품에서도 그 풍경을 만날 수 있지요.

이은봉: 맞아요. 초등학교, 중학교를 다니던 지난 1970년대까지만 해도 내 고향마을인 이 '막은골'에는 마을공동체가 완전히 살아 있었습니다. 1960년대 말부터 이농현상이 심화되어 급속히 훼손되기는 했지만 모듬내는 1980년대 중반까지만 해도 농촌마을의 미풍양속이 그대로 보존되어

있던 곳입니다.

그런데 행정중심복합도시가, 이른바 세종시가 건설되면서 내 고향마을인 '막은골'이 지금은 흔적도 없이 사라져버렸지요. 어쩌다 한 번 가보면 완전히 폐허가 되어 있어 눈을 뜨고 볼 수조차 없어요. 마구 파헤쳐져 있어 이제는 마을의 형체 자체조차 알아볼 수 없게 되었지요. 산은 깎여지고 들은 메워져 고향마을이 아예 없어졌어요. 자본주의의 첨병인 '개발'이라는 괴물이, '건설'이라는 아수라가 내 고향마을 '막은골'을 통째로 잡아먹어버린 것이지요.

마을공동체는 수많은 설화를, 수많은 추억을, 수많은 역사를 거느리고 있지요. 설화와 추억과 역사가 언어로 이루어지는 만큼 마을공동체는 수많은 언어와 더불어 살고 있다고도 할 수 있습니다. 시를 쓰는 입장에서 생각하면 이들 수많은 언어가 다 서정의 보고이지요. 자본주의의 첨병인 개발에 의해, 건설에 의해 마을공동체가 파괴되면서 마을공동체와 함께 해온 수많은 언어도, 서정의 보고도 파괴되고 소멸된 것이지요. 너무도 아쉽지요. 산이 없어지고 논밭이 없어지면서 산의 이름, 논밭의 이름, 골짜기의 이름, 바위의 이름, 모퉁이의 이름 등이 다 없어졌지요. 이들 언어를 이제 누가 기억하겠어요. 내 마음 속에는 아직 이들 언어가 살아 있지만요. 그래서 일단은 자본주의의 꼭두각시인 '개발'이, '건설'이 다 파괴시킨 내 고향마을을 시로 복원해보려고 해요. 고향마을과 함께 고향의 언어가 사라지기 때문일까요. 최근에는 모든 개발은, 모든 건설은 다 나쁘지 않은가 하는 생각이 들기까지 해요.

이은규: 좋은 전쟁이 있을 수 없는 것처럼 말이지요. TV에서 4대강 관련 보도가 나오면 예사롭게 지나칠 수 없으실 것 같습니다.

이은봉: 아무래도 그렇지요. 예를 들어 TV에 여러 차례 나온 세종보 있

지요. 얼마 전에 고향에 가보니 금강의 '돌새부리' 바로 앞에 세워져 있더군요. 돌무더기가 앞으로 튀어나와 있던 '돌새부리'는 금강물이 휘어돌며 굽이치던 곳이었지요. 세종보에 임해 있는 바로 이 '돌새부리'를 이제 누가 알겠어요. 그곳과 얽혀 있는 추억과 기억과 꿈도 사라지는 것이지요. 지금은 흔적조차 남아 있지 않지만 돌새부리 옆 미루나무밭은 단오무렵, 그러니까 한해 농사를 시작할 무렵 '막은골' 사람들이 한데 모여 한바탕 풍장을 치며 축제를 벌이던 곳이에요. 커다란 개를 잡아 하루 종일 온 동네 사람들이 먹고, 마시고, 노래하고, 춤추며 놀던 곳이라는 얘기에요.

그러니 슬프지 않을 수 있어요? 딱하지 않을 수 있어요? 안쓰럽지 않을 수 있어요? 이제는 누구도 다시는 공주군 장기면 일대, 연기군 남면 일대의 그 아름답던 풍광을 즐길 수 없게 되었지요. 그러한 연유로 세종시의 건설로 사라진 이 지역에 대한 이야기를 '막은골 이야기'라는 연작시를 통해 되살려 보려고 하는 것이에요. 세종시가 들어서기 전의 아름다운 모습과, 그로 인해 파괴되어 가고 해체되어 가는 내 고향의 모습을요.

'막은골 이야기'라고 부제를 붙이고 있지만 이 연작시가 '막은골'만 한정해 다루고 있는 것은 아니에요. '막은골'로 상징되는 전통적인 마을 공동체의 긍정적인 가치를 시로 그려보고 싶은 것이지요. 마을공동체말로 모든 공동체의 기본이고, 원형이 아닌가요. 하여튼 나는 이 '막은골 이야기' 연작시를 통해 자본주의 경제의 실체인 개발이며 건설이 갖는 의미를 되물어보려고 해요. 지금 이곳의 생태적 차원에서만이 아니라 인류 전체가 처해 있는 미래와 관련해서요.

이은규: 첫 질문부터 의미 있는 답변을 들려주셨습니다. 그럼 다음 질문으로 넘어갈게요. 자필 연보에 따르면 초등학교 때부터 스스로 시를 썼다고 나와 있는데요. 시와의 만남, 그리고 유년시절에 대해 말씀 부탁드

립니다.

이은봉: 유년시절에는 초록의 세상에서 살았지요. 물론 남들과 조금 다르기는 하겠지만요. 우리 집에는 꽃이 참 많았어요. 철 따라 복숭아, 맨드라미, 백일홍, 채송화, 다알리아, 칸나 등의 꽃이 만발하는 집에서 유년시절을 보냈어요.

경제적인 면에서는 비교적 유복한 유년시절을 보냈지요. 사범학교를 나온 아버지가 초등학교에서 교편을 잡고 있었으니까요. 하지만 실제의 내 삶은 좌절과 상처, 그에 따른 고통의 체험이 많았지요. 첫 번째 좌절과 상처, 그에 따른 고통은 당암초등학교에 입학하면서부터 왔지요. 시골마을에서 태어나 자란 나는 유치원이라는 교육과정이 있는지조차 몰랐어요. 아무튼 7살에 초등학교에 입학을 했는데, 그때 내게는 아무런 준비도 되어 있지 않았어요. 당연히 내년에나 초등학교에 입학하리라고 생각했는데, 갑자기 입학식이 한 달 정도 지난 뒤에 아버지한테 목덜미를 잡혀 초등입학을 하게 되었거든요. 그러다 보니 몸과 지능이 덜 발달되어 있어 학교에 다니기가 아주 힘들었어요.

그래요. 몸집이 작아 같은 학년 친구들한테도 얻어맞기 일쑤였지요. 내가 초등학교 갔을 때는 이미 기초적인 학습이 다 끝난 뒤였어요. 한글은 물론 숫자도 모르는 채 갑자기 끌려갔으니 기초적인 지식을 터득할 수 있을 때까지는 말 그대로 지옥을 살았지요. 공부 욕심은 많은데 공부를 따라가지 못해 아주 고통스러웠지요.

이은규: 정도의 차이는 있겠지만, 초등학교 입학은 한 존재에게 잊을 수 없는 사건일 가능성이 많아요. 여러모로……. 선생님의 경우에도 예외가 아니신 것 같습니다.

이은봉 : 맞아요. 초등학교 2학년이 되었을 때는 3월 개학한 이후 한 달 가량 집에서 쉬다가 4월이 되어서야 전근을 가신 아버지를 따라 아산군 인주면 금성리의 금성초등학교로 전학을 갔어요. 그곳 마을 붓당골에서 아버지와 하숙을 하며 지냈는데, 그때 최초로 외로움이라는 것을 알았지요. 바둑을 좋아하는 아버지는 나를 하숙집에 팽개쳐 두고 바둑을 두러 갔다가 새벽녘에 들어오기 일쑤였거든요. 그러니 부지런히 책이나 읽을 수밖에 없었어요. 하지만 책이라는 것이 있어야지요. 교과서 외에는 책이라는 것 자체가 없었어요. 더구나 서정이나 서사가 들어 있는 책은 국어책 밖에 없었어요. 그때그때 배우는 국어책을 하루에 100번씩은 읽었을 거예요. 너무 심심했거든요. 너무 외로웠거든요. 국어책은 아예 다 욀 정도였지요.

다음 해인 3학년 때 다시 고향마을의 초등학교로 돌아왔는데, 그때는 내 몸과 마음이 좀 더 커져 있었지요. 그래도 다른 친구들에 비하면 덩치가 너무 작아 걸핏하면 친구들한테 손찌검을 당하고는 했어요. 이러한 체험이 나를 더욱 책과 가깝게 하지 않았나 싶어요. 초등학교 4학년 때 나 스스로 「돗자리」라는 시를 쓴 것도 이러한 체험과 무관하지 않았나 싶어요. 골방에 기대어 세워놓은 '돗자리'를 보고 그와 같은 제목의 시를 불현듯 썼으니까요. 어머니가 시집올 때 해온 '돗자리'였지요.

이은규: 소년 시인이셨네요. 때로 어떤 기억은 한 점, 색色으로부터 출발하는 것 같습니다. 중·고등학교 시절을 돌아볼 때 떠오르는 색채 이미지가 있으신지요.

이은봉: 중학교는 공주 읍내에서 다녔어요. 공주중학교에요. 공주중학교에도 꽃이 아주 많았지요. 따로 온실이 있기도 했고요. 팬지꽃, 베고니아, 꽃양귀비 등이 화단에 가득했어요. 중학교 1학년 때는 학교 뒤인 중

학동에서 하숙을 했는데, 그때도 참 외로웠어요. 시골에서 공주 읍내로 유학을 와 아는 친구들이 없었거든요. 집에서 공주교육대학이 멀지 않았거든요. 1960년대 중반의 공주교육대학은 나무 아름다웠어요. 봄에는 새빨간 장미꽃이 학교를 가득 덮었지요. 특히 울타리에 핀 넝쿨장미꽃은 장관이었어요. 장미 몇 송이를 몰래 꺾어다 소주병에 물을 부어 꽂아 놓고는 했죠. 가을에는 공주교육대학에서 국화전시회를 했는데, 화분에 담긴 샛노란 국화들도 나를 감동시키기에 충분했어요.

중학교 3학년 때인가 싶은데요. 봄이었고, 주말이었어요. 봉황산과 월락산을 헤매고는 했는데, 환한 대낮에 바라보는 진분홍 진달래꽃은 아주 매혹적이었지요. 6월의 하얀 찔레꽃도 그렇고요. 중학교 2학년 때는 시골집에서 공주의 중학교까지 통학을 했어요. 집 뒤쪽으로 1.5km 정도 걸어 나가야 공주 읍내로 가는 버스를 탈 수 있었는데, 가을이 되면 길가의 구절초꽃이 너무 아름다웠지요. 구절초꽃을 꺾어 모자에도 꽂고, 앞자락에도 꽂고 했지요. 그리고 보니 빨갛고 노랗고 하얀색이 한꺼번에 떠오르는군요.

● 오롯한 시적 발자취를 따라 걷다

이은규: 꽃은 언제나 현기증의 아름다움을 안겨다주는 것 같아요. 이번에는 시적 유전자에 관해 말씀 나눠보겠습니다. 선생님 시세계의 내·외적 자장 안에 선대 문인들께서 어떤 면면으로 자리하는지요.

이은봉: 김소월, 백석, 이용악, 오장환, 김수영, 김현승 시인 등의 시에서 영향을 받았어요. 이분들의 시 외에도 김광균, 정지용, 박용래, 김영랑, 신동엽, 신경림 시인 등의 시를 좋아했지요. 물론 영향을 받은 부분은

조금씩 다를 것입니다. 김소월의 시로부터는 부사나 형용사의 운용방식, 그리고 리듬 처리방식에 관해 배웠고요. 백석, 이용악, 오장환, 신경림 등의 시에서는 서사, 곧 이야기를 응용하는 방식을 배우지 않았나 싶네요. 김수영과 김현승의 시로부터는 형이상학이나 관념, 시대정신 등 주제의 운용방식을 등을 배운 듯싶고요. 박용래의 시와 김영랑의 시로부터는 밝고, 환하고, 순수하고, 무구한 서정을 배우지 않았나 싶네요. 신동엽의 시로부터는 민족적인 것, 근원적이고, 시원적인 것을 배운 듯싶고요. 고향의 선배 시인들인 박용래와 신동엽의 시로부터 영향을 받은 것은 아무래도 민중적 정서가 아닌가 싶네요. 백석과 박용래의 시로부터는 언어운용방식, 특히 문장운용방식 등을 배웠고요. 백석과 박용래의 시는 어휘를 선택하는 방식도 그렇지만 통사를 운용방식이 매우 독특하지요. 통사를 운용하는 독특한 방식을 통해 시의 아우라를 만든 것이 이들 시인이지요.

배우지 못할 것이 어디 있겠어요. 마음을 바꾸면 모든 것이 다 스승이지요. 정지용 시전집, 서정주 시전집도 수없이 읽었어요. 어떤 면에서는 정지용, 서정주도 시의 스승이지요.

이은규: 시적 스승이 다양하세요. 혹시 등단 '등단=설레임' 이라는 등식이 가능한지 모르겠는데요. 1984년 1월 창작과 비평 17인 신작시집 『마침내 시인이여』에 「좋은 세상」 외 6편을 발표하면서 등단하셨습니다. 이와 관련해 말씀 부탁드릴게요.

이은봉: 우리 세대의 시인들에게는, 특히 내게는 '등단=설레임' 이라는 등식이 성립할 여유가 없었어요. 시인이 되기를 꿈꾸던 1970년대 말의 내게는 일간지의 신춘문예로 등단하는 것은 물론 《현대문학》, 《문학사상》, 《한국문학》 등의 월간지로 등단하는 것도 관변문예지로 등단하는 것이라고 생각했어요. 과도할 정도로 순혈주의적인 정신을 갖고 있었던 것이지

요. 《창작과비평》이나 《문학과지성》으로 등단을 해야 그간의 규격화된 관변시로부터 자유로워지는 것이라고 생각한 것이지요. 그런데 이제는 등단을 해도 되겠다고 생각하던 싶은 무렵에 《창작과비평》, 《문학과지성》 등이 폐간되어버렸지요. 잘 알다시피 이 일은 1980년의 광주민주화운동과 함께 왔습니다. 따라서 시인이 되는 것에 설레고 어쩌고 할 형편이 못 되었습니다. 당시에는 동인지나 무크지를 만들어 시를 발표하는 것 자체가 폭압의 전두환 군사정권과 맞서는 일이었거든요. 그 무렵 창작과비평사에서 발간하는 시전문 무크지 『마침내 시인이여』(1984)에 신작시 7편을 발표했는데, 그것을 등단으로 삼고 있지요. 하지만 당시 나는 친구들과 함께 만들던 종합문예무크지 《삶의문학》에 이미 시와 평론을 발표하고 있었어요. 종합문예무크지 《삶의문학》을 만들어 전두환 군사독재에 의해 강제로 폐간된 《창작과비평》, 《문학과지성》 등을 대신하려고 한 것이지요. 편의상 평론의 등단지면을 《삶의문학》 5집(1983)으로 삼고 있는 것도 그러한 이유에서이지요.

이은규: 그렇군요. 잘 알겠습니다. 이제 본격적으로 시에 대한 질문을 드리겠습니다. 1986년 첫 시집 『좋은 세상』을 간행하셨는데요. 후기에 "우리의 역사를 위해, 이 보잘 것 없는 시집이 널리 읽히고 두루 쓰이길 바란다"고 적고 계셨습니다. 또한 3년 뒤 제2시집 『봄 여름 가을 겨울』의 후기에서는 "자유와 해방과 사랑과 혁명을 바로 실천하"려는 시적 도정을 강조하고 계세요. 당시 가장 절실했던 시적 고민에 대해 여쭤 봐도 될까요.

이은봉: 당시 내게 가장 절실했던 고민은 예술성과 정치성의 결합이라고 할까요, 아무튼 그러한 것이었지요. 시의 감염성이라고 해도 좋아요. 어떻게 하면 시가 독자들로 하여금 당시의 현실, 곧 전두환 군사독재정권

에 대한 바른 자각을 할 수 있도록 하느냐는 문제에 대해 많은 고민을 했지요. 시가 역사의 발전을 위해 쓰이기를 바란 것도 그러한 맥락에서이지요. 내 고민은 결국 시가 어떻게 예술성을 잃지 않으면서도 운동성을 확보할 수 있느냐 하는 것이었습니다. 이러한 고민은 이내 시를 시답게 만드는 특징인 형상성이라는 것이 어떻게 태어나느냐, 하는 창작방법의 문제에 매달리게 했지요. 그때 깨달은 것이 시를 시답게 하는 형상성이 이미지, 이야기, 정서를 자질로 한다는 것이었습니다. 이러한 깨달음은 대중성 문제와 겹쳐지면서 시에서 서사를 확보하는 문제, 곧 이야기를 담아내는 문제와 연결되었지요. 이은규 시인이 내 시집의 후기에서 인용해 말한 자유, 해방, 사랑, 혁명 등은 시정신이라고 해도 좋고, 시의 내용이라고 해도 좋을 텐데요, 당시에는 이것들이 시의 이미지, 이야기, 정서와 곧, 형상의 자질들과 바르고 정확하게 결합된 채 드러날 수 있도록 하는 창작방법에 대한 고민이 가장 컸지요.

이은규: 미와 정치, 그리고 시적 형상화에 대한 고민을 지속적으로 해오신 것 같습니다. 이번에는 돌발질문인데요. 시인으로서의 삶이 운명적으로 다가오는 순간이 있으신지요.

이은봉: 글쎄요. "시인으로서의 삶이 운명적으로 다가" 왔다는 표현이 내게는 적절치 않은 것 같네요. 너무 힘들고 괴로워 시인의 길을 피하고 싶었던 적이 있기는 하지요. 그래도 그것이 시인의 길을 열망했던 만큼 크지는 않았던 듯싶네요. 아직까지는 별로 질리지 않는 것이 시이거든요. 모든 것이 다 질리는데, 시는 늘 새롭거든요. 물론 이제는 시를 그만 써도 좋겠다는 생각을 할 때가 있어요. 하지만 이내 다시 시가 써지거든요. 그럴 때는 우습기도 하고 한심하기도 해요. 이렇게 자꾸 태어나는 시를 원망해보기도 하지만 어쩌겠어요. 내가 좋아 내 몸을 통해 세상으로 빠져나

오는 것이 시인 걸요. 이처럼 내게 시는 억지로 쓰는 경우보다는 저절로
써지는 경우가 많아요.

● 파라다이스, 더 좋은 미래

이은규: "자꾸만 태어나는 시", 부럽습니다. 그럼 다시 시 이야기로 돌
아가 볼까 합니다. 1994년에 제3시집 『절망은 어깨동무를 하고』, 1996년
에 제4시집 『무엇이 너를 키우니』를 간행하셨지요. 저는 「절망은 어깨동
무를 하고」, 「호박넝쿨을 보며」 등의 시가 기억에 남습니다. 1990년대 선
생님 시의 시적 발자취들이 고스란히 담겨 있을 각 시집의 변화 지점을
짚어주실 수 있을까요.

이은봉: 1994년에 간행한 제3시집 『절망은 어깨동무를 하고』는 1980년
대 말과 1990년대 초에 쓴 시들, 그때의 암중모색 담은 시들을 수록하고
있지요. 이른바 6월 항쟁 이후의 절망감을 담고 있는 시들인 셈이지요.
이 시집에는 가야 할 길이 제대로 잡히지 않아 쩔쩔매던 마음이 주조를
이루고 있는 것이지요. 특히 「계룡산」 연작시는 어떤 근원 같은 것에, 어
떤 어머니 같은 것에, 어떤 리비도 같은 것에 뿌리를 둔 채 가야 할 길을
탐구하던 마음을 담고 있지요. 그러한 연유로 부정적 자아가, 절망적인
정서가 중심을 이루고 있지요. 1996년에 간행한 『무엇이 너를 키우니』에
는 1990년대 초중반에 쓴 시들이 주로 수록되어 있어요. 이 시집에는
1990년대 초중반에 이르러 보편화된 생태적 가치가 싹을 틔우고 있지요.
이 시집에 이르면 화자가 훨씬 개인적인 존재로 드러나지요. 상대적으로
공적인 자아이기보다는 개적인 자아가 자리를 잡게 된다는 뜻입니다. 이
시집에 와 '각자'에 대한 자각이 심화되는 것이지요.

이은규: "쩔쩔매던 마음"이 있었기에 "각자에 대한 자각"이 심화된 것 아닐까요. 그러한가 하면 2000년대에는 2~3년 간격으로 『내 몸에는 달이 살고 있다』, 『길은 당나귀를 타고』, 『책바위』라는 시집들을 간행하셨어요. 이 시기 선생님의 시는 인간의 본성과 자연의 근원적 측면을 주목하고 계신 것 같습니다. 선생님의 생각은 어떠신지요.

이은봉: 이들 시집에 수록된 시를 쓸 때쯤에는 훨씬 더 자유로운 영혼을 지닐 수 있었지요. 이들 시집은 역사와 시대의 압박을 좀 덜 느낄 때 쓴 시들을 수록하고 있다는 뜻이에요. 『내 몸에는 달이 살고 있다』는 정통 생태시를 담고 있다고 생각을 해요. 자연과 인간과 우주가 이루는 상호 관계망으로 시를 포착하고 있다고나 할까요. 이와는 달리 『길은 당나귀를 타고』는 지금까지의 내 삶에서 가장 힘들었던 시절의 정서적 체험을 담고 있어요. 하루하루 고통으로 자지러지던 일들로 하여 벌떡벌떡 쓴 시들이 수록되어 있지요. 『책바위』는 근대가, 자본주의가 만드는 나쁜 정서와, 그것을 극복하기 위한 좋은 정서를 구체적인 형상으로 그려낸 시집이에요. 부정의 정서와 긍정의 정서, 마이너스 정서와 플러스 정서에 대한 성찰을 담고 있는 시집이라고도 할 수 있지요.

이은규: 마지막 강조에서 부정과 긍정의 변증법이 떠오르기도 하는데요. 최근에 한 계간지에서 선생님의 시론 「시, 그리고 기타 여러 것들」을 읽을 수 있었습니다. 광맥, 마음, 택일, 각자, 자세, 도시라는 항목을 통해 독특한 시론을 펼치고 계셨어요. 이 중에서 '각자' 부분이 가장 흥미로웠는데, '각자론'의 출발과 진행과정에 대해 여쭙니다.

이은봉: '각자'는 한참 젊었을 때, 그러니까 1970년대 말 《삶의문학》의

전신인 《창과벽》 동인들과 장난을 치다가 발견한 말, 깨달은 말이에요. 그때 친구들 중의 누군가 이러한 농담을 했어요. 전인순 시인이 아닌가 싶은데요.

"동인지도 만들고 하니, 이제 우리도 호 하나씩 짓지요?" "호? 그래 각자 호 하나씩 짓지, 뭐!" "그럼 형이 먼저 말해 봐요?" "각자 호 하나씩이라! 으음 나는 뭐 '각자'라고 하지." "에이 장난치지 말고요." "장난치는 것 아니야. 상징성이 많은 말이잖아, 각자라는 말……. 지금의 이 자본주의 사회는 각자 자기가 알아 자기의 삶을 책임지는 개인 중심의 사회잖아." "깨달은 사람, 각자覺者라는 뜻이 아니고요?" "각자覺者는 무슨 놈의 각자覺者? 그럴 수 있으면 좋지만 실은 각자刻字라는 뜻이야. 아니, 각자各自라는 뜻이야. 아니 아니, 각자恪子라는 뜻이야!" "그런데 각자恪子는 또 뭐에요?" "삼가는 아이, 겸손한 사람이라는 뜻이지! 하심下心을 갖고 있어야 성숙한 사람이 되잖아."

이른바 '각자론'은 이러한 농담 끝에 태어났어요. '각자론'의 출발할 무렵의 에피소드도 대강 이러한 정도에요. 조선조 후기에 이르면 성장한 개인의식을 지닌 몰락한 사대부들 사이에 자호를 이용해 자신의 처지를 희화하거나 풍자하는 일이 종종 있었어요. '각자론'의 출발도 그렇게 이루어진 셈이지요. 일종의 근대성을 표현한 것이라고도 할 수 있는데, 실제로는 자본주의와 근대, 그리고 그에 쉽게 부화뇌동하는 나 자신을 희화하고 싶었던 것이지요. 대부분 비평가들은 그러한 복선에 대해 잘 모르더군요. 그런데 《유심》 2001년 11/12월호의 특집 평론 「각자各自 刻字 覺者의 시학」에서 김수이 선생이 꼭 집어 잘 설명하고 있더군요. 아주 재미있으니 꼭 읽어보세요.

이은규: 네. 꼭 읽어볼게요. 마지막 돌발 질문입니다. 만약 시간여행을 통해 작고문인을 만나게 된다면 어느 시인에게 어떤 질문을 드리고 싶으

신가요?

이은봉: 나는 내 시가 백석의 시와 좀 닮지 않았나 하고 생각할 때가 있어요. 인간적인 기질의 면에서도 좀 그러한 것 같고요. 백석 시인을 만나면 이렇게 말하고 싶어요. "백 선생님! 색色은 알았지만 공空은 몰랐던 것 아니에요? 선생님이 이북에 남은 것은 그래서이지요?" 이러한 질문은 사실 제8시집 『첫눈 아침』에 수록되어 있는 시 「백석론」에 이미 다 나와 있어요. 불교에 아주 관심이 많았던 것이 백석이지요. 그래도 불이不二의 개념은 미처 터득하지도 실천하지도 못한 것 같아요.

이은규: 백석 시인이 그 질문을 어떻게 받아들이실지 궁금해지네요. 다시 시 이야기로 돌아갈게요. 작년에 제 8시집 『첫눈 아침』을 간행하셨습니다. 얼마 전에 임지연 평론가의 평론 「'무엇을 할 수 있는가' 와 '무엇을 할 수 없는가' 라는 시적 질문」을 읽었습니다. 저는 선생님의 이번 시집과 관련된 글 중에서 가장 충일한 평이라는 생각이 들었는데요. '시간' 이라는 키워드를 통해 글을 전개하고 계신데, 어떻게 읽으셨는지 궁금합니다.

이은봉: 내가 근본적으로 유토피아를 지향하기보다는 파라다이스를 지향한다는 임지연 선생의 생각에 동의를 해요. 유토피아가 미래의 시간이라면 파라다이스는 과거의 시간이거든요. 나는 인간의 미래를 별로 긍정적으로 생각하지 않아요. 인류는 결국 자신의 욕망 때문에 파멸하고 말거예요. 그래요. 시간이 문제이지요. 과거를 더 많이 간직하는 것이 더 좋은 미래를 만드는 일이 아닌가요.

이은규: 네. 시간에 대한 고민은 언표 그대로 끝나지 않을 고민이지요.

이번 절기, 한 잡지에서 선생님의 「혼자 있는 시간을 갖지 못했다」라는 시를 읽었어요. 저는 "비밀 한 줄 쓰지 못했다"라는 구절이 와 닿았습니다. 선생님의 다음 시집에는 어떤 비밀들이 담겨 있을지 궁금한데요. 다음 시집 구상에 대해 한 말씀 부탁드립니다.

이은봉: 어떤 광맥에서 캐낸 시들을 묶어 먼저 시집으로 낼까요? 한참 생각을 해봐야겠네요. 요즈음 가장 심혈을 기울이고 있는 내 시의 광맥은 앞서 이야기를 나눴던 「막은골 이야기」 연작시에요. '근원적인 것'을 물어보는 시들, 그러니까 과거의 시간이 만들었던 파라다이스를 따져보는 시들이지요. 그와 경향이 좀 다른 자연생태의 서정을 담은 시들을 먼저 묶어 낼까 하는 생각도 하고 있어요. 아니 바람의 이미지를 탐구한 시들을 먼저 묶어낼까 하는 생각도 하고 있고요. 삶과 생활의 노래를 담은 시들을 묶은 시집을 그보다 먼저 낼까 하는 생각도 있고요. '언어'를 화두로 삼은 미발표 시들도 시집 한 권 분량이 되거든요. 하여튼 좀 더 고민해 볼게요.

이은규: 잘 알겠습니다. 선생님, 장시간 좋은 말씀 감사드려요. 늘 건안 건필 하시길 빌며 대담을 마치겠습니다. (《시작》 2011년 겨울호)

'좋은 세상-주의자' 는 온몸으로 말한다

— 대담 ; 이은봉·나민애

나는 누구인가. 사람인가, 짐승인가. 사람이면서도 짐승인가. 짐승이면서도 사람인가. 나는 무엇인가. 정신인가, 물질인가. 정신이면서도 물질인가. 물질이면서도 정신인가.

나는 있는가, 없는가. 있으면서도 없는가. 없으면서도 있는가. 공空인가, 색色인가. 공이면서 색이고, 색이면서 공인가. 나는 하나인가, 둘인가. 하나이면서 둘이고, 둘이면서 하나인가.

　　　　　—이은봉, 「시 ; 자유, 비애, 사랑, 그리고 기타」 중에서

● 몸으로 연구하다

나민애: 오늘은 어느 때보다도 바쁜 나날을 보내고 있는 이은봉 시인을 모셨습니다. 선생님, 안녕하셨어요. 최근에도 여러 가지 일이 많으셨죠? 각종 회의도 그렇지만, 한국작가회의 사무총장직을 새로 선출된 공광규

시인께 넘기고, 인터뷰 직전에는 몇몇 문인들과 중국 계림 여행을 다녀온 것으로 알고 있는데요. 우선은 지난 1년의 시간에 대해 듣고 싶어요.

지난 1년간 재직하는 학교에서는 연구년이었죠. 선생님께서 연구년이었던 작년에 작가회의 사무총장직을 '몸으로 연구한다'고 표현했던 기억이 납니다. 사실 이 몸으로의 연구(?)가 심신 양면으로 힘들고 고단했을 거라 짐작합니다. 선생님 개인적으로는 이 시간이 어떤 1년이었다고 정리할 수 있을까요.

이은봉: 저 자신의 문학에 대한 애정이 큰 문인들은 대개 한국작가회의 등 문인단체의 소임을 맡지 않으려고 하지요. 나도 나 스스로 한국작가회의 사무총장이라는 직책을 맡으려고 한 것은 아니었어요. 한국작가회의의 소임이라면 이미 나도 2010년 2월 정기총회부터 부이사장이라는 직책을 맡고 있었거든요.

2010년 2월의 정기총회에서는 김남일 소설가가 한국작가회의의 사무총장으로 선출되기도 했어요. 그런데 막 업무를 집행하던 김남일 소설가가 그해 5월 갑자기 위암수술을 하게 되었어요. 당연히 업무를 계속할 수 없게 되었죠. 병세가 빨리 호전되지 않아 김남일 사무총장은 다음해인 2011년 1월까지도 업무에 복귀하지 못했어요. 한국작가회의 업무가 원활하게 돌아가지 않자 당연히 회원들 사이에 말이 많았지요. 사무총장을 다시 뽑아야 한다고요.

그 참에 이시영 자문위원, 도종환 부이사장, 김사인 이사, 정우영 이사 등이 나서서 마침 연구년이고 하니 1년만 봉사를 하라고 강권해 어쩔 수 없이 내가 책임을 맡게 된 것이죠. 이시영, 도종환, 김사인, 정우영 등 내가 가장 존경하고 신뢰하는 분들의 말을 거역할 수 없었던 거지요. 살다 보면 어쩔 수 없이 행하는 일들도 많잖아요. 그래요. 사무총장 직을 맡기로 결심을 하는 이삼일 사이에 그동안 세워두었던 연구년 프로그램이 홀쩍 날아가 버렸지요.

사무총장으로 일하는 동안 여기저기서 참 많은 것을 배웠어요. 한국작가회의라는 크고 품위 있는 문인단체가 어떻게 운영되는가에 대해서만이 아니라 정부의 문예정책이 어떻게 결정되는가에 대해서도 배웠지요. 그리고 문화예술위원회라든지, 기타 여러 문화재단 등에 대해서도 좀 알게 되었고요. 문학 혹은 문화의 배후에 대해 공부를 좀 한 셈이지요. 배우지 못 할 것이 어디 있겠어요. 힘들고 고단했지만 나 개인적으로는 새로운 세계를 배우고 경험했던 1년이었지요. 한국작가회의가 지니고 있는 진보적 가치만큼은 진보적 가치를 재확인할 수도 있었고요.

나민애: 사실 선생님께서 한국작가회의 총회를 끝내고 푹 주무시거나 쉬실 줄 알았어요. 그런데 다시 바쁘게 중국 계림으로 여행을 다녀오셨지요? 선생님께서는 언제나 활동적이고 열정적이어서 보는 입장에서는 늘 감탄을 하게 됩니다. 제가 생각하기에 아마도 이번 여행은 재충전의 시간이라는 의미 외에, 지난 시간을 정리하고 새로운 시기를 준비하는 다짐의 여행이 아니었나 생각됩니다. 이번 여행은 어떠셨나요? 선생님께서 느끼고 얻으신 점을 듣고 싶습니다.

이은봉: 이번 중국 계림 여행은 서둘러 한국작가회의를 잊기 위한, 아니 한국작가회의 사무실을 잊기 위한 것이었어요. 매일 아침 한국작가회의 사무실로 출근을 했는데, 갑자기 이 일을 그만 두게 되면 습관화되어 있던 몸이 좀 어색해질 것 같아서요. 물론 우스갯소리에요. 한국작가회의에 대한 과도한 애정이랄까, 미련이랄까, 뭐 그 비슷한 것을 좀 털어내고 싶었어요. 시인으로, 문인으로 활동을 시작한 이래 한국작가회의가 늘 마음속에 자리 잡고 있었기 때문이지요. 1984년 재창립할 때부터 줄곧 한국작가회의에 참여해왔거든요.

날씨가 좀 춥기는 했지만 여행 자체는 아주 좋았어요. 계림은 중국에서 산수가 가장 수려한 곳으로 알려져 있잖아요. 직접 가서 보니 계림산수 갑천하桂林山水 甲天下라는 말이 실감나더군요. 그런데 이처럼 수려한 산수도 계속 보고 경험하니까 금방 익숙해지더군요. 언제나 군계群鷄 중의 일학一鶴이 돋보이고 아름다운 것이지요. 학鶴 중의 학鶴한테서는 감흥이 계속되기 어렵지요. 모든 새로움은 제 안에 낡음을, 모든 신선함은 제 속에 지루함을 거느리고 있기 마련이지요.

중국 계림의 산수에서 호연지기, 통 큰 마음을 배운 것은 사실이에요. 자잘하거나 찌질하지 않게 살려고 하는 것, 사사건건 따져 가며 일희일비一喜一悲하지 않으며 살려고 하는 것 말이에요. 훌훌 털어버리는 마음을 배웠다고 해도 좋고요.

한국작가회의 사무총장을 맡는 동안 이런저런 일에 연루되어 마음고생도 좀 했습니다. 특히 실천문학사의 조사위원, 이사로 참여하게 되어 많이 힘들었습니다. 무슨 이러한 나쁜 운명이 있는가 싶어 탄식을 한 적도 적잖았습니다. 앞으로도 한참 더 탄식을 해야 할 것 같아 괴롭습니다. 나와는 다른 많은 사람들에 대해 공부하는 중이라고 생각해도 고통은 쉽게 가시지 않네요.

● 돌과 바람의 여자

나민애: 우연한 여행이 아니라 '비움'을 위해 기획된 여행이었군요. 선생님께서는 늘 다정하게 웃는 얼굴로 주변 분들을 맞아주시죠. 지난 1년 역시 다르지 않았는데 선생님의 웃는 얼굴 뒤에는 심적인 고충들이 숨겨져 있었네요. 그걸 몰랐다는 사실이 작가회의 회원으로서, 아, 사뭇 반성하게 됩니다.

여행은 아니었지만, 선생님의 다음 카페에서 본 '강정평화걷기 릴레이' 사진이 떠오릅니다. 선생님의 다음 카페(〈돌과 바람의 시〉)는 회원수 729명이고요, 저는 그 729명 중의 한 사람 자격으로 종종 방문하고는 하는데요. (웃음) 카페에 스크랩된 기사에 따르면 선생님께서는 이번 1월달에 강정마을에 희망 메시지를 전달하는 걷기 행사에 참여했더군요. 사진을 보고 개인적으로는 걱정이 되었어요. 선생님께서는 당뇨가 있잖아요. 평소에도 과로가 염려되는데 오랜 걷기가 무리되지는 않으셨나요? 「강정의 아침」이라는 선생님의 작품을 읽었지만 실제 강정마을 행사 이야기를 독자들에게도 들려주시겠어요?

이은봉: '강정평화걷기 릴레이'에 대해 지금 와서 따로 설명할 필요가 있을까요. 그래도 독자들을 위해 몇 마디만 하지요. 강정은 제주도 서귀포 근처에 있는 자연부락인데요, 이곳에 해군기지를 만든다고 해서 제주도민들과 함께 한국작가회의 회원들이 반대운동에 나선 것이지요. 해군기지반대운동의 일환으로 임진각에서 제주도 강정까지 국토순례대행진을 강행한 것이 '강정평화걷기 릴레이'라는 것입니다. 내가 한국작가회의 사무총장으로 일하던 2011년 12월 26일에 출발을 해 25박 26일 동안 걸었지요. 〈여성과 인권위원회〉 조정 위원장이 기획을 하고 한국작가회의 사무국이 뒷받침을 해 소속회원 520여명이 참여한 대장정이었지요.

12월 26일 눈이 하얗게 쌓인 임진각에서 선언문을 낭독하는 등 간략한 출발형식을 갖고 제주도 강정을 향해 걷기 시작했는데, 걷는 일 자체로 장관이었어요. 나는 모두 세 차례 참가를 했어요. 처음 임진각에서 출발을 할 때, 그리고 연기휴게소에서 대평휴게소까지 걸을 때, 그러니까 세종시 구간을 걸을 때, 마지막으로 제주도 강정마을로 들어갈 때가 그것이지요. 특히 눈보라를 맞으며 연기를 지나고, 금강을 지나고, 대평에 이를 때의 풍광이 가장 인상에 남아 있습니다. 이 구간에 저의 고향마을인 '막은골'이 있거든요. 마구 파헤쳐져 있는 이 세종시 구간을 걸을 때는 눈보라가 몰아치는 폐허 속을 걷는 기분이었습니다. 파괴된 구럼비 바위 위를 걷는 기분 말이에요. 물론 제주도 강정마을이 내 고향마을 '막은골'처럼 되기를 바라지 않는 마음도 있었지요. 물론 제주도의 중문에서 강정까지 걸을 때가 기분은 좋았지요. 들뜬 철부지 소년의 기분이 들었다고 하면 안 되겠지요. 이때는 소설가 현기영, 조정래, 공지영 선생, 시인 도종환 선생도 함께 참가했지요.

물론 제주도에 건설 중인 해군기지에 대해서는 사람들의 의견이 분분하지요. 애국주의 시각에서는 제주도의 해군기지가 꼭 필요하다고 주장하는 사람도 많아요. 우리나라의 기상이 태평양으로 뻗어나가려면 제주도의 해군기지가 꼭 있어야 한다는 것이지요. 이는 대양해군 전략의 일환이지요. 하지만 이러한 견해는 제주도의 해군기지로 하여 제주도 전체가 불바다가 될 수 있다는 것을 고려하지 않은 것이지요. 미래의 어느 날 미국과 중국 사이에 불화가 심화되어 국지전이라도 일어난다면 제주도의 해군기지가 공격의 대상이 될 것은 뻔하잖아요. 제2의 청일전쟁, 러일전쟁이 일어나는 셈인데, 더는 우리나라를 강대국의 전쟁터로 빌려주어서는 안 되잖아요. 특히 제주도가 지난 시대의 4·3 때처럼 다시금 초토화되어서는 안 되잖아요. 그러고 보면 '강정평화걷기 릴레이'는 평화운동이었지요.

나민애: 카페 이야기가 나왔으니 여쭤보겠습니다. 항상 카페 메인 화면을 볼 때마다 드는 뜬금없는 질문입니다. 왜 카페 이름이 '돌과 바람의 시'인가요? 선생님께서는 내륙 평야 지대, 충남 공주에서 자라셨잖아요. 그렇다면 이 '돌과 바람'은 어떤 시련에 대한 상징적인 의미를 표현한 건가요?

이은봉 : 돌과 바람이라고 하면 흔히 삼다도라고 불리는 제주도가 생

각날지도 모르겠네요. '돌과 바람과 여자'의 시라고 하면 더욱 그렇겠고
요. (웃음) 사실 내 시에 그러한 면이 없지 않아요. 돌과 바람과 여자가
내 시의 주요 소재를 이루고 있다는 얘기에요. (웃음) 내가 제주도를 깊
이 사랑하는 것은 사실이에요. 2012년에는 무려 4번이나 제주도를 방문
을 했어요.

　하지만 그러한 뜻에서 카페의 이름을 정한 것은 아니에요. 돌과 바람은
흙과 공기의 구체적인 형상물이잖아요. 돌이 부서지면 흙이 되고, 바람이
자면 공기가 되거든요. 물, 불, 공기, 흙이라는 4원소, 가스통 바쉴라르가
말하는 4원소 중의 두 원소가 돌과 바람이라는 것이지요. 따라서 돌과 바
람이라는 말은 물과 불을 포함한 존재의 근원을 구체화한 이미지라고도
할 수 있어요. 이 카페를 만들던 2000년대 초, 내가 생태환경에 대한 관
심과 더불어 돌과 바람 등 존재의 근원에 대한 질문에 깊이 빠져 있었어
요. 생태환경에 대한 관심이 존재의 근원인 물, 불, 공기, 흙에 대한 관심
을 낳게 했던 것이지요. 한때는 이것들이 제자리에 제대로 있도록 하는
것이 바른 생태환경운동이 아닌가 하는 생각을 많이 했습니다. 그러다 보
니 실제로도 돌과 바람의 이미지를 중심으로 한 시를 많이 썼어요. 돌의
이미지, 나아가 흙의 이미지를 다룬 시들은 이미 대부분 『내 몸에는 달이
살고 있다』등의 시집으로 묶여 있지요. 공기의 이미지, 바람의 이미지를
다룬 시는 아직 시집으로 묶여 있지 않지만요. 바람은 운동성의 상징, 곧
기氣의 물질화된 모습이기도 하지요.

　이번 질문에 대해서는 대강 이러한 정도로 대답을 하지요. 자세한 얘기
는 다른 기회에 더 하기로 하고요.

● 막은골, 좋은 세상의 원형

나민애: 선생님이 강정마을에 서 계신 사진을 보고 저는 강정마을은 또 다른 '막은골' 이라는 생각이 들었거든요. 이제 선생님의 작품에 대한 이 야기로 자리를 옮겨 볼까요. 다들 알겠지만 근자에 선생님께서는 '막은골 이야기' 라는 연작시를 쓰고 계신데요. 저도 선생님과 고향(충남 공주)이 같은지라 '막은골 이야기' 는 제 아재들의 이야기, 또는 어렸을 적에 보았 던 그 키 큰 어른들의 세계여서 매우 흥미롭게 읽고 있습니다.

이 시세계에 관한 언급은 《시작》 인터뷰(2011. 겨울)에서도 밝히신 적 이 있지요. 거기서 선생님께서는 '막은골' 이 자신의 유년이나 고향, 또는 고유명사로서의 어떤 장소만이 아니라 자본주의 사회에서 상실되어 가는 모든 공동체의 상징적 이름이라고 말씀하셨습니다. 모든 공동체로서의 '막은골' 에 주목한 이유는 선생님의 시적 여정과 어떤 필연성을 지니고 있다고 생각됩니다. 이를테면 하나의 '좋은 세상' 이라는 모토가 담겨 있 다고나 할까요. 선생님의 첫 개인 시집(『좋은 세상』, 1986)의 제목 역시 '좋은 세상' 이었지요. 이 '좋은 세상' 에 대한 꿈꾸기는 선생님께 있어 매 우 중요한 시적 주제라 생각하고 있습니다. 시작詩作의 처음부터 지금의 '막은골' 까지 선생님께서 지닌 '좋은 세상' 에 대한 생각과, 그에 기여하 는 시의 의미를 여쭤 보겠습니다.

이은봉: 모든 창조적인 예술이 다 그렇듯이 시도 결핍의 산물이지요. 결핍은 타자를 발견하면서 구체화되는 것이거든요. 타자 중에서도 가장 의미심장하게 다가오는 것은 누구에게나 역사적 현재로서의 이 지구, 이 나라, 이 땅, 이 사회 등이지요. 지구, 나라, 땅, 사회 등을 타자의 영역으 로 삼고 있지만 이것들이 실은 다 나 자신이지요. 나 자신의 결핍이 이것 들의 결핍을 자각하게 하거든요. 지구, 나라, 땅, 사회 등을 배우는 것이 실제로는 나 자신을 배우는 것이라는 얘기에요.

'막은골' 은 내가 태어나고 자란 20여 호 남짓한 시골 마을이에요. 내가 유년의 시기를 살았던 고향의 쬐그만 동네지요. 제2차 경제개발계획이 진행되던 1968년, 1970년 무렵까지만 해도 행복하고 아름다운 마을 공동체가 그대로 살아 있던 곳, 늘 흥성대던 곳이지요. 1980년대 중반 무렵까지만 해도 마을 공동체의 긍정적인 가치가 남아 있었고요.

'막은골'에서 대전 쪽, 남쪽을 바라보고 서면 장남평야 멀리 금강의 둑이 보였고, 더 멀리 계룡산의 지류인 우산봉이 보였지요. 왼편으로는 방축천과 합류해 금강으로 흘러드는 모듬내(濟川)의 둑이 마을을 가로막고 있었고요. 모듬내 건너편으로 들길을 좀 걸어가면 장터이며 연기군 남면의 면소재지인 종촌이 나왔지요. 오른편으로는 높지 않은 산언덕이 거의 11시 방향까지 뻗어 나와 겨울의 차가운 서북풍을 막아주는 마을이 '막은골'이었지요. 말 그대로 '막은골'이었지요.

나민애: 네, 선생님의 묘사만으로도 머리에 소박하고 평화로운 마을이 떠오르네요.

이은봉: 그 막은골이 이제는 세종시의 건설로 다 파괴되어 흔적도 찾아볼 수 없는 곳이 되었지요. 모든 사라지는 것들은 그리움을 남기잖아요. 지금은 어느 누구도 돌아갈 수 없는 곳, 그래서 마음속의 화인火印이 되어버린 곳이 '막은골'이지요. 우리 집터 근처에는 빗물 따위를 가두는 저류지가 들어선다는군요. 세종시를 생태환경이 자연 그대로 살아 있는 꿈의 행복도시를 만든다고 하니까 좀 지켜봐야 하겠지만요. 내가 「신시항행神市航行」라는 시에서 노래한 정말 명품 행복도시가 될는지도 모르지요.

자본주의 경제체제는 개발과 건설을 바탕으로 생존하게 마련이지요. 개발과 건설이 없이는 존재할 수 없는 것이 자본주의 사회예요. 모든 개발과 건설은 자연의 파괴를 통해 이루어집니다. 그런데 이 개발과 건설이라는 것은 자연의 파괴만이 아니라 마을의 파괴를 동반합니다. 자연의 파괴도 문제지만 실질적으로 정작 중요한 문제는 마을의 파괴, 좀 더 자세히 말하면 마을공동체의 파괴라고 생각합니다. 지금 우리가 문화라고 하는 것, 윤리라고 하는 것, 도덕이라고 하는 것, 철학이라고 하는 것 등이 실제로는 다 마을공동체를 기반으로 해 출현했다는 것을 잊어서는 안 돼요. 동양의 것이든 서양의 것이든 마을공동체를 기반으로 하기는 다 마찬가지에요. 인간의 바람직한 가치와 관련된 모든 것이 다 마을문화의 산물이라는 것을 기억해야 해요. 예의는 물론 에티켓이라는 것도, 인간의 품위며 품격이라고 하는 것도 다 자본주의 이전, 산업화 이전의 마을공동체에서 체계화되고 규범화된 것들이라는 점을 유의해야 한다는 것이에요.

나민애: '막은골'이 '막은골'만의 문제가 아니라는 말씀이시죠?

이은봉: 자연의 파괴, 마을의 파괴가 불러올 세계는 너무 뻔하지요. 그러한 점에서 내가 쓰고 있는 연작시 「막은골 이야기」는 아주 절박한 세계인식을 바탕으로 하고 있어요. 백석의 『사슴』이나 서정주의 『질마재 신화』가 보여주는 세계와는 또 다르지요. 이들 시집은 무자비한 개발과 건설에서 야기되는 끔찍한 세계인식을 동반하고 있지는 않잖아요. '막은골'이 백석의 '여우난골'이나 서정주의 '질마재'를 염두에 두고 있는 것은 사실이지만요. 백석의 '여우난골'과 서정주의 '질마재'도 무의식한 가운데 근대 혹은 산업화, 곧 자본주의에 대한 공포를 바탕으로 하고 있는 것은 사실이지요.

마을공동체가 살아 있던 지난 어느 한때의 '막은골'은 마음 속에서 '좋은 세상'의 원형이라고도 할 수 있겠지요. 역사적 현재로서의 지구, 나라, 땅, 사회 등에 대한 관심과 사랑은 '좋은 세상'에 대한 꿈이 없이는 생기지 않아요.

자본주의 사회가 더욱 심화되면 상호부조, 상호협력, 상호양육 등 마을

공동체의 모든 생명적 가치는 끝내 소멸되고 말겠지요. 인간의 삶이 점차 개별화되고 파편화되면서 모든 주체가 공동체적 가치를 상실하고 말 테니까요. 모든 '근대'가 문제투성이지요. 도무지 희망이 없는 게 '근대' 자체이잖아요.

좀 더 '좋은 세상'을 만들려면 어떻게 해서든 근대의 밖으로 나가야 해요. 물론 근대의 밖은 근대의 앞이기도 하고, 근대의 옆이기도 하고, 근대의 뒤이기도 하겠지만요. 근대의 안에도 근대의 밖은 있겠지요. 시인이라면 누구라도 근대의 밖을 향한 꿈과 의지를 갖고 있어야 하지 않을까요.

그러한 점에서 '막은골'은 개발과 건설 중심의 자본주의 이후에 상실된 공동체의 상징이라고 할 수 있겠지요. 이때의 상실된 공동체도 근대 밖의 한 모습이겠지요. 도시 중심의 자본주의 사회체계가 강화되면서 나타날 수밖에 없는 상실된 공동체의 상징적 이름이라고도 할 수 있다는 것이에요. 이로 미루어 보면 나는 '좋은 세상'의 원형, 곧 이상향을 과거의 낙원, 곧 잃어버린 파라다이스에서 찾고 있는지도 모르겠어요. 일종의 상고주의자尙古主義者라고도 할 수 있지요. 여전히 동아시아적 세계관을 갖고 있는 셈이지요. 원형으로서의 '좋은 세상'은 인간과 인간, 인간과 자연이 공동체적 가치관을 공유하며 상호부조하는 공간이 아니겠어요.

● '각자'가 꿈꾸는 공동체

나민애 : 선생님께 있어 과거는 어디까지나 현재적 과거이고, 현재는 어디까지나 과거적 현재로 이어져 있다는 말씀이군요. 그렇다면 '막은골' 역시 한 시인의 과거 유년이 아니라, 지금 현재 진행형인 시대와 시의 몫의 일부를 표상한 것이라고 이해할 수 있겠습니다. 특히 근대의 안에서 근대의 밖을 꿈꾸는 의지를 말씀하신 대목을 매우 감명 깊게 들었습니다.

말씀을 해준 부분이 시세계의 지향성에 대한 것이었다면 이제 방향을 바꾸어 선생님 내면의 창작 원동력이 무엇인지 여쭤보겠습니다. 예전에 선생님께서는 '각자'에 대한 이야기를 시론집 『화두 또는 호기심』에 실으신 적이 있고, 그와 관련하여 김수이 선생님은 「각자各自 刻字 覺者의 시학」(《유심》, 2011. 11/12월호)이라는 글을 통해 주목하신 바 있어요. 저는 이 '각자'라는 문제가 아직도 상당히 흥미롭습니다. 선생님께서는 혼란스러운 한 사람의 내면에 살고 있는 제각각의 '각자各自' ─ 곧 사람, 짐승, 공, 색, 아버지, 아들, 남편, 학자, 시인 등등이 공존한다고 인정하셨어요. 그런데 일반적으로 이 각자들의 혼란과 혼합은 상당히 조율하기 힘듭니다. 선생님께서 그 혼합을 개인적으로나 시적으로 인정하고 다루는 방식을 들을 수 있을까요.

이은봉: 모든 언어는 본래 여러 개의 의미를 거느리기 마련이지요. 국어사전에 수록되어 있는 말에서도 알 수 있듯이 하나의 기표가 하나의 기의를 거느리는 경우는 거의 없지요. '각자'라는 기표도 마찬가지에요. '각자'라는 기표에 대해서는 그동안 여러 지면에서 말한 적이 있지요. 그래서 부연해 말하기가 좀 쑥스러운데, 일단 표의문자인 한자로 표현하면 各自, 刻字, 覺者, 恪子 등의 내포를 갖는 것이 '각자'라는 기표이지요. 그 중에서도 오늘의 이 시대와 관련해 주목이 되는 것은 각각 각各 자字에 스스로 자自 자字를 쓰는 각자各自'입니다. 오늘의 이 사회, 자본주의 사회가 개별자로서의 각자各自를 전제로 전개되고 있기 때문이지요. 개별자로서의 '각자各自', 그 일자─者가 우리가 꿈꾸는 공동체의 주체라는 것이지요. '각자各自'라는 일자─者를 흔히 '나'라고, '자아'라고 말하잖아요. 이 '나'라고, '자아'라고 하는 존재도 실제로는 일자─者가 아니지요. '나'라고 하는 자아가 일자─者로 존재하는 경우는 거의 없지요. '나', '자아'라고 하는 존재가 본래 타자와의 관계 속에서 생성되기 때문이지

요. 관계와 역할에 따라 "사람, 짐승, 공, 색, 아버지, 아들, 남편, 학자, 시인" 등등으로 바뀌고 변하며 존재하는 것이 '나'라는, '자아'라는 것이에요.

욕망으로서의 '나'를 생각하면 '나'는 좀 더 복잡해지지요. 누구에게나 '나' 속에 너무 많은 '나'가 살고 있잖아요. 그때그때의 욕망에 따라 혹은 의지에 따라 무수하게 얼굴을 바꾸는 것이 '나'이지요. 상황과 관계에 따라 끊임없이 변화하고 변모하는 것이 '나'라는 것이에요. 그래서 부처님이 『아함경』에서 無自性(무자성), 無自己(무자기)라고 하는 것이겠지요. 無自性(무자성)이라는 말은 변하지 않는 '나'라고 하는 특성, 곧 자성이라는 것이 없다는 것이지요. 無自己(무자기)라는 말은 自己(자기), 곧 자아, '나'라고 하는 것이 없다는 것이고요. 이때의 자기와 타자의 관계를 잘 이해하고 숙지할 필요가 있어요.

이들의 관계를 주체와 객체라는 기표로 바꾸어 받아들여도 마찬가지에요. 우선 주체라는 기표부터 주목해볼까요? 언제나 분열되는 가운데 다극적多極的으로 존재하는 것이 주체이지요. 그렇다고 해서 '나'라고 하는 존재가 '자아', 곧 주체라는 존재가 존재하지 않는 것은 아니지요. 無自性(무자성), 無自己(무자기)의 시각으로 말하면 있으면서 없는 것이 '나', 곧 '자아'라는 것이지요. 이를테면 하나이면서 둘로, 一而二(일이이)로, 一卽多(일측다)로 존재하는 것이 '나', 곧 '자아'라는 얘기지요. 실제로는 모든 세계가, 모든 존재가 다 그래요. 물론 시세계도, 시라는 존재도 다를 것이 없지요. 복합적이고 다극적이라는 것이에요. '동일성의 시학'에서 말하는 시에서의 합일도 실제로는 하나이면서 둘이라는 것을 잊어서는 안 돼요. 김준오 선생이 말하는 동화나 투사도 다를 바 없지요. 본래 주체와 객체, 자아와 세계가 不一而不二(불일이불이)의 관계로, 곧 不二(불이)의 관계로 존재하잖아요. 物心一如(물심일여)라고 할 때의 一如(일여)가 실제로는 不二(불이)라는 것이지요. 모든 사람이 이러한 존재의 원리를 체화하고 있어야 민주주의 사회, 성숙한 사회도 가능해지지 않을까요.

나민애: 지금까지 말씀을 들어보면 선생님께서는 단일한 사상이 아닌 전통적인 여러 사상들과 개념들에 대해 다양한 섭렵을 보여주고 계세요. 이 복합성이야말로 선생님의 '각자론'을 긍정할 수 있는 맥락이 아닐까요. 그리고 개인적으로도 선생님은 여러 가지 복합적인 매력을 한데 지닌 분이라고 생각합니다. 어떤 때는 매우 곱고 여린 감성의 소유자이고, 어느 때는 반대로 열정적이고 추진력 있는 활동가에요. 또 어느 때는 당대의 사회에 대한 첨예한 비판가이기도 하고, 또 어느 때는 고전적인 사유자이기도 합니다. 이렇게 밖에서 파악하는 선생님과, 선생님 스스로 생각하는 자아의 상은 어느 정도 일치할까요. 선생님께서는 스스로를 어떤 기질의 사람이라고 생각하시나요?

이은봉: 어떤 기질의 사람이라? 생각해보니 나민애 선생이 질문을 통해 말한 이런저런 특징을 다 지니고 있는 듯싶네요. 그때그때의 상황이나 조건과 관계하면서 그때그때의 진실과 정의를 추구하는 것이 '나'라고나 할까요. 하여튼 제가 상대적으로 여성적이고 모성적인 자아를 많이 갖고 있는 것은 사실이에요. 실제로도 내가 남자보다는 여자를 더 좋아하거든요. (웃음) 내 시집 중에 『내 몸에는 달이 살고 있다』라는 것이 있거든요. 이때의 달이 여성을 가리킨다는 것은 잘 알겠지요.

본래 나는 균형과 조화, 중도에 민감한 사람이에요. 그런데 내가 보기에는 세상 전체가 균형과 조화, 중도를 잃고 있거든요. 세상 전체의 균형과 조화, 중도를 회복하려고 애를 쓰다 보니 왜곡된 시각으로 볼 때 내가 다소 과격해 보이는 것이겠지요. 나는 균형과 조화, 중도를 회복하려고 애를 쓰는 것 자체가 만물의 보편적인 법칙, 나아가 역사의 법칙이라고 믿는 사람이에요. 언제나 균형과 조화, 중도를 향해 흘러가는 것이 역사라고 믿는 것이지요. 내게 열정적이고 추진력 있는 활동가의 모습이 보인 다면 조금은 용감하게 역사의 이러한 방향을 따르려는 것 때문이지 않나 싶네요.

나한테서 고전적인 사유의 장이 보인다면 아마도 내가 법고창신法古創 新, 온고지신溫故知新의 정신을 좋아하기 때문이겠지요. 이 세상에서 나보 다 앞서 산 사람들의 지혜와 진실은 그 자체로 흥미롭잖아요. 더구나 그 들이 남긴 전적典籍은 더욱 그렇고요. 젊었을 때 무엇을 잘 모르면서 사서 오경이나 『노자』 등을 읽었는데, 그것이 시를 쓰는데 좀 도움이 되는 듯 도 싶고요. 청소년 시절을 아무런 상처나 절망도 겪지 않고 보냈으면 아 마도 지금쯤 고전을 연구하는 진짜(?) 학자가 되어 있을 수도 있겠지요. 고등학교 때는 조건과 환경이 허락된다면 고전을 연구하는 학자가 되고 싶었거든요. 돌이켜보면 시를 쓰는 것이 잘 한 것이지만요. 이렇게 얘기 하다 보니 내가 '복합적인' 자아를 지니고 있다고도 할 수 있겠네요. 그 런데 '복합적인' 자아를 지니고 살아가는 것이 근대 이후를 살아가는 모 든 사람들의 보편적인 특징이 아닌가요.

● 리얼리티가 있는 모더니티, 모더니티가 있는 리얼리티

나민애: 그 복합적인 자아 중에서도 사실 저는 선생님을 떠올리면, 부 드러운 외면 아래 믿음과 신념을 세우고 지키는 현대적인 선비상의 기운 을 자꾸만 느끼게 됩니다. 다른 인터뷰에서 선생님께서는 영향을 받은 시 인들에 대해 말씀해 주신 것을 읽은 적이 있습니다만, 이번에는 영향을 받은 사상에 대해 여쭙고 싶습니다. 선생님께서 후배 문인들에게 유교적 사상의 전통이나 불교의 세계, 전통적 문사와 고전적 지식에 대해 깊이 있는 말씀을 종종 들려주시죠. 사실 이 부분은 공부 없이는 알 수 없는

점 아닙니까. 선생님의 시론(「그윽하고 오묘한 세계」, 『화두 또는 호기심』)을 보면 『노자』 번역을 하신 얘기도 담겨 있습니다. 어떤 계기로 이 고전적 사상들에 대한 공부를 하게 되었는지, 신생님께 고전의 의미란 무엇인지 듣고 싶습니다.

이은봉: 내가 타자에 대해 맨 처음 고민을 하고, 나를 포함한 타자의 질서나 원리에 대해 생각하기 시작한 것은 고등학교에 막 들어갔을 때인 듯합니다. 물론 타자에 대한 사유는 나에 대한 사유이기도 하지요. 고등학교는 공주를 떠나 대전에서 다녔는데, 그때 한 인척의 소개로 'YKA'라고도 부르는 '아카데미'라는 동아리에 들게 되었습니다. '아카데미'는 인재를 기르자는 홍사단興士團의 청소년 조직이지요. 흔히 홍사단 아카데미라고 부르지요. 도산 안창호 선생이 일제강점기에 미주에서 결성한 애국운동 단체가 홍사단인데, 홍사단의 청소년 조직인 아카데미에 나가게 된 것이지요. 이것이 내게는 세계를 알고 깨닫는데 큰 계기가 되었지요. 특히 도산 안창호 선생이 인격함양과 관련해 실천의 덕목으로 강조한 홍사단의 4대정신, 곧 무실務實, 역행力行, 충의忠義, 용감勇敢은 내가 가치관, 세계관을 형성하는 데 큰 영향을 받았지요. 삶을 살아오면서 지금까지 정말 늘 무실, 역행, 충의, 용감하려고 했어요.

『노자』도 처음 읽은 것은 홍사단 아카데미 활동을 하면서부터였어요. 내가 고등학교 2학년 때, 그러니까 1970년인 듯싶네요. 지금의 한남대학교 유칠노 교수, 충남대학교 황의동 교수가 충남대 철학과 학생이었던 시절이지요. 이들 선배가 대학생 및 고등학생을 묶어 『노자』를 읽는 스터디 그룹을 만들었어요. 나도 그 모임에 나갔지요. 여름방학이 되자 그럭저럭 모임이 해체되어 그때 『노자』를 완독하지는 못 했어요. 그래도 가장 감수성이 예민했던 고등학교 2학년 때 읽은 『노자』의 각 구절은 가슴에 깊이 각인이 되어 있어요.

물론 『노자』의 〈도가도道可道〉 장章의 진리를 바로 이해하는 데는 시간
이 좀 걸렸지요. 그 뒤에는 1999년 번역을 하면서 대강 일독—讀을 했고
요. 조태일 시인이 돌아가시던 1999년에는 여러 가지 일로 너무 힘들었거
든요. 2000년대에 들어서도 『노자』는 일독을 더 했어요. 『노자』의 〈道可
道〉章에 나오는 유有, 무無의 개념은 『반야심경』에 나오는 공空, 색色의 개
념과 다르지 않은 듯도 싶어요. 불교철학, 특히 선불교에 대한 이해도 고
등학교를 다니는 과정에 자연스럽게 얻을 수 있었어요. 내가 다닌 대전의
보문고등학교는 불교종단에서 운영하는 사학이었거든요. 시인이었던 이
재복 교장 선생님은 대처승이기도 했는데, 태고종의 대종사였지요. 무시
로 대종사님의 설법을 들을 수 있었지요. 불교과목은 동국대학교 승가학
과를 나온 이은정 법사님이 가르치셨는데, 나중에 모교에서 교장 선생님
으로 퇴임을 한 이은정 법사님(덕운 스님)은 고향의 먼 친척 형뻘이기도
했어요. 그러한 이유로 나는 법사님의 특별한 애정을 받았어요. 그러다
보니 잘 알지도 못하면서 고등학교 1, 2학년 때 열심히 불교공부를 했지
요. 대학을 졸업하고 나서야 그때 공부했던 내용을 반추하며 불교에 대한
이해를 새롭게 했지만요.

　기독교사상도 아주 자연스럽게 익혔어요. 미선계 대학인 숭전대, 지금
의 한남대학교에 다닐 때 무려 10학점이나 기독교과목을 이수해야 졸업
을 할 수 있었거든요. 기독교개론 4학점, 구약개론 3학점, 신약개론 3학
점 등을 이수하며 기독교사상을 공부했던 기억이 나네요. 선지자정신, 원
죄의식, 삼위일체설, 실재론과 명분론 등은 대학 1학년 때부터 토론의 대
상이었어요. 1970년대 한남대학교의 교육 시스템은 전국 최고의 수준이
었을 거예요. 특히 이한빈 총장 시절에는 교수진들도 아주 좋았지요. 캠
퍼스의 분위기가 아주 지적이면서도 자유로웠어요. 국문과의 김현승, 박
요순, 소재영, 이봉채, 김대행 교수님, 영문과의 김종철, 윤삼하, 강선구
교수님, 불문과의 이가림 교수님, 교육학과의 연문희 교수님 등이 당시

한남대학교의 교수로 있었어요. 나는 이분들 모두와 가깝게 지냈고, 많은 영향을 받았어요. 이분들 모두가 나를 아주 예뻐하기도 했고요. 스승 복이 아주 많은 학생이었던 셈이지요.

나민애: 지금도 주변 분들은 선생님의 친화력에 치명적인 매력을 느끼고 있습니다. 선생님께서는 대인관계가 넓고 타인의 장점을 최대한 긍정적으로 받아들이시는 것 같아요.

이은봉: 아, 그래요? 나는 늘 남의 의견을, 남의 입장을 존중하려고 할 뿐이에요. 나보다는 남을 중심으로 생각하고 행동하려고 애를 쓸 따름이지요.

아무튼 공주대학교의 조재훈 교수님도 우리 대학에 강의를 나오셨는데, 조재훈 교수님도 나를 아주 예뻐하셨어요. 정말 박식하고 올곧은 분이지요. 특히 영문과의 김종철 교수, 불문과의 이가림 교수, 교육학과의 연문희 교수로부터 많은 영향을 받았어요. 『녹색평론』을 만드는 김종철 선생님은 우리 시대의 정신적 사표라고 해도 과언이 아니지요. 김종철 선생님의 저희들에 대한 관심과 사랑은 정말 특별했어요. 당시에는 나, 유도혁, 박용남, 김영호, 전인순, 윤중호 등이 늘 김종철 선생님의 곁에 늘 붙어 있었지요. 이가림 교수님한테서는 불문학과 관련된 방대한 지식을 배우고 익혔고요. 미국에서 유학을 마치고 막 귀국한 연문희 교수님한테서는 프로이트는 물론 미국의 인본주의 심리학에 대해 배우고 익힐 수 있었지요.

그럼에도 불구하고 내게 가장 큰 감동을 준 것은, 영향을 준 것은 책이지요, 책 중에서도 동양의 고전들이지요. 석사 3학기 때인 1979년 봄 이후 석정石庭 송각헌宋恪憲 선생님을 모시고 동양의 고전들을 읽었는데, 『소학』을 읽을 때 가장 많은 깨달음을 얻은 듯싶네요. 그러한 뒤에 이어

『고문진보』를 읽고 사서오경 등을 읽었지요. 사서오경 중에서는 『논어』가 내 취향에 가장 잘 맞지 않나 싶어요. 아무 구절이나 뽑아 읽어도 많은 생각을 하도록 하는 것이 『논어』이지요.

마르크스라든지 기타 진보적인 사상을 접한 것은 1980년 광주민주화운동 이후에요. 1984년 12월 한국작가회의의 전신인 자유실천문인협의회가 재구성되고 나서 내가 연구조사분과 간사를 맡았었거든요. 요즈음의 직제로는 한국작가회의 민족문학연구소의 소장인 셈인데요. 그때 연구조사분과 부간사를 맡았던 것이 김사인 시인이었는데, 나, 김사인, 이재현, 현준만, 최두석, 이창동, 임우기 등이 이 집 저 집으로 몰려다니며 스터디그룹 형식으로 많은 글을 읽었지요. 특히 로젠타리, 누시노프 등의 리얼리즘에 관한 글, 레닌의 「당문학과 당조직」, 모택동의 「연안문예강화」 등을 읽었던 기억이 나네요. 이 모임에서는 백낙청 선생님의 모든 저술을 꼼꼼하게 찾아 읽고 검토하기도 했지요. 해가 바뀐 뒤에는 김사인 시인이 연구조사분과 간사를 맡았는데, 이 공부모임에 채광석, 황광수, 김명인 등도 합류를 했지요. 1980년대 말 한 때는 강형철, 김형수, 고규태, 백진기 등과 함께 마포의 신수동 어느 출판사 사무실에 모여 마르크스 공부를 한 적도 있어요.

그러고 보니 이러한 형태의 공부모임에 줄곧 참여를 해온 것이 나인 듯도 싶네요. 2002년부터인가요. 지금도 2주일에 한 번씩 돈암동에서 모이는 '일요고전모임'에 참여를 하고 있거든요. 이 '일요고전모임'에서도 배운 것이 참 많아요. 이 '일요고전모임'에는 신달자, 유안진, 윤석산, 박종국, 최동호, 한영옥, 이승하, 맹문재, 이수영, 박미산 시인 등이 참여하고 있지요.

영향을 받은 사상에 대해 얘기를 해달라고 했는데, 엉뚱하게 책을 읽거나 공부를 한 얘기를 했군요. 과거의 지식과 지혜만큼 소중한 것이 어디에 있겠어요. 그러나 정작 중요한 것은 현재와 미래예요. 모더니티에 대한 자각이 없이 리얼리티에 대한 자각은 없지요. 현재와 미래에 대한 자각이 오늘을 사는 진실이나 진리, 곧 리얼리티를 낳는다는 얘기지요. 물론 오늘을 사는 진실이나 진리, 곧 리얼리티에 대한 자각이 현재와 미래에 대한 자각, 곧 모더니티에 대한 자각을 낳기도 하지만요.

● 문학청년으로서의 꿈

나민애: 네, 주간으로 계시는 〈시와시〉 창간사에도 리얼리티가 있는 모더니티, 모더니티가 있는 리얼리티를 강조하셨던 점이 생각나네요. 방금 선생님의 청년기에 대한 이야기를 들었는데, 더 이전으로 거슬러 가서 이은봉 선생님의 개인사에 대해 잠깐 여쭤볼게요. 우선 선생님께서는 어려서부터 몸집도 작고 힘도 약해 잘하는 것이 많지 않았지만 시 쓰는 것만은 잘했다고 쓰신 적이 있습니다. 그러면 어린 어느 시기부터 시의 습작을 시작하신 건가요? 선생님의 문학청년으로서의 꿈은 어떤 계기를 통해 자각하게 되신 건가요?

이은봉: 지금 질문한 내용을 내가 어디서 말한 듯도 한데, 실은 농담반 진담반으로 했던 말이에요. 하여튼 고등학교 1학년 때까지는 키도 작고 몸집도 작았어요. 초등학교 때는 늘 2번이었지요. 유인호라는 친구가 1번이었고요. 그때는 키가 작은 순서로 반의 번호가 정해졌어요.

실제로 처음 시를 써본 것은 초등학교 4학년 때에요. 다른 글에서도 말했듯이 누가 써보라고 말하기 전에 '자기 주도'로 쓴 것이지요. 물론 동시라고 할 수 있겠지요. 「돗자리」라는 제목의 시였는데, 어머니가 시집을 올 때 해온 돗자리가 집에 있었어요. 제사 지낼 때를 제외하고는 이 돗자리가 항상 골방 구석에 세워져 있었지요. 하지만 이렇게 쓴 시로 무슨 상을 받거나 하지는 않았어요. 그럴 수 있는 여건을 갖춘 초등학교를 다닌 것이 아니었거든요. 1960년대 초 내가 다닌 공주군 장기면의 당암초등학교에서는 무슨 글을 쓴다든지 하는 분위기는 상상할 수조차 없었어요. 그러한 정도의 문화적 차원에 전혀 이르지 못했던 것이 당시의 당암초등학교였다는 것이에요.

읍내의 공주중학교에 다닐 때는 학내에 문예반이 있었던 듯한데, 나는 문예반 근처에도 가보지 못했어요. 고향 막은골에서 읍내의 공주중학교로 진학했던 나로서는 문예반에서 활동한다는 것을 꿈도 꾸지 못했어요. 물론 그러한 가운데에도 중학교 3학년 때, 고등학교 3학년 때 교지에 시를 게재하기는 했지요. 고등학교 때도 문예반 활동을 하지는 못했어요. 당시 학내에는 문예반이 없었지 않나 싶네요. 김영찬, 송근배 등의 선배, 서완환 등의 동기가 학생문인으로 유명하기는 했지만요. 나는 그냥 혼자 소설과 시를 즐겨 읽었을 뿐이에요. 특히 손창섭의 소설과 김소월의 시를 좋아했지요. 홍희표 시인이 국어 선생님으로 부임한 뒤인 고등학교 2학년 때의 일이지만, '부처님 오신 날'을 기념해 창작 작품을 모집했는데, 시를 제출해 가작인지, 차하인지 하는 낮은 품계의 상을 받았던 기억이 나기는 합니다.

대전 시내의 고등학교 문예반 연합회인 '판도라'에는 다수 참석을 했던 기억이 나기는 하네요. '돌샘'이라는 대전 시내의 고등학교 문예반 연합회에도 두어 차례 참석하지 않나 싶고요. 그러나 이들 문예반에서 정식으로 활동하지는 않았어요. 문예반보다는 흥사단 아카데미가 훨씬 더 재미있었거든요. 흥사단 아카데미의 친구들이 스케일이나 상상력도 컸고요.

돌이켜 보면 내가 본격적으로 시 비슷한 것을 습작한 것은 재수할 때였던 것 같네요. 《문학사상》(2010년 8월호)에서도 말했듯이 고등학교 때 이미 신구문화사의 한국문학전집, 세계전후문학전집 등과 박종화의 장편 역사소설 『임진왜란』, 『자고 가는 저 구름아』 등을 읽었거든요. 그래도 정작 시창작의 길로 들어선 것은 대학에 들어온 이후부터였어요. 재수를 하고서도 대학입시에 낙방을 해 지방대학에 가기로 했을 때는 시라도 써야 나 자신을 지탱할 수 있었거든요.

나민애: 선생님의 청년기에는 주변 시인들 어느 분과 인연을 맺으셨나요? 대학교 시절 김현승 시인을 만난 이야기를 들은 적이 있는 데요 선배 시인, 선생님 시인 등을 비롯해 선생님의 젊은 시절 인간적 · 문학적 교류에 대해서 궁금합니다.

이은봉: 문학공부를 하기로 작정한 뒤 내가 최초로 만난 시인은 나태주 선생이었어요. 나태주 시인이 누구신지는 나민애 선생이 더 잘 알겠지요. (웃음) 1971년 서울신문 신춘문예로 등단을 한 나태주 시인이 막 첫 시집 『대숲 아래서』를 간행했던 1973년 가을이었어요. 내가 대학 1학년 때 가을이었지요. 대학에 '여명문학회'라는 동아리가 있었는데, 그 동아리의 선배들이 이제 막 시집을 출간한 나태주 선생을 초청한 것이지요. 문학에 대한 소견도 듣고, 시집에 실려 있는 시의 낭송도 들었던 기억이 나네요. 그러한 뒤 나태주 시인과는 따로 편지도 주고받으며 지금까지도 계속 세교를 하고 있지요. 이 무렵에는 박용래 시인도 자주 뵐 수 있었는데요. 박용래 시인은 내가 살던 용두동과 별로 멀지 않은 오류동에서 살았거든요. 다형 김현승 시인을 가까이에서 뵌 것은 내가 대학 2학 때, 그러니까 1974년 봄의 일이었지요. 다형 선생님이 강의를 하던 '시론', '문예사조', '시창작 실기' 등의 과목을 도강하던 기억이 새롭네요. '시론'은 3학년 과목, '문예사조'와 '시창작 실기'는 4학년 과목이었지 않나 싶은데요. 2학년 때 도강을 했다가 들켜 심하게 혼났는데, 심지어는 타이어 슬리퍼로 얻어맞기까지 했어요. 건방지게 2학년이 3학년 강의를 들으러 왔다는 것이지요. 3학년 학생들이 가까운 동춘당으로 학술답사에 갔다가 늦

게 돌아오는 바람에 강의실에서 몸을 가릴 수 없었기 때문이지요. 그날 선생님의 역정은 대단했어요. 내년에 똑같은 과목을 정식으로 들으면 시시해지고 재미없어진다는 것이 다형 김현승 선생님의 말씀이었어요. 하지만 그때 김현승 선생님의 강의를 듣지 못했으면 영영 듣지 못했을 거예요. 1975년 4월 숭실대학교 채플에서 설교를 하다가 쓰러져서는 끝내 일어나지 못했거든요. 선생님이 돌아가던 1975년 봄 선생님의 이름으로 주던 학보사에서 주최하는 제2회 다형문학상 수상자가 나였어요. 1974년 봄의 제1회 수상자는 박만춘 선배였고요. 등록금이 7만 5천 원이던 때였는데, 상금이 5만 원이었어요. 당시 5만원은 꽤 큰돈이었어요. 상금으로 여자 친구의 원피스, 머플러, 속옷 등을 사주었던 기억이 나네요.

나민애: 보통은 상금을 술값으로 다 썼다, 이렇게들 말씀 하시는데 깜짝 놀랐습니다. 그때의 여자 친구 분이 사모님은 아닐 거라 생각됩니다만, 너무 솔직하게 말씀해주셔서 괜찮을까요?

이은봉: 아무 것도 모르고 까불던 철부지 시절의 얘기인데요, 뭐. 그냥 웃고 말겠지요. 아무튼 「귀 기울이고 들어 봐」라는 당시의 내 수상작은 김지하의 시로부터 영향을 받아 쓴 시였어요. 지금 생각하면 좀 부끄러운 일이지요. 실질적인 심사는 이성부 시인이 맡아 했어요. 이성부 시인은 그때의 나를 지금까지도 잘 기억하고 계세요. 그러한 이후 김현승 선생님과 급속히 가까워졌는데, 이소룡이 주인공으로 출현하는 영화를 좋아해 따라갔던 기억이 나네요. 원고를 들고 수색의 선생님 댁에 들려 전기곤로 위에 주전자를 올려놓고 끓여주는 커피를 마시던 기억도 나고요. 그럴 무렵에 이가림 선생님도, 윤삼하 선생님도 처음 뵈었지요. 물론 정작 이분 선생님들께 좀 더 많은 것을 배운 것은 방위병으로 군역을 마친 1976년 가을 이후부터이지만요. 이가림 선생님, 김종철 선생님을 따라 대전 신도

극장 근처의 젓갈 백반집으로 저녁을 먹으러 갔던 기억이 나네요. 그러한 자리에서도 듣고 배우는 것도 큰 공부였지요.

1975년 4월 김현승 선생님이 돌아가신 후 1977년쯤부터인가 시 강의를 공주대학교의 조재훈 선생님이 맡아 했어요. 선생님은 강의를 마친 뒤 곧장 공주로 가지 않고 따로 나를 불러 시내의 찻집에서 시 얘기를 하며 시간을 보내고는 했어요. 그러한 자리에서 배운 것도 굉장했지요. 이들 선생님들로부터 사랑을 받았던 것은 나만이 아니었어요. 1980년대에 들어 『삶의문학』 동인이라는 이름으로 모인 친구들이 다 이들 선생님으로부터 주목을 받았지요. 그때의 『삶의문학』 동인 중에는 나, 이재무, 임우기 정도가 지금까지 글을 쓰고 있지만요. 물론 『삶의문학』 동인으로 활동하던 시절은 1983년 이후의 일이지요. 『창과벽』의 발전적 형태인 『삶의문학』 에 대해서는 이미 여러 글에서 자세히 말한 적이 있으니 여기서는 생략하기로 하지요.

● 시에는 시인의 정신차원이 담기게 마련

나민애: 선생님 작품에는 '연애'의 감정을 담은 작품을 찾아보기 힘들어요. 인생에서 연애의 시기가 분명 있었을 텐데 선생님께서 굳이 배제하시는 것인지, 아니면 덜 중요하다고 생각하시는 건지……, 선생님의 인생에서 '연애'에의 기억과 사건은 어떤 의미를 지니고 있나요?

이은봉: 그렇지 않아요. 발표는 했지만 시집에 넣지 않은 연애시, 사랑시가 시집 한 권 정도는 될 듯싶어요. 언젠가는 연애시, 사랑시를 모은 시집을 한 권 간행할 거예요. 그동안 간행한 시집 8권에도 매 번 한 두 편씩은 연애시, 사랑시를 넣었어요. 겉으로 표가 나지 않았다면 참 다행이네

요. 연애시, 사랑시와 관련해 내가 시도한 위장과 장식, 수사가 성공한 셈이니까요. 물론 사랑시의 대상이 아내인 경우도 있기는 해요. 이 또한 위장과 장식, 수사를 바탕으로 하고 있기는 하지만요. 내게 연애시가 왜 없겠어요. 비밀을 폭로하는 것인데, 내 인생에서 '연애'는 언제나 진행형이었어요. 그것은 혼전이나 혼후나 마찬가지이고요. 더러는 휴지기가 있었지만요. 다만 시끄럽거나 요란하지 않았을 뿐이에요. 시끄럽고 요란해야 사람들이 고개를 돌려 쳐다보잖아요. 하지만 사랑이나 연애는 좀 은밀해야 하지 않나요. 아무튼 감정으로서의 연애는 그친 적이 별로 없어요. 누군가를, 무언가를 사랑하지 않고 어떻게 이 메마른 사막의 세상을 건널 수 있겠어요, 그리고 어떻게 계속해 시를 쓸 수 있겠어요. 으음, 사랑이나 연애에 관한 세세한 얘기는 나중에 시집으로 말하기로 하지요.

나민애: 감정으로서의 연애는 그친 적이 별로 없다는 말씀은 오래 기억에 남을 것 같습니다. 시인은 늘 사랑에 용감하고 성실한 것 같아요. 연애와 결혼은 또 다른데, 시인의 아내에 대해 궁금해 하는 사람들이 많습니다. 대개 문학인들은 많은 사람들과 만나고 늦은 시간까지 술 한 잔 걸치는 일도 잦잖아요. 시인과 결혼해 사는 일을 사모님께서 그러한 일들로 힘들어하지는 않으셨나요? 우리에게 문학인으로서의 선생님 모습은 익숙하게 알려져 있는데, 가정에서는 어떤 아버지, 어떤 남편이신가요?

이은봉: 대부분의 시인들이 대책 없이, 자연 그대로, 욕망에 쫓기면서 살아가지요. 내게도 그러한 면이 아주 없지는 않겠지요. 안 그렇게 살려고 애를 쓰기는 하지만요. 나는 문인들이 비정상적인 행태, 상식적이고 뻔한 파격, 작위적인 기행, 위악적인 포오즈 등을 아주 싫어해요. 연출된 파행 말이에요. 나는 시를 수행의 한 형식으로 생각하는 사람이에요. '나'를 갈고 닦는 형식, '나'를 더 높은 정신의 경지에 올려놓는 형식이

시라는 얘기지요. 시에는 반드시 시인의 정신차원이 담기게 마련이거든요. 문단에는 내가 범생이로 알려져 있잖아요. (웃음) 그런데 실제로는 범생이로 사는 것이 훨씬 더 높은 정신차원으로 사는 것인지도 모르겠어요. 가장으로서의 나, 남편으로서의 나, 아버지로서의 나도 나는 아주 소중하게 생각하는 사람이에요. 그래서 평범하게 살려고, 성실하게 살려고, 표나지 않게 살려고 무척 노력을 하지요.

아내와의 연애, 결혼, 살림 등에 대해 얘기하려면 시간이 좀 더 많이 필요해요. 그러니 몇 가지만 간략히 얘기할게요. 아내는 내가 석사 3학기 때, 그러니까 석정石庭 송각헌宋恪憲 선생님을 모시고 『고문진보』를 읽을 때 처음 만났어요. 아내도 『고문진보』를 읽는 석정 선생님 반의 학부 학생이었어요. 강의가 끝나면 석정 선생님은 자주 나와 아내를 불러 저녁을 사주셨어요. 식사 뒤에는 커피도 한 잔씩 사주시고요. 선생님께서 우리 두 사람 사이를 일부로 묶어주지 않았나 싶어요. 아내와 결혼을 하기까지에는 사연이 좀 있는데, 여기서는 생략하기로 하지요. 한 가지 분명한 것은 내가 처복妻福이 많은 사람이라는 것이에요. 아내 덕분에 계속 시도 쓰고, 공부도 할 수 있었거든요. 아내는 참 좋은 여자예요.

나민애: 선생님께서는 사모님 얘기, 그리고 장성한 두 아드님 얘기를 하실 때 정말로 행복한 표정, 뿌듯한 표정을 하고 계세요. 그것만으로도 선생님의 개인적 삶이 지닌 든든한 유대와 세월을 충분히 느낄 수 있습니다.

참, 얼마 전에 아드님이 논산훈련소에 입소했죠. 가족에 대한 언급도 선생님의 작품에서는 찾아보기 힘들었어요. 아드님을 훈련소에 보내고 선생님께서는 숨어서 울지 않으셨을까 생각도 되는데요. 아들에 대한 그리움도 더해지실 테고요. 그러다 보면 아들을 위한 작품이 나오지 않을까요? 실제로 창작하신 작품이 있나요?

이은봉: 그래요? 몰랐네요. 내가 그러한 표정을 지어요? 아내와 자식들에 대해 내가 긍정적인 자아개념을 갖고 있나 보네요. 물론 부정적인 자아개념을 갖고 있지는 않지만요. 작은 애가 군대에 갈 때 조금 안쓰러웠던 것은 사실이에요. 논산의 육군훈련소에 따로 떼어놓고 오려니까 마음이 참 편치 않더군요. 이 녀석은 3수를 해 겨우 서울에 있는 대학에 들어갔거든요. 그래도 숨어서 울지는 않았어요. 큰애가 군대에 갈 때는 말할 것도 없었고요. 큰애는 군대에 보내는 것 자체가 힘들었거든요.

큰애와 관련해서는 시를 쓴 적이 있어요. 큰애가 다섯 살 때였어요. 유아원 미끄럼틀에서 팔을 다쳐 오래 입원을 했었어요. 수술을 하고 퇴원을 한 뒤에도 오랫동안 병원에 다니며 재활치료를 했지요. 그때의 얘기를 시대상황과 관련해 시로 쓴 적이 있어요. 생각해 보니 아내를 대상으로 쓴 시는 있어도 아이들을 대상으로 쓴 시는 없네요. 물론 아이들을 위해 동시를 쓴 적은 있지만요. 지금은 남아 있지 않지만요.

● 시에 함몰되어 살다

나민애: 제가 뵙기에 선생님께서는 활동적일 뿐만 아니라 실제로도 굉장히 바쁘게 스케줄을 소화하시거든요. 회의, 강의, 그리고 여기 저기 이동하면서 사람을 만나야 할 일도 찾고요. 지난 1년간 사무총장직에 있을 때도 정말 바빴을 텐데 꾸준히 신작시를 선보였어요. 시를 위한 어떤 특별한 시간이나 비법이 있는 것 같다는 생각이 듭니다. 하얗게 밤을 밝히며 컴퓨터로 시를 쓰는지, 걸어가면서 작은 노트에 정리하는지, 그리고 시를 쓴다면 계속 다듬고 고치는 편인지 아니면 첫 시상을 유지하는지 등등 선생님께서는 시를 쓸 때 어떤 방식으로 시상을 옮기는지 구체적인 방식이 궁금합니다.

이은봉: 바쁘게 이동을 하거나 사람을 만나는 데 시간을 많이 할애하는 것은 제가 처한 삶의 형편 때문이지요. 서울에서 멀리 떨어진 광주대학교 문창과 교수로 있는 데도 서울에서 간행하는 《시와시》의 주간을 맡고 있고, 한국작가회의 소임을 맡고 있으니까요. 형편이 이러니 너무 탓하지 말고 이해해주세요. (웃음) 그러니까 이번 질문은 창작의 비밀을 얘기해 달라는 뜻이겠군요. 일단은 일필휘지─筆揮之하는 스타일예요. 더러는 오래 붙잡고 붓방아를 찧으며 시를 완성시키는 경우도 없지는 않지만요. 영감이나 직관으로 시를 쓰는 편이라는 얘기지요. 50행이 넘는 긴 시도 초고는 대개 10분 안에 마무리를 짓지요. 짧은 시는 3분 안에 초고를 마치고요. 들뜬 영혼으로 순식간에 시를 쓰는 스타일인 셈이지요. 물론 초고를 쓴 뒤에는 수도 없이 다듬고 고치지요. 하얗게 밤을 밝히며 컴퓨터로 시를 쓰는 경우는 많지 않은 셈이지요. 언제나 초고는 연필로 작은 노트에 쓰지요. 그래서 늘 작은 노트와 연필을 몸에 지니고 다녀요. 시가 찾아오면 곧바로 받아 적으려고요. 지금까지 쉬지 않고 시를 써온 것을 보면 시가 나를 아주 좋아하나 봐요. 하여튼 걸어가면서 작은 노트에 시의 초고를 쓰는 경우도 없지 않고, 운전을 하다가 길가에 차를 세워놓고 초고를 쓰는 경우도 없지 않지요. 글쎄요. 늘 '시'라는 화두를 잃지 않고 있으니까 이러한 일이 가능할까요.

나민애: 시를 쓰고 정리하는 선생님의 가장 가까운 곳에 사모님이 계실 텐데요. 선생님 작품의 첫 번째 독자는 사모님이신가요? 사모님이야말로 시인이 아니면서도 시인을 개인적으로 가장 잘 이해하고 있을 위치에 놓인 분인데요, 사모님께서는 선생님의 작품을 어떻게 읽으시나요?

이은봉: 아내는 본래 시를 좋아하는 사람이에요. 특히 내 시를 좋아하

지요. 실제로는 좋아하는 척하는 지도 모르지만요. 시를 쓸 때마다 시를 읽어보라고 권하지는 못하지요. 서로 사는 곳이 다르니까요. 나는 광주에서 살고, 아내는 서울에서 살잖아요. 그래도 가끔은 새로 쓴 시를 읽어보라고 권합니다. 그러면 더러 몇 군데 고칠 곳을 지적하기도 합니다. 대부분은 칭찬 일색이에요. 내가 좌절할까 봐 그렇게 하는 것이겠지요.

나민애: 네, 그렇군요. 선생님의 창작 이야기를 들으니까 떠오르는 구절이 있어요. 선생님께서는 시론집에 '시에 함몰되어 산다'고 적으신 적이 있는데 이 부분을 저는 참 복되면서도 힘든 일이라고 생각하면서 읽었거든요. 그런데 실제로 선생님께서는 시인의 인생을 살면서 시에의 함몰이 정말 힘들다고 느낀 적이 있으신가요. 글 쓰는 사람 누구에게든 정말 글쓰기 자체가 힘겨워질 순간이 있을 수 있잖아요. 선생님은 시가 정말 힘들 때, 시를 놓고 싶을 때가 있었나요. 그때 어떤 마음으로 견뎠는지 후배 시인들이나 후학들에게 지침을 알려 주세요.

이은봉: 단 하루도 시에 대해 생각하지 않은 때가 없으니 늘 '시에 함몰되어 산다'고 해도 크게 틀리지는 않겠네요. 그만큼 시를 쓰기에 좋은 조건과 상황에서 살아왔다는 뜻도 되겠지요. 물론 시가 싫어졌을 때도 없지는 않았어요. 좋은 시가 찾아오지 않을 때도 있었고요. 하지만 특별히 정서가 메마르거나 건조해진 시기가 따로 있지는 않았던 같아요. 나는 부지런히 쓰다 보면 좋은 시가 찾아온다고 생각하는 사람이에요. 타작이 많다 보면 개중에 수작이 튀어나온다고 생각하는 것이지요. 닭이 많다 보면 더러 학도 있기 마련이라는 것이지요. 그래요. 결핍이 충족을 낳지만 충족이 결핍을 낳기도 하지요. 하나의 충족은 하나의 결핍을 꿈꾸게 하거든요.

나민애: 선생님의 열정적인 삶과 시쓰기의 마음가짐이 무엇인지 조금

은 알 것 같습니다. 독자의 입장으로 돌아가, 선생님의 다음 시집에는 분명 '막은골' 연작을 포함한 새로운 시편들이 포함될 것이라고 기대하고 있습니다. 선생님께서는 새 시집 구상에 대해 어떤 기획을 하고 계신지, 최근 관심사는 무엇인지 들을 수 있을까요.

이은봉: 다음 시집의 구상에 대해서는 다른 자리에서도 얘기를 했는데, 일단은 자연 속에서 삶의 원리를 발견하고, 삶 속에서 자연의 원리를 발견하는 내용의 시집을 먼저 간행해야 하지 않을까 싶어요. 최근의 관심사는 여전히 자본주의, 곧 근대 밖의 세계에 대한 꿈이지요. 오늘의 인간이 나날의 현실 혹은 삶과 관련해 어떻게 자본주의의 밖으로 나갈 수 있을 것인가, 근대의 밖의 삶을 살 수 있을 것인가 하는 것이 늘 관심사에요. 우선 개별적인 차원에서 물어볼게요. 인간이 아주 높은 교양을 갖게 되었을 때 그것이 가능할까요, 아주 무지한 가슴을 갖게 되었을 때 그것이 가능할까요? 아니면 아주 이성적인 품성을 갖게 되었을 때 그것이 가능할까요, 아주 비의적인 품성을 갖게 되었을 때 그것이 가능할까요? 하여튼 나는 늘 질문 중에 있어요. 확답은 어디에도 없을 것이에요.

나민애: 인터뷰 응해주느라고 긴 시간 고생 많이 하셨습니다. 이번 기회에 선생님의 생각과 시에 대해 좀 더 잘 알게 되어 기쁘게 생각합니다. 좋은 말씀 감사드리고요. 개인적으로는 말씀하신 연애 시편을 담은 시집을 기대하고 있겠습니다. 올해에는 더욱 건강하시기를 바랍니다. (《시를 사랑하는 사람들》 2012년 3·4월호)

시창작 과정의 절차와 단계

— 습작자들을 위한 제언提言[1)]

1. 머리말: 시적 형상의 핵심 요소로서의 이미지

시를 가리켜 흔히 상상의 산물이라고 한다. 상상은 이미지를 단위로 하는 사유의 한 형식이다. 물론 이때의 이미지는 시적 밀도를 높이기 위해 늘 정서나 이야기 등의 요소와 함께 하기 마련이다. 그렇다고는 하더라도 이미지가 시의 형상을 이루는 가장 중요한 자질 가운데 하나라는 것만은 부인할 수 없다.

이미지를 내포로 한다는 점에서는 공상도 상상과 크게 다르지 않다. 공상 역시 이미지를 자질로 하는 사유의 한 형식, 즉 정신의 한 형태이기 때문이다. 따라서 상상과 공상의 차이는 이미지의 내포 여부와는 무관하다. 이미지를 내포로 한다는 점에서는 무의식의 구체적인 발현 형태인 꿈

---

1) 이 글은 목포에서 간행되고 있는 미등단 습작자들 중심의 동인지인 『살아 있는 시』 제4집과 관련한 몇 가지 고민꺼릍을 담고 있다. 이 글에서 고언을 위해 인용하고 있는 작품들은 물론 이 동인지 제4집에 실려 있는 것들이다.

도 마찬가지이다.

상상과 공상이 변별되는 점은 그것이 현실의 경험에 뿌리를 내리고 있느냐, 그렇지 않느냐 하는 데 있다. 상상은 현실의 경험에 기반하고 있는 데 비해 공상은 그렇지 않다. 시적 인식의 방식은 당연히 현실의 경험과 관련된 상상에 토대를 둔다. 삶의 실제와 무관한 공상은 시적 인식의 내포가 되지 못하는 경우가 많다. 그렇다고는 하더라도 모든 시가 공상과 무관한 채 창작된다고 할 수는 없다. 때로는 공상 역시 시의 형상을 이루는 중요한 인식의 한 방법으로 존재한다는 뜻이다.

공상의 영역은 본질적으로 환상의 영역과 겹쳐질 수밖에 없다. 공상과 환상이 공히 현실의 경험과 무관한 이미지 사유이기 때문이다. 실제로는 환상적 이미지를 기초로 하는 시도 적잖게 발견되고 있다. 그것이 제대로 심미적 감동을 수반하는지는 미지수이지만 말이다.

환상적 이미지는 특히 동시에서 많이 찾아볼 수 있다. 동시에 환상적 이미지가 많이 등장하는 것은 어린아이의 심성 속에 환상적 이미지가 좀 더 풍부하기 때문이다. 이성의 발달이 덜된 개인의 유년 시대에는 아무래도 상상이 환상과 착종되어 있기 마련이다. 환상적 이미지가 좀 더 풍부한 것은 인류의 유년 시대인 시원의 시대에도 마찬가지이다. 근대 이전의 시기, 곧 중세 때까지만 해도 서로 미분화되어 있던 것이 상상과 환상이다.

사실적이고 경험적인 이미지인 상상이 비의적이고 신비적인 이미지인 환상과 분리된 것은 근대가 본격적으로 시작되는 낭만주의 시대부터이다. 그러한 이후 리얼리즘 시대가 구체화되면서 환상의 비현실적 이미지는 상상의 현실적 이미지에게 그 중심을 넘겨주게 된다. 환상의 비현실적 이미지가 문학과 예술에 다시금 대두된 것은 흔히 탈근대라고 불리는 후기근대부터이다. 근대로 넘어오면서 버리고 왔던 환상적 이미지가 후기근대에 이르러 다시 한 번 문학과 예술의 자질로 등장하게 된 것이다.

오늘날에 이르러서는 당연히 서정시에서도 비현실적 이미지, 즉 환상적 이미지가 중요한 역할을 하고 있다. 최근에 들어서는 환상의 비현실적 이미지가 현대시의 한계를 극복하기 위한 의미 있는 요소로 자리하고 있다는 것이다. 그렇기는 하더라도 아직까지는 시적 인식의 기초가 상상에 있는 것이 사실이다. 시적 인식은 기본적으로 시인의 체험적 현실, 즉 경험적 사실에 기반하고 있거니와, 이때의 시적 인식이라는 것이 상상과 다르지 않기 때문이다.

상상의 언어가 이미지의 언어를 기초로 한다는 것은 이미 앞에서도 강조한 바 있다. 이미지의 언어가 시적 형상을 구성하는 가장 핵심적인 요소라고 하는 것도 이에서 연유한다. 습작자가 유독 이미지의 언어에 집착하는 것도 실제로는 이와 무관하지 않다. 이미지의 언어야말로 이야기 · 정서의 언어와 함께 시적 형상을 구성하는 가장 중요한 자질이라는 것을 잊어서는 안 된다.

시의 언어는 본래 '형상'을 추구하는 데 그 특징이 있다. 형상은 구체적이고 가시적이고 생생한 심리기제이다. 예술의 언어, 즉 시의 언어가 '형상'을 추구하는 것은 항용 학술의 언어, 즉 과학의 언어가 '개념'을 추구하는 것과 대비되어 논의되고 있다. 이와 관련하여 필자는 이미 여러 차례 시적 형상을 이루는 주요 자질이 이미지, 이야기, 정서라고 강조한 바 있다.[2]

'이야기'는 창작의 실제에서 작품의 제재나 대상을 이루는 경우가 많다. 따라서 '이야기'는 시의 기법이나 방법의 차원에서 논의되기 어려울 수밖에 없다. 이미지나 정서와는 달리 '이야기'는 시창작의 절차와 단계를 논의하는 자리에서는 거론하기에 적당치 않다는 뜻이다.

이들 각각의 형상의 자질, 즉 이미지, 이야기, 정서는 기본적으로 유의미한 의식지향을 포함한다. 형상 자체가 그렇듯이 형상의 주요 자질인 이

---

2) 이은봉, 「리얼리즘 시의 세계관과 창작방법에 대하여」, 『실사구시의 시학』(새미, 1994), 56~57면 참조.

들 이미지, 이야기, 정서도 역시 그 나름의 유의미한 의식지향을 갖는다는 것이다. 물론 이때의 의식지향은 형상의 자질들이 거느리고 있는 의미, 다시 말해 작품 속에 담겨 있는 진실(진리)을 가리킨다.

구체적인 시작품 속에서 이미지, 이야기, 정서는 언제나 상호 침투하기 마련이다. 이미지는 정서와 이야기의 산출에, 정서는 이미지와 이야기의 산출에, 이야기는 이미지와 정서의 산출에 상호 관여한다는 뜻이다. 그렇다면 이미지, 이야기, 정서는 언제나 상호 적층되는 가운데 존재한다고 할 수 있다. 항용 이들 중 어느 하나가 전경화되거나 후경화되어 드러나는 것도 이 때문이다. 기존의 시가 정서 중심의 작품(낭만주의 시), 이야기 중심의 작품(리얼리즘 시), 이미지 중심의 작품(이미지즘 시) 등으로 나누어지는 것도 이와 무관하지 않다.

따라서 시를 가리켜 형상의 언어라는 것은 상상의 언어라는 것과 다르지 않다.[3] 상상의 내포를 이루고 있는 이미지가 언제나 정서나 이야기 등과 함께 하기 때문이다. 이 글에서 일단은 먼저 상상 혹은 형상의 가장 중요한 자질 중의 하나인 이미지를 앞세워 '시창작의 절차와 단계'를 논의하려고 하는 것도 실제로는 이에서 기인한다. 물론 그러한 다음에는 정서를 산출하는 요소들과 더불어 시창작의 절차와 단계를 논의해야겠지만 말이다.

2. 시창작 과정의 절차와 단계

1) 묘사와 형상어

---

3) 상상은 콜리지의 낭만주의 미학에서 구체화된 용어이고, 형상은 벨렌스키의 리얼리즘 미학에서 구체화된 용어이다. 시를 바라보는 시각에는 다소 차이가 있지만 이들 용어가 보여주는 궁극적인 내포는 크게 다르지 않다.

일차적으로 이미지는 묘사로부터 발생한다. 묘사는 축자적인 언술체계를 따르는 이미지의 생산방식을 가리킨다. 이미지를 산출하는 가장 원초적인, 그리고 가장 근원적인 방식이 묘사이다. 시쓰기의 능력과 관련하여 가장 먼저 묘사의 능력을 평가의 대상으로 삼는 까닭도 바로 여기에 있다. 그렇다. 뛰어난 묘사력을 지니지 않고서는 제대로 된 시인으로 성장하기 어렵다.

묘사는 대상에 대한 시인의 절제된 감정을 바탕으로 한다. 들뜬 감정이 앞설 경우 대상에 대한 제대로 된 묘사는 이루어지지 않는다. 이처럼 묘사는 시인의 객관적인 정신을 토대로 한다. 주관이 배제된 객관적인 대상이 하나의 화폭으로 현현될 때 묘사가 되기 때문이다. 이를테면 대상과의 심미적인 거리를 확보할 수 있는 이지적인 인식능력을 전제로 하는 것이 묘사이다.

이미지를 생산하기 위한 묘사로서의 언술의 방식은 일단 어휘의 차원에서부터 출발된다.[4] 상대적으로 이미지의 밀도가 높은 어휘는 보편적이고 일반적인 관념어나 추상어라기보다는 구체적이고 개별적인 구상어나 구체어라고 할 수 있다. 다시 말해 물질어나 사물어가 상대적으로 이미지의 밀도가 높다는 것인데, 본래 이들 어휘는 나날의 일상 속에, 생활 속에 존재하기 마련이다. 표준어나 문화어보다는 방언이나 토착어, 인공어나 학술어보다는 자연어나 생활어 등이 묘사로서의 이미지의 생산에 좀 더 실질적으로 기여를 하는 것도 이러한 이유에서이다. 외국어나 외래어보다 고유어나 토착어가 묘사로서의 이미지의 밀도가 높은 것도 마찬가지

---

4) 본고를 구상하는 데 결정적인 도움을 준 것은 아주 오래 전에 읽은 죠지 오웰의 작은 에세이 「왜 나는 글을 쓰는가」이다. 이 글에서 그는 16세 때에 "순전히 말에서 오는 기쁨, 즉 말들이 지니고 있는 음향과 그것들의 관계를 문득 발견하게 되었다"라고 밝히고 있다. 시창작을 지도하다 보니 대부분의 학생들이 죠지 오웰과 마찬가지의 경험을 하고 있다는 것을 알 수 있었다. 필자가 지도하는 학생들 또한 "순전히 말에서 오는 기쁨, 즉 말들이 지니고 있는 음향과 그것들의 관계"를 발견하면서 시창작의 세계로 넘어오는 경우가 적잖았다는 것이다. 죠지 오웰, 김종관 역, 「왜 나는 글을 쓰는가」, 『窓과 壁』 제4집, 창학사, 1982, 109면.

의 이유에서이다.

많은 습작자들이 시창작에 끌려 들어가는 계기는 무엇보다 시가 심미적인 언어를 바탕으로 하기 있기 때문이다. 시의 언어가 지니고 있는 독특하고 강력한 심미적 정서의 충격이 그들로 하여금 단순한 독자의 차원에 머물지 않고 창작의 길로 나서게 한다는 것이다. 이들이 일상의 구체적인 삶으로부터 심미적 충격을 경험했을 때 그에 합당한 심미적 언어, 즉 시의 언어를 찾아 나서게 되는 것은 너무도 당연하다.

따라서 습작자들이 가장 먼저 집착하는 것은 시의 어휘, 다시 말해 형상어라고 할 수 있다. 맨 처음 시창작의 세계로 들어오는 사람들에게는 심미적 형상어가 주는 매력만큼 독특한 것이 없다. 선택된 형상어들이 평면적으로 배열되는 가운데 축자적으로 태어나는 것이 정작의 묘사적 이미지라는 것을 간과해서는 안 된다. 형상어의 평면적 선택과 배열의 과정에 자연스럽게 축조되는 것이 묘사적 이미지라는 것이다.

어휘에 집착하는 단계를 거치게 되면 누구나 자연스럽게 묘사에 빠져들게 된다. 묘사에 빠져든다고 했지만 묘사의 능력은 심미적 글쓰기의 가장 원초적이고도 근원적인 힘이라고 해야 옳다. 따라서 묘사의 능력은 시창작의 절차와 단계의 차원으로부터 조금쯤 비켜 서 있다고 해야 마땅하다. 그러나 묘사 역시 어휘의 선택과 배열의 과정에 구체화되는 것은 분명하다. 시의 이미지와 관련하여 선택되고 배열되는 낱낱의 어휘 자체가 더없이 중요한 것은 바로 이러한 이유에서이다.

물론 이때의 시의 어휘, 즉 형상어가 단지 외적인 이미지만을 거느리는 것은 아니다. 습작자들이 자신의 심미적 에너지를 다양한 내적 형상어, 즉 독특하고 유별난 부사나 형용사, 명사 등으로 표현하는 경우도 상당하기 때문이다. 사실 습작자들이 이처럼 내외적 이미지를 지니고 있는 독특하고 유별난 어휘에 집착하는 것은 아주 자연스러운 일이다. 대부분의 습작자들이 이러한 과정을 거치면서 시라는 것이 심미적 언어의식의 산물

임을 자각하게 되고, 나아가 제대로 된 시인으로 성숙하게 된다는 점을
유의할 필요가 있다.

　이번 『살아 있는 시』 제4집의 여러 작품들에서도 내외적 이미지를 함
유하고 있는 독특하고 유별난 어휘에 집착하고 있는 예가 적잖이 발견되
고 있다. 이처럼 어휘에 집착하는 차원에 머물러 있다는 것은 『살아 있는
시』의 동인들의 경우 이제 막 습작과정의 초입에 들어서 있는 사람들이
적잖다는 증표이기도 하다.

　① 거센 파도에 휩쓸려 올라온 조가비들이
　　　늦가을 여린 햇볕을 쪼이며
　　　　　　　　　　　　　― 곽송순, 「10월, 변산 해수욕장에서」 부분

　② 해 뜨는 바위
　　　꽃 속의 心本이 살갑게
　　　미소 짓는다
　　　　　　　　　　　　　　　　　― 이근보, 「心本」 부분

　③ 간짓대에 낫을 달아
　　　감이나 따 볼거나
　　　　　　　　　　　　　　　　　― 김영찬, 「변산」 부분

　④ 무슨 사연
　　　하도 많아
　　　　　　　　　　　　　　　― 이수남, 「별들의 노래」 부분

　⑤ 길섶 한쪽

새초롬이 앉아 있던 수줍은 진달래

— 김광자, 「오후의 산책」 부분

①의 시에서는 창작자가 '조가비'라는 어휘에 집착하고 있다. 그가 조개라는 일상의 평범한 어휘 대신 굳이 '조가비'라는 좀 더 예쁘고 아름다운 어휘를 선택하고 있는 것이 이를 증명해준다.

②의 시에서 가장 주목이 되는 어휘는 '心本(심본)'이라는 한자어이다. 각주까지 달아 출전을 밝히고 있지만 정작 창작자의 마음을 사로잡고 있는 것은 '心本'이라는 어휘 자체이다. 물론 이에는 '心本'이라는 어휘가 '마음의 근본'이라는 의미를 갖는다는 점도 상당한 작용을 했으리라.

③의 시에서 창작자가 집착하고 있는 어휘는 '간짓대'이다. 생활의 습속이 바뀌어 이제는 효용가치 자체가 소멸되어 버린 '간짓대'라는 말이 불러일으키는 이미지는 그 자체만으로도 충만한 심미적 정서를 내포하고 있다.

④의 시에서는 창작자가 '하도'라는 일상적 부사어에 깊이 경도되어 있는 것을 알 수 있다. 정상적 어법으로 보면 구문상 '그리' 정도의 부사어가 와야 옳을 것으로 생각된다. 그럼에도 불구하고 창작자는 어휘 자체가 갖는 어쩔 수 없는 매력 때문에 굳이 여기서 '하도'라는 말을 고집하고 있는 것이다.

⑤의 시에 드러나 있는 '새초롬이'와 같은 부사도 어휘 자체가 갖는 매력 때문에 선택된 것으로 이해된다. 모음들이 어울려 드러나는 '새초롬이'나 '함초롬이' 등과 같은 어휘가 지니고 있는 화음상의 즐거움에 대해서는 새삼스럽게 여기서 강조를 할 필요가 없다.

시창작의 과정에 들어서면 누구나 다 이러한 절차와 단계를 거치게 된다. 『살아 있는 시』의 동인들의 경우 아직도 몇몇 사람들은 이러한 정도의 차원에 머물러 있는 것이 사실이다. 하지만 이들 모두 자신의 정서를 극대화하기 위해 억지로 조어를 만드는 단계는 벗어나 있는 것이 분명하다. 이제 막 시창작의 세계로 들어온 사람들은 대부분 '어설픈'이란 말을 줄여 '설픈'이라고 쓴다든지, '서글픈'이라는 말을 줄여 '글픈'이라고 쓰는 등의 조어에 집착하는 단계를 보여주기 때문이다.

물론 조어를 만드는 단계에 이르러 있다는 것만으로도 충분히 시어에 내재해 있는 심미의식을 깨닫고 있다고 평가를 할 수 있기는 하다. 적어도 그는 심미적 언어의식을 바탕으로 하는 것이 시라는 사실만은 터득하고 있다는 뜻이 되는데, 그렇다면 이때의 창작자 역시 이미 시의 영역에 들어온 것만은 확실하다.

2) 비유와 이미지

이처럼 형상적 어휘, 즉 묘사적 이미지를 낳는 어휘에 집착하는 단계를 지나게 되면 대부분의 습작자들은 이들 어휘를 결합해 비유적 이미지를 만드는 단계에 이르게 된다. 기본적으로 모든 비유는 원관념과 보조관념을 겯고 트는 가운데 독특하고 새로운 이미지를 만드는 언술방식이라고 할 수 있다. 이러한 점에서 생각하면 비유는 결국 겯고 트는 일종의 언어관계, 즉 언어체계라고 보아야 마땅하다. 본래 비유체계는 원관념과 보조관념이 문면에 드러나든 드러나지 않든 각각의 어휘들이 지니고 있는 내포를 충돌시켜 새로운 이미지를 만드는 언술관계의 형식라고 이해해야 한다. 물론 그것은 상징이나 알레고리, 나아가 환유나 제유처럼 원관념은 숨어 있고 보조관념만 문면에 드러나는 경우라고 하더라도 마찬가지이다.

시창작 역시 하나의 생산행위라는 점에서 보면 새로운 이미지를 만들어내는 것만큼 의미 있고 중요한 일은 없다. 심지어는 작품의 문면에 하나 이상의 새로운 이미지가 표현되어 있을 때 비로소 새로운 시로 취급되어야 한다는 주장조차 있을 정도이다. 따라서 새로운 시를 쓰고자 하는 습작자가 우선 새로운 이미지의 창조, 즉 새로운 비유체계의 창조에 깊이 몰두하는 것은 매우 자연스러운 일이다. 비유체계에 의해 탄생되는 새로운 이미지만으로 시가 완성되는 것은 물론 아니지만 말이다.

어휘의 결합을 통해 비유를 만들고, 나아가 새로운 이미지를 만드는 일에 집착하는 것은 『살아 있는 시』 동인들의 경우에도 마찬가지이다. 습작자로서는 삼빡하고 신선한 이미지를 창조해내는 것만큼 즐겁고 유쾌한 일이 없다.

① 곰소항에 와서
　　파랑을 키우고 있는
　　내 안의 갈등 몇 마리
　　　　　　　　　　　　　　　　　　　　　　－ 남석희, 「곰소항에 와서」 부분

② 내 안의 사랑이
　　터질 듯한 심장 박동 소리를 내며
　　열꽃을 피운다
　　　　　　　　　　　　　　　　　　　　　　－ 전경란, 「설악 단풍」 부분

③ 바람의 검에 절단 당한
　　선홍빛 엽신 하나
　　내 가슴에 비수로 꽂히던 날
　　　　　　　　　　　　　　　　　　　　　　－ 남석희, 「편지」 부분

④ 얇아졌다 두꺼워졌다 하는 그의 몸 위
　　병뚜껑처럼 얹혀진 머리에 히끗히끗 세월이 바래지고 있다
　　　　　　　　　　　　　　　　　　　　－ 이종숙, 「하모니카 부는 남자」 부분

⑤ 잠자리 은박지처럼

　사락이는 꽃이파리

― 남석희, 「함박눈」 부분

⑥ 강물은 솜사탕처럼 녹아드는 눈꽃을

　말없이 혀끝으로 받아먹고

― 나명호, 「풍경」 부분

⑦ 바킹 닳은 수도꼭지에서 똑똑 떨어지는 물방울처럼

　턱 끝에서 똑똑 떨어지는 땀방울을

― 김광덕, 「수도 검침원」 부분

⑧ 연안부두 어시장

　고무함지에 즐비하게 담긴 바다

― 박승미, 「1999년 8월 18일 인천」 부분

⑨ 나는 너에게

　한 장의 편지이고 싶다

― 최승자, 「당신은 나를 더 좋은 여자가 되고 싶게 하는……」 부분

⑩ 희망으로 부풀어오른 봉선화 꽃씨를

　환하게 엄마의 가슴에 터트려 본다.

― 박창복, 「달빛 아래서」 부분

⑪ 한길가에 개나리가 피었네

차로 달리니
개나리는
줄줄이 강강수월래

— 안효순, 「개나리」 부분

비유체계는 미지의 것을 기지의 것으로 대치하는 가운데 인식의 영역을 넓혀 가는 언어작용을 가리킨다. 따라서 모든 비유체계는 원관념을 보조관념으로 전이시키는 가운데 의미의 범주를 새롭게 확장시켜 가는 언술구조의 형태라고 할 수 있다. 이때 비교·대조되는 두 관념은 기본적으로 유사성을 지니면서도 차별성을 지닌다.

시의 긴장감은 아무래도 비유체계의 원관념과 보조관념이 만드는 유사성보다는 차별성에 기반하여 형성되기 마련이다. 따라서 원관념과 보조관념의 차별성으로부터 비롯되는 이미지야말로 시의 참신성을 산출하는 주요한 근거라고 할 수 있다. 비유체계를 이루고 있는 두 언어의 내포가 상호 유사성에 못지않게 차별성도 고려되지 않으면 안 되는 까닭이 바로 여기에 있다. 과도하게 유사한 언어의 내포를 매개로 하여 비유체계를 만들 때 좀처럼 상투성을 벗어나지 못하기 때문이다.

①의 시에서는 "내 안의 갈등"이라는 관념이 "몇 마리" 생선이라는 이미지로 전이되고 있음을 볼 수 있다. '갈등'이라는 추상이 '생선'이라는 이미지로 구체화되면서 의미의 영역이 확장되고 있는 예이다.

②의 시에서는 "내 안의 사랑이"라는 추상이 "심장 박동 소리"라는 이미지로 구체화되고 있다. 이 역시 '사랑'이라는 추상이 '심장 박동 소리'로 물질화되면서 그 내포가 생생해지고 있음을 알 수 있다.

③의 시는 좀 더 복잡한 비유체계를 지니고 있는 작품이다. 우선은 원관념인 "바람"이 보조관념인 "검"으로 의미가 전이되고 있음을 알 수 있다. 이러한 언술구조에 의해 뜻밖에도 '바람'의 의미가 칼의 의미를 갖게

된다. 뿐만 아니라 이 시에서는 엽신의 이미지가 비수의 이미지로 옮겨가는 것도 확인할 수 있다.

④의 시에서 드러나 있는 비유체계는 매개어를 갖는 직유이지만 그로부터 비롯되는 이미지는 자못 신선해 보인다. "머리"의 이미지가 전혀 엉뚱한 "병뚜껑"이라는 이미지로 치환되는 가운데 좀 더 생생한 의미망을 산출하고 있기 때문이다.

⑤의 시에는 병치은유에 이어지는 직유의 비유체계가 드러나 있어 좀 더 관심을 끈다. "잠자리"의 이미지가 곧바로 "은박지"의 이미지로 병치, 전이되는가 하면 "꽃이파리"의 이미지로 그 의미망이 확산되어가고 있기 때문이다. 더불어 이 모든 이미지들이 함박눈이라는 원관념의 보조관념으로 드러나 있음도 알 수 있다.

⑥의 시에서는 "눈꽃"의 의미가 매개어를 바탕으로 "솜사탕"의 의미로 전이되고 있다는 점에서 직유로서의 언술구조가 드러나 있음을 확인할 수 있다. 이 두 어휘의 내포가 이루는 관계는 다소 익숙해 보이기는 하지만 "강물"의 이미지를 배경으로 하는 의인관적 세계관이 표출되어 있어 형상을 좀 더 구체화시키기도 한다.

직유로서의 비유체계가 드러나 있는 것은 ⑦의 시에서도 마찬가지이다. 인용된 구절에서는 "턱 끝"의 이미지가 "수도꼭지"의 이미지로, 물방울의 이미지가 땀방울의 이미지로 전이되면서 좀 더 생생한 의미망을 만들고 있다.

⑧의 시는 "고무함지에 즐비하게 담긴 바다"의 이미지가 좀 더 관심을 끈다. 이 구절에서 '바다'는 '생선'의 알레고리로 구절 전체의 의미망을 신선하게 만든다. 따라서 이 구절에 드러나 있는 환유는 직유나 은유보다는 좀 더 진전된 비유체계라고 할 수 있다.

⑨의 시는 가장 일반적인 은유가 사용되어 있는 예이다. '나'라는 추상이 곧바로 '편지'라는 구상으로 의미가 전환되고 있기 때문이다.

좀 더 복잡한 구조를 지니고 있기는 하지만 ⑩의 시 역시 은유가 겉으로 드러난 예이다. "봉선화 꽃씨"이라는 구체가 이내 "희망"이라는 관념으로 대치되고 있기 때문이다. 물론 이들 두 언어의 내포가 이루는 관계는 자못 설득력 있는 긴장감을 보여준다.

은유를 이루는 두 언어의 내포가 충돌하면서 만드는 긴장감은 ⑪의 시에서도 폭넓은 상상력을 불러일으키고 있다. "개나리"의 의미망이 다소간은 낯설게 받아들여지는 "강강수월래"의 의미망으로 참신하게 전이되고 있기 때문이다.

이들 작품에서 확인할 수 있는 것처럼『살아 있는 시』제4집에 실려 있는 시들에는 독특하고 신선한 비유와, 그에 따른 이미지들이 충만해 있다. 그러나 이들 비유체계에서 비롯되는 생생한 이미지들만으로 완미한 형상의 시가 태어나는 것은 아니다. 이들 비유에서 생성되는 참신한 이미지는 시적 형상의 전체를 이루는 작은 부분일 따름이다. 따라서 이제 여기서 주목해야 할 것은 시적 형상을 산출시키는 그밖의 여러 세목들이다.

3) 어조와 화법

어휘의 선택과, 그에 따른 비유체계에서 기인하는 이미지의 생산방식을 자각하고 있는 습작자들은 대부분 시적 언술구조의 특성과 관련하여 좀 더 진전된 또 하나의 집착을 보여준다. 어휘들의 곁고 트는 관계에서 비롯되는 이미지의 생산에 집착하는 단계에 이어 도달하게 되는 또 하나의 단계는 독특하고 개성 있는 '정서적 결'을 획득하려는 것이다.

정서는 이미지에 의해 생성되기도 하지만 어조와 리듬에 의해 생성되는 것이 보통이다. 특히 어조의 미학은 시의 정서적 아우라, 즉 심미적 분위기를 구성하는 가장 중요한 요소 중의 하나이다. 개성 있는 어조의 미학을 살릴 수 있는 지름길은 무엇보다 화법과 종결어미에 집착하는 일이다. 습작자들이 화법과 종결어미에 경도되는 중요한 이유는 그것의 응용을 통해 자기 나름의 섬세한 정서적 울림, 즉 심미적 아우라를 창조할 수 있다고 믿기 때문이다. 따라서 시가 언어예술인 한 습작자들이 화법과 종결어미의 활용을 통해 자신의 심미의식을 극대화하는 일은 매우 바람직한 일이다. 이는 곧 창작과정에서 문장의 멋과 맛에 집착하는 일이기도 하다.

한국어 문장은 대부분 '-다', '-네', '-라', '-까', '-요', '-지', '-아', '-어', '-유', '-이' 등으로 종결어미가 오는 것이 보통이다. 물론 이에 주목하여 개성 있는 시적 정서, 곧 심미적 아우라를 극대화하려는 노력 역시 훌륭한 시인으로 성장해 가는 한 과정이다. 이러한 일 또한 습작자라면 누구나 다 거쳐야 할 절차이고 단계라는 것이다. 그것이 자신의 심미의식을 시문장의 차원에서 고려하고 있는 것이라는 점을 생각하면 이는 오히려 습작자들의 역량이 훨씬 성숙해져 가고 있다는 증거라고 보아야 옳다.

하지만 이번의 『살아 있는 시』 제4집에 실려 있는 시들 가운데 이러한 단계에 도달해 있는 예는 그다지 많지 않다. 아마도 이는 대부분의 습작자들이 자신의 심미의식을 비유체계를 매개로 하는 새로운 이미지를 창출하는 단계에서 멈춰 있기 때문으로 보인다. 물론 『살아 있는 시』의 모든 동인들이 다 그러한 단계를 보여주고 있는 것은 아니다. 몇몇 습작자들의 경우에는 이미 화법과 어조가 이루는 심미적 경지를 충분히 터득하고 있는 것으로 파악되기도 한다.

① 혹시 알아?
  우리도 맑은 바닷물에
  한 몇 년 절였다가 볕에 널면
  저렇게 하얀 염화鹽花로 피어날지.

　　　　　　　　　　　　　　 — 최향남, 「바다꽃」 부분

② 부끄러웠어

난 누굴 위해 온전히 모든 걸 포기한 적이 있었는지?

어두워진 하늘엔

하얀 깨꽃, 별이 되어 반짝이고 있었어.

— 송영애, 「깨꽃이 진 자리에」 부분

③ 헛간 앞의 참새 떼

후루룩 빨랫줄로 옮겨 앉아 조잘대면

쌀 한 줌 뿌려 주시며

"옛다 먹어라 그만 앙알거리고"

하시던

— 김연근, 「참새소리」 부분

위의 시들에는 직접화법과 함께 하는 일상적 어조가 매우 다양하게 변주되어 있다. 뿐만 아니라 시문장의 종결어미도 일상의 평범한 '-다' 형 구조를 피해 각각의 맛과 멋을 살려내고 있다. 물론 이는 직접화법에 따른 어조의 맛과 멋을 한껏 살려내려는 노력의 일환이라고 해야 마땅하다. 어찌 보면 희곡의 전유물인 대화(독백적 대화를 포함해)의 기법을 수용하고 있는 예라고도 할 수 있는데, 기본적으로는 현장감을 살려려는 심미적인 노력의 하나라고 생각된다. 이들 시의 경우에는 어투와 목소리가 함유하는 심미의식까지 섬세하게 고려되어 있는 셈이다. 이는 언어예술로서의 시에 대한 이해의 정도가 그만큼 심화되어 있다는 뜻이기도 하다.

①의 시는 심미의식을 높이기 위해 자기다짐의 독백어조를 끌어들이고 있는 예이다. 적어도 이 구절에 담겨 있는 창작자의 의도만은 충분히 시의 경지에 이르러 있다고 생각된다. ②의 시는 깊이 있는 자기반성의 목

소리를 취하고 있는 예이다. 이 구절만으로 보면 수사도 화려해 상당한 정도로 새로운 형상이 이루어져 있는 것으로 보인다. ③의 시는 구문의 중간에 생동감 넘치는 직접화법이 활용되어 있는 예이다. 일상의 생활에서 흔히 경험하는 어머니의 목소리를 활용해 형상의 밀도를 높이고 있는 시이다.

이들 시에서 독특한 효과를 갖는 심미적 어조는 시의 문장이 지니고 있는 남다른 화법과 종결어미를 통해 구체화된다. 따라서 화법과 종결어미에 집착한다는 것은 시문장 자체에 대해 집착한다는 것이 된다. 이는 결국 화법과 종결어미에 집착하는 단계를 지나게 되면 시의 문장에 집착하는 단계에 이르게 된다는 얘기이기도 하다.

시의 문장에 집착한다는 것은 시의 문체에 집착한다는 것이다. 시의 문장이 지니고 있는 개별적 특성이 각각의 시가 지니고 있는 개별적 문체를 형성하기 때문이다. 소설과 마찬가지로 시도 주제나 의미보다는 문체가 만드는 정서적 특징에 의해 변별적 자질이 발생한다는 점을 간과해서는 안 된다. 각각의 시로 하여금 고유의 개성적 가치를 지니도록 하는 데 가장 우선적으로 작용하는 것이 다름 아닌 문체이기 때문이다. 따라서 창작자가 문체에 대해 섬세한 배려를 할 수 있는 단계에 이르게 되면 각각의 시 전체가 지니고 있는 맛과 멋을 십분 살릴 수 있는 경지에까지 이르게 된다고 할 수 있다.

그러나 시의 문장이나 문체에 집착하는 단계를 극복하지 않고서는 다음의 경지로 넘어가지 못한다. 시의 문장 역시 문장 일반의 특성을 고려하지 않을 수 없다면 이 단계에서 정작 습작들이 경도되는 것은 조사나 어미, 접속사나 대명사 등의 문법소를 세련되고 아름답게 처리하는 일이다.

이들 허사는 그것 자체만으로는 명확한 의미나 이미지를 갖지 않는다. 단지 의미나 이미지의 향방을 지시하는 역할을 하는 데서 이들 허사의 기능은 그친다. 하지만 이들 허사를 제대로 처리하지 못하고서는 개성 있는 문장을 쓰기가, 곧 개성 있는 문체를 갖기가 어렵다. 우리말의 가락과 리듬에서 비롯되는 시의 감칠맛이라는 것이 실제로는 이들 허사, 즉 접속사나 대명사나, 조사나 어미의 세련된 운용에서 비롯되기 때문이다. 이들 허사 중에서 접속사가 앞의 문장과 뒤의 문장을 논리적으로 연결시키는 기능을 하고, 조사나 어미가 앞의 단어와 뒤의 단어를 문법적으로 연결시키는 기능을 한다는 것은 잘 알려져 있는 일이다. 대명사가 대치代置와 강조의 기능을 한다는 것도 마찬가지이다.

이들 허사는 시의 언술구조를 좀 더 문법적으로, 논리적으로, 추상적으로 만드는 데 기여한다. 따라서 형상성을 낮추는 것이, 곧 이미지 사유를 약화시키는 것이 이들 문법소(논리소)로서의 언어자질이라고 할 수 있다. 많은 시인들이 자신의 작품에서 논리소로서의 이들 언어자질을 되도록 생략하려고 하는 것도 다름 아닌 이 때문이다.

허사를 어떻게 운용하느냐에 따라 시의 정서와 분위기가 크게 달라진다. 이들 허사의 운용에 의해 시에서의 감정가치라고 할 수 있는 것들이 결정된다는 것을 간과해서는 안 된다.

4) 행과 연, 형상의 구조

화법과 어조의 실제인 문장과 문체에 대해 집착하는 단계를 지나게 되면 대부분의 습작자들은 시의 행과 연에 대해 집착하는 단계에 이르게 된다. 시에서 행行과 연聯은 호흡과 리듬, 이미지와 의미의 단위로서 개별시의 정서적 특징을 산출하는 기본적인 기제이다. 일단 행과 연은 이들 언어 뭉치가 다름 아닌 시라는 사실 자체를 증명해 주는 약속으로 기능한다. 일상의 언어 습관, 즉 줄글에 파격을 가해, 곧 줄글을 낯설게 만들어 그것이 다름 아닌 시라는 언술구조임을 드러내주는 근거로 작용하는 것이 행과 연이다. 따라서 시의 행 처리나 연 처리에 관심을 갖기 시작한다는 것은 시의 심미적인 형식이나 구조에 관심을 갖기 시작한다는 것이 된다.

우선 행은 4음보 리듬이나 3음보 리듬을 기본 단위로 하는 가운데 가락을 밀고, 당기고, 끊고, 맺고, 꺾고, 젖히는 등의 작용을 한다. 바로 이러한 점에서 행은 시의 울림이 지니는 맛과 멋을 만드는 핵심 요인으로 작용한다. 행에 대해 집착하는 것이 시의 리듬은 물론 심미적 형식과 구조에 대해 집착하는 것이 되는 것도 다름아닌 이 때문이다. 이들 단계에 이르게 되면 행의 처리에 따라 형성되는 시의 문자들 자체가 이루는 추상적 도형 역시 시의 심미적 형상과 무관하지 않다는 것까지 깨닫게 된다. 이른바 구체시가 지니고 있는 심미의식까지 받아들이는 단계로 나아간다는 것이다. 리듬이 행의 기본 단위라고 하지만 이때의 행은 낯설게 하기를 통해 새롭게 개성적으로 조형된 것이라는 점을 잊어서는 안 된다.

연은 가독성 등 시각적 효과를 산출한다는 점에서 습작자들에게 일단 주목이 된다. 뿐만 아니라 연의 비율과 안배가 시의 심미적 형식과 구조를 낳는 매우 중요한 자질이라는 점 또한 습작자들의 관심을 끈다. 연이 있을 때와 없을 때 발생되는 심미적 효과에 대한 고민에 빠져 있다는 것은 그만큼 습작자가 시라는 언어예술에 대한 감각이 향상되었다는 것을 가리킨다.

연이 꼭 필요한 시도 있을 수 있고, 그렇지 않은 시도 있을 수도 있다. 월령체 민요처럼 통일된 언술 체계를 반복해 가며 시상을 전개하는 부연과 나열의 시의 경우에는 연의 구분이 절대적으로 필요하다. 그러나 하나의 초점을 중심으로 이미지나 정서가 수렴되고 집합되는 응축과 압축의 시의 경우에는 연이 꼭 필요한 것도 아니다. 이러한 시의 경우에는 연을 나누는 것이 오히려 언어의 긴밀성과 정밀성을 저해하기 쉽기 때문이다.

행과 연이 지니고 있는 심미적 특징에 대한 고민을 충분히 겪은 습작자라면 그들 스스로도 이제는 시의 형식이나 구조가 익숙해지는 것을 느끼게 된다. 점차 시가 몸에 배게 된다는 것인데, 그들의 경우 이럴 때일수록 시의 형식이나 구조가 갖는 상투성으로부터 자유로워지려는 노력을 포기해서는 안 된다. 매 편의 시는 그 자체로 완결된 자기 형식, 자기 구조를 만들어 간다는 점을 염두에 두어야 한다.

이쯤 되면 창작자들은 자신의 작품 자체와의 관계에서 미적 거리를 취할 수 있게 된다. 그럴 때 비로소 작품의 초점을 중심으로 전체 형상을 객관적으로 조감해낼 수 있기 때문이다. 이 단계에 이르게 되면 창작자들은 실제의 경험적 정서를 덜어내기도 하고 덧붙이기도 하며, 나아가 그것을 객관적 사물에 의탁하기도 하며 시적 형상 전체의 리듬과 가락을 밀고, 당기고, 꺾고, 젖히고, 맺고, 끊는 등 읽는 맛과 멋을 살리기 위해 총체적인 노력을 기울이게 된다.

지금까지의 이러한 노력만으로 한 편의 시가 완미한 형상을 갖는 것은 아니다. 이들 각각의 단계에서의 모든 작업이 실제로는 세부의 충실성을 기하기 위한 다양한 노력 중의 하나에 지나지 않기 때문이다. 따라서 예의 각각의 단계를 거치게 되면 작품의 내부에 존재해 있는 초점을 중심으로 전체의 형상을 완성할 수 있는 능력을 갖기 위해 최선의 노력을 다하는 것이 보통이다. 요컨대 이제는 형상의 총체성을 치밀하게 운산運算해낼 수 있는 능력을 기르는 단계에 도달하게 된다는 것이다.

작품 전체의 형상이 완미성을 이루기 위해서는 창작자가 무엇보다 고도로 집중된 균형과 조화의 능력을 지니고 있어야 한다. 이때의 집중은 창작되고 있는 작품에 대한 미적 거리를 포함한 객관적이고 관조적 마음의 압축적이고 응축적인 작용을 뜻한다. 영감에 들떠 초고를 써내려 갈 때와는 다른, 그야말로 건축설계사를 능가하는 치밀한 지성의 작용에 의한 총체적인 운산과 계산이 요구된다는 것이다. 그렇지 않고서는 구조적으로 완벽한 시라는 언어의 건축물을 세울 수 없기 때문이다.

이 단계는 습작자가 도달하는 최후의 경지라고 할 수 있다. 전체의 형상이 완미해지는 과정에 각 부분의 이미지들이 어떻게 수렴되고 집합되는가를 아주 꼼꼼하게 묻고 대답하는 것이 이 단계에서 습작자가 해야 할 일이다. 시를 구성하는 어휘들 하나하나가 작용하는 힘의 역학에 대한 끈질기고도 세밀한 계산과 운산을 해낼 수 있는 사람만이 이 단계에 이르게 된다.

제대로 이 단계에 도달한 창작자라면 흔히 허사라고 일컬어지는 접속사나 지시어, 조사나 어미 등 형상소나 의미소와는 관계없는 문법소 일반에 대해서도 정밀한 감각을 터득하게 된다. 이들 허사를 자유자재로 부리지 못하고서는 시어들의 질서가 이루는 윤기와 활기를 원하는 대로 구사할 수 없다는 것을 그가 잘 알고 있기 때문이다. 이러한 경지에 이른 창작자는 마침내 한글 24 자모 하나하나에 대한 색깔과 향기, 미감과 음감, 그리고 촉기까지도 섬세하게 감별할 수 있게 된다. 섬세하고 개성 있는 언어의 감별사가 되지 않고서는 제대로 된 시인으로 성장하는 것이 불가능하다.

3. 맺음말: 시공간時空間의 미적 거리와 퇴고의 중요성

앞에서 줄곧 논의해온 이런저런 절차와 단계가 매번 시간의 순차에 따라 따로따로 개별 분산적으로 이루어지는 것은 아니다. 편의상 이렇게 나누어 기술하기는 했지만 실제로는 이 모든 절차와 단계가 창작의 과정에 한꺼번에, 그리고 동시다발적으로 이루어진다고 해야 옳다. 적어도 초고 형태로서의 창작품 자체는 그야말로 한순간에, 문득 별안간 갑자기 퍼뜩 만들어진다. 시를 가리켜 흔히 영감의 산물이라고 하는 것도, '순간의 거울'이라고 하는 것도 다름 아닌 이에서 기인한다. 시적 인식의 방법론적 특징으로 흔히 '직관'을 드는 것도 이 때문이다.

하지만 이렇게 창작된 작품이 곧바로 완미한 형상을 갖는 것은 아니다.

창작 자체에 몰두해 있다 보면 본래 작품 전체와의 미적 거리가 쉽게 이루어지지 않는 법이다. 시공간의 미적 거리를 갖는 가운데 퇴고를 거듭해야 하는 까닭이 바로 여기에 있다. 바로 이러한 점에서도 언어예술로서의 시창작 과정에 제작의 속성이 없지 않다는 점을 간과해서는 안 된다. 이처럼 시창작 과정에도 기술의 속성이 없지 않은 만큼 창작자 모두에게 오랜 습작과 수련이 요구되는 것은 너무도 당연하다.

그렇다고는 하더라도 정작 시가 완미한 형상을 획득하는 것은 생각처럼 쉽지 않다. 일급 시인의 작품이라고 하더라도 때로는 선택되는 소재와 주제 자체만으로 심미적 수준이 결정되는 예가 상당하다는 점을 잊어서는 안 된다. 창작의 과정에 소재와 주제, 대상과 세계관의 선택이 더없이 중요하게 취급되는 것도 실제로는 이 때문이다. 너무나 당연한 얘기지만 작품의 수준이 창작자의 손기술만으로 결정되는 것은 아니다. 시대와 사회, 역사와 계급 등 외적 배경도 매우 중요한 변수로 작용하지만 좋은 시는 본래 창작자의 지혜의 깊이, 그리고 영혼의 울림과 함께 하는 법이다.

물론 이번의 『살아 있는 시』 제4집에도 이러한 뜻에서의 탄탄하게 완성된 작품이 아주 없지는 않다. 흠이 전혀 없는 것은 아니지만 어느 정도는 좋은 시의 반열에 올라 있는 작품도 적잖다는 얘기이다. 조정임의 「저녁, 목탁소리」「세연정」「내 안으로 우주가」, 정영숙의 「눈」, 유상덕의 「맛」, 조영자의 「연필 한 자루」, 박승미의 「낡은 선창」, 이종숙의 「이제는 분주해야겠습니다」, 박미숙의 「매화농원」, 김진호의 「고운 님」 등의 시가 그 구체적인 예이다. 결점이 아주 없는 것은 아니지만 일정한 정도까지는 충분히 완성되어 있는 것이 이들 작품이라고 할 수 있다.

위에 예를 든 작품 중에서 좀 더 눈에 띄는 것은 조정임의 시라고 생각된다. 그의 시들은 좋은 시가 보여주는 심미적 호흡에 거의 맞닿아 있다. 조정임의 시는 정연하게 이미지를 배치할 줄 알고 있다는 점에서, 나아가 삶의 깊이를 융숭하게 담아낼 줄 알고 있다는 점에서 상대적으로 좀 더

우월한 심미의식을 보여준다.

그의 좋은 시 한편을 감상하며 글을 맺는다.(2003년)

처음에는 작은 변화를 주고 싶어 하얗고 얇은 커튼의 한 쪽 귀를 살짝 꽃무늬 핀으로 말아 올렸더니 좀 멋스러워 보였다. 새벽이면 아침이 그 사이로 먼저 삐죽이 들어서기 시작하면서 느낌이 어제와 사뭇 달랐다. 커튼을 젖히지 않고도 몸만 낮추면 바람이 비를 어떻게 부르는지 바라볼 수 있었다. 밖이 궁금해 전보다 더 자주 내다보았다 어둠 속에서 등불을 켜면 그 사이로 밝아진 방이 먼저 새어 나갔다.

어느새 내 마음 한 쪽도 살짝 들어 올려졌다. 서서히 넓혀진 틈새로 맨 먼저 미운 당신을, 고운 당신을 내 안에 끌어 들여 작은 우주를 만들었다. 우주가 이렇게 가볍게 들어 올려질 줄을 전에는 생각해 보지 않았다. 내 안으로 우주가 다 들어오고도 빈터가 남을 줄은 정녕 몰랐다.

—『내 안으로 우주가』 전문

시, 말하기의 한 형식

— 에둘러 말하기 혹은 비틀어 말하기

성경의 「요한복음」 1장 1절에는 "태초에 말(씀)이 있었다. 말씀은 하느님과 함께 있었다"라는 구절이 나온다. 또한 같은 책 「창세기」 1장 3절~4절에는 "하느님이 말씀하기를 빛이 생겨라 하니 빛이 생겼다. 하느님이 보기에 그 빛이 좋았다"라는 구절이 나온다. 이들 구절로 미루어 보면 말로 이루어진 것이 이 세상이다. 따라서 이 세상을 제대로 보거나 알려면 말을 제대로 보거나 알아야 한다. 말을 제대로 보거나 알지 못하면 이 세상을 제대로 보거나 알기 어렵다.

모든 존재는 다 말을 갖고 있다. 눈에 보이는 사물은 물론 눈에 보이지 않는 관념도 말을 갖고 있다. 말을 갖고 있지 않으면 사물이라고도, 관념이라고도 하기 어렵다. 말을 갖고 있지 않으면 어떤 것도 비재非在한다. 이때의 말을 이름이라고 불러도 좋다. 세상의 모든 것은 이름을 갖고 있다. 이름을 갖고 있지 않으면 존재하지 못한다. 이름은 그 자체로 존재의 증명이다.

모든 존재가 다 이름을 갖고 있는 것은 서로 소통하기 위해서이다. 이름, 곧 말은 소통의 도구이다. 소통의 도구가 말이라고 하더라도 말을 도구로 해 소통하는 방식은 다양하다.

우선 말은 입말과 글말로 나누어진다. (입)말은 구어口語, 음성언어라고도 하고, 글(말)은 문어文語, 문자언어라고도 한다. (입)말과 글(말)은 다 같은 말이지만 실제로는 많이 다르다. 말하듯이 쓴다고 하지만 (입)말과 글(말)이 일치하는 것은 아니다.

(입)말의 최고의 형태는 웅변이고, 글(말)의 최고의 형태는 시이다. 시가 노랫말에서 나왔다고 하더라도 오늘의 시가 글(말)의 최고 형태인 것은 분명하다. 시는 모든 예술의 최고 형태이기도 하다. 아니 모든 인식활동의 최고 형태가 시이다.

(입)말은 남성적이고 논리적이며, 글(말)은 여성적이고 비논리적이다. 글(말)이 (입)말보다 선진적인 까닭이 바로 여기에 있다. 언제나 글(말)은 (입)말보다 미래의 것이다. 웅변으로 대표되는 남성적이고 논리적인 것은 시로 대표되는 여성적이고 비논리적 것보다 후행한다.

(입)말은 한번 발화되면 수정이 불가능하지만 글(말)은 한번 발화된 뒤에도 수정이 가능하다. 이처럼 (입)말보다 자유로운 것이 글(말)이다. (입)말은 강하고 엄격한 것을 지향하지만 글(말) 부드럽고 따듯한 것을 지향한다. 따라서 (입)말은 수직적이라고 할 수 있고, 글(말)은 수평적이라고 할 수 있다. (입)말이 휘발성을 갖는데 비해 글(말)이 고정성을 갖는 것도 이와 무관하지 않다.

(입)말이든 글(말)이든 언어를 도구로 사용하는 소통은 간접적이다. 말(언어)이 간접적이라는 것은 언어(말)가 한계를 지니고 있다는 것을 뜻한다. 어떤 말이든 말로는 다 소통되지 못하는 부분, 다 표현되지 못하는 부분이 있다. 말로는 정작의 진실을 다 드러내기도 힘들고 다 나누기가 힘들다. 이처럼 언제나 한계를 지니고 있는 것이 말이다.

(입)말에 비해 글(말)은 한계의 정도가 더 크다. (입)말은 손짓 발짓 등

우회적인 도움을 받을 수 있지만 글(말)은 그렇지 못하다. 언제나 (입)말은 글(말)보다 직접적이다. (입)말은 허공에 대고 행하지만 글(말)은 종이나 모니터에 대고 행한다. 이를 통해서도 글(말)이 (입)말보다 간접적이라는 것을 알 수 있다.

(입)말이든 글(말)이든 말을 도구로 사용하는 소통은 서로의 마음을 완전히 나누기가 어렵다. 말보다는 몸이 좀 더 진실에 가깝기 마련이다. 일찍이 선불교에서는 불립문자不立文字, 교외별전教外別傳을 강조한 바 있다. 이는 말로는 진리를 세울 수가 없다, 진리는 말 밖에 별도로 전한다는 뜻을 갖고 있는 선불교의 교지教旨이다.

말을 도구로 사용하지 않더라도 소통은 가능하다. 눈빛만으로도, 이심전심以心傳心만으로도 서로 의사를 주고받을 수 있다. 아주 가까운 사람은 냄새나 숨소리만으로도 상대방의 생각을 알 수 있다.

하지만 지금은 이러한 직접적인 소통이 거의 남아 있지 않다. 문명화된 오늘은 말을 사용하지 않는 소통이 거의 불가능하다. 말로 꼭 집어 입에 넣어 주어야 겨우 소통을 할 수 있는 것이 현대인이다.

시원의 시대에는 그렇지 않았다. 시원의 시대에는 말을 도구로 사용하지 않고서도, 곧 눈빛만으로도 충분히 마음을 주고받을 수 있었다. 말을 도구로 사용하면 식물이나 동물, 정령이나 신과도 소통이 가능했던 것이 시원의 시대이다. 그리스신화를 읽다 보면 사람과 신이 아무런 불편 없이 말로 소통하는 것을 확인할 수 있다.

지금은 말로 식물이나 동물, 정령이나 신과 소통할 수 있는 사람이 거의 없다. 먼 과거에는, 곧 신화의 시대에는 그러한 일이 가능했다는 것조차 기억하지 못하는 것이 현대인이다. 물론 무당이나 시인, 기타 종교인들 중에는 아직도 말로 신이나 자연의 사물과 소통하는 사람이 있다.

자연, 곧 식물이나 동물, 정령이나 신과의 관계에서 말을 통한 소통이 차단된 것은 말을 이용후생의 도구로 사용하면서부터이다. 이용후생의 도구인 말로 식물이나 동물, 정령이나 신을 억압하고 핍박하자 그들이 자신의 입과 귀와 눈과 코를 닫아버린 것이다. 말을 이용후생의 도구로 사용하면서 사람은 과학문명을 선물로 받는다. 하지만 그와 동시에 자연 및 신과의 소통을 잃은 것이 사람이다.

물론 여기서 말하는 과학문명은 기술문명을 가리킨다. 그때그때의 안위와 편리를 위해 자연 및 신과의 소통을 포기해버린 것이 오늘의 사람이다. 얻은 것만큼 잃은 셈이다.

자본주의적 근대에 이르면 사람의 인식능력이 엄청나게 증가한다. 이 시기에 이르러 언어를 매개로 세상의 모든 것을 대상화하면서 걷잡을 수 없이 성장한 것이 사람의 인식능력이다. 인식능력이 향상되면서 사람은 말을 두 가지 방식으로 사용하기 시작한다. 하나는 부드럽고 촉촉하게 감성적으로 말하는 방식이고, 다른 하나는 딱딱하고 건조하게 지성적으로 말하는 방식이다.

전자는 시원의 시대부터 있어 왔던 소통의 방식이고, 후자는 자본주의적 근대에 이르러 보편화된 소통의 방식이다. 전자는 사람이 식물이나 동물, 정령이나 신과 서로 소통하는 시대의 말하기 방식이고, 후자는 사람이 식물이나 동물, 정령이나 신과 소통하지 못하는 시대의 말하기 방식이다.

후자의 말하기 방식, 곧 딱딱하고 건조하게 이성적으로 말하는 방식이 출현한 역사는 별로 길지 않다. 사람이 '과학'이라는 인식의 틀을 개발, 발전시키면서부터이기 때문이다. 학문이니 학술이니 하는 근대적 인식의 틀과 함께 해온 것이 그것이다.

이러한 말하기는 결국 과학적 말하기, 개념적 말하기를 뜻한다. 과학적으로, 개념적으로 말하는 방식은 정밀하고 정확한 소통이나 인식을 가능하게 하지만 재미는 없다. 독자나 청자를 지루하게 하고 짜증나게 하는 것이 과학적으로, 개념적으로 말하는 방식이다. 그것이 독자나 청자의 정신기제를 활짝 펼치는 것이 아니라 좁게 압축시키기 때문이다. 따라서 이렇게 말하는 방식은 이내 사람들로 하여금 한계를 느끼게 한다. 이치와 원리, 체계를 밝혀 말하는 방식이기 때문이다.

물론 문명사회가 계속되기 위해서는 반드시 필요한 것이 이러한 말하기의 방식이다. 이때의 말하기 방식은 말이 의사소통의 도구라고 할 때의 말하기 방식을 가리키기도 한다. 이성의 언어, 논리의 언어, 객관의 언어라고 할 때의 말하기 방식이 다름 아닌 그것이다. 이들 언어는 논문집, 교과서, 백과전서의 말이다. 이를 두고 추상의 언어, 관념의 언어라고 불러도 좋다.

'의미론적 기호'가 바로 그것인데, 수학의 언어가 그 대표적인 예이다. 수학의 언어는 모든 자연과학적 언어의 토대이다. 더러는 인문사회과학에서도 수학의 언어를 사용해 정밀도를 높이기도 한다. 늘 머리를 쥐어짜게 하는 것이 수학의 언어이다. 수학의 언어는 상대적으로 후천적이다. 대표적인 인공의 언어가 수학의 언어이다.

과학의 언어, 논리의 언어, 수학의 언어가 갖는 건조성은 사람들을 쉽게 피곤하게 한다. 그것이 감성의 산물이 아니라 이성의 산물이기 때문이다. 이들 언어는 주관의 언어가 아니라 객관의 언어이기도 하다. 기표와 기의의 대응관계가 일대일을 이루도록 하는 것이 이들 언어이다. 혹자는 이러한 말을 직선의 언어라고 부르기도 한다.

대부분 사람은 부드럽고 촉촉한 언어를 좋아한다. 감성적으로 태어나는 말이 그것이다. 이렇게 태어나는 말을 혹자는 곡선의 언어라고도 부른다. 에둘러 눙치며 하는 말이기 때문이다. "꽃이 빨갛게 피고 있다"라고 말하지 않고, "샐비어가 제 가슴에서 붉은 심장을 꺼내고 있다"라고 말하는 것이 그것이다.

이들 곡선의 언어가 시의 언어다. 그렇다. 에둘러 눙치는 가운데 태어나는 것이 시의 언어이다. 이처럼 시의 언어는 말을 비트는 가운데 구현된다. 비틀면서도 부드럽고 촉촉하게 서정적으로 발화되는 언어……. 시의 언어는 "그녀가 내게로 달려온다"라고 하지 않고 "그녀의 발바닥에서는 살이 타는 냄새가 난다"라고 말한다.

서정적으로, 감성적으로 말하려면 서정적으로, 감성적으로 생각해야 한다. 생각을 드러내는 것이 말이기 때문이다. 모든 생각이 곧바로 말로 치환되지는 않는다. 생각하는 말과 발화되는 말이 서로 길항하고 갈등하기 때문이다. 따라서 이들 말은 늘 부분적으로만 일치한다. 이른바 랑그와 파롤의 착종이 다름 아닌 그것이다.

러시아의 리얼리즘 비평가 벨렌스키는 감성사유를 형상사유라고 부른다. 영국의 낭만주의 비평가 코울리지는 형상사유를 상상력이라고 말한다.

형상사유라고 하든, 상상력이라고 하든 감성사유는 이미지, 이야기, 정서를 자질로 한다. 이미지는 말로 그리는 그림이고, 이야기는 서사의 실제이며, 정서는 정화된 감정이다. 특히 정서는 리듬과 어조를 바탕으로 한다.

형상의 자질인 이미지, 이야기, 정서는 항상 유의미한 진실을 함유한다. 이미지, 이야기, 정서를 기본자질로 하는 형상사유와, 그에 따른 형상언어는 본래 가볍고 발랄하다. 활기차고 신선한 것이 형상언어이다. 이때의 형상언어를 상상언어라고 해도 좋다.

형상언어로 발화되면, 즉 상상언어로 표현되면 훨씬 더 재미있고, 즐겁고, 흥겹고, 활기차다. 재미있고, 즐겁고, 흥겹고, 활기차지 않고 어떻게 나날의 삶을 지속할 수 있겠는가. 바로 그렇기 때문에 현대의 문명인은 재미있고, 즐겁고, 흥겹고, 활기찬 형상언어, 곧 시의 언어를 찾는다.

재미있고, 즐겁고, 흥겹고, 활기차게 말하려면 소통의 대상을 단일하게 파악하지 않아야 한다. 단일하게 파악하지 않는 것은 대상을 복잡하게, 복합적으로, 중층적으로 파악하는 것을 가리킨다.

대상을 복잡하게 받아들이면, 곧 복합적이고 중층적으로 파악하면 말을 다의적으로 사용하게 된다. 말을 다의적으로 사용하지 않으면 배후의 진실을 놓치기 쉽다. 진실 자체가 복합적이고 다의적이기 때문이다. 복합적이고 다의적이라는 것은 양가적兩價的이고 불이적不二的이라는 뜻이기도 하다. 모든 진실은 양가적兩價的이고 불이적不二的이다.

말은 일종의 선택이다. 말도 하나를 선택하면 다른 하나를 포기해야 한다. 그러나 시의 말은 하나와 다른 하나를 동시에 선택하려고 한다. 시의 언어가 모순의 언어인 까닭이 바로 여기에 있다.

말을 복합적으로, 중층적으로 사용하는 것은 진실을 드러내기 위해서이다. 진실에의 의지가 강할수록 말이 으집어지는 것도 이에서 연유한다. 말이 으집어지는 것은 주체가 무의식한 가운데 대상을 양가적兩價的으로, 불이적不二的으로 파악하려고 하기 때문이다. 사랑이 많은 주체, 어진 주체가 특히 대상을 양가적兩價的으로, 불이적不二的으로 파악해 말이 으집다.

말을 다의적으로 사용한다는 것은 하나의 기표가 여러 개의 기의를 거느리도록 한다는 것이다. 동시에 그것은 말을 에둘러 눙친다는 것, 비튼다는 것이기도 하다. 시의 언어는 말을 비트는 데서, 곧 에둘러 눙치는 데서 시작된다. "비가 내린다"라고 하지 않고 "하느님의 눈물이 대지의 앞치마를 적신다"라고 하는 것이 그것이다. 말을 에둘러 눙치는 것은, 곧 비트는 것은 능청을 떠는 것, 내숭을 떠는 것, 시치미를 떼는 것을 가리킨다. 이렇게 일상의 언어를 은유나 상징, 반어이나 역설로 낯설게 만드는 것이 시의 언어이다.

반어나 역설, 곧 능청을 떨고, 내숭을 떨고, 시치미를 떼려면 대상과 일정한 거리, 곧 미적 거리를 지니고 있어야 한다. 미적 거리는 대상에 대한 지적인 태도에서 연유한다. 미적 거리에 일정한 지성이 요구되는 것도 바로 이 때문이다. 대상으로부터 일정한 거리를 갖고 있으면 대상으로부터 좀더 자유로워질 수 있다.

능청을 떨고, 내숭을 떨고, 시치미를 떼면서 말하려면 대상을 알면서도 모르는 체 할 수 있어야 한다. 알면서도 모르는 체하는 태도는 이중적인 태도, 양가적인 태도, 겉 다르고 속 다른 태도이다. 따라서 능청을 떨고, 내숭을 떨고, 시치미를 떼려면 미적인 거리를 갖고 상대를 복잡하게, 복합적으로, 중층적으로 파악해야 한다. 반어와 역설의 언어에 일정한 지성이 요구되는 까닭이 바로 여기에 있다.

이처럼 말을 부드럽고 촉촉하게 감성적으로 사용하는 데도 지성이 필요하다. 여기서 말하는 지성은 '심미적 이성'을 가리킨다. '심미적 이성'은 불이의 진실을 포획하기 위해 말을 복합적으로 사용하는 것과 무관하지 않다.

대상을 완벽하게 장악하지 않고서는 능청을 떨고, 내숭을 떨고, 시치미를 떼기가 어렵다. 능청이나 내숭이나 시치미는 대상을 완벽하게 장악했을 때 태어나는 심리기제, 곧 미적 거리에서 태어나는 심리기제이다. 따라서 미적 거리에 깊이 있는 지성이 작용하리라는 것은 불문가지이다. 깊이 있는 지성과 함께 하는 미적 거리가 없이는 해학도, 풍자도, 유머도 구사하기 힘들다.

과학과 달리 시는 에둘러 눙치는 데서, 곧 능청을 떨고, 내숭을 떨고, 시치미를 떼는 데서 시작된다. 이러한 복합적인 말하기는 백과전서나 교과서의 건조한 말하기와는 많이 다르다. 시의 언어는 건조한 말하기가 아니라 촉촉한 말하기이다. 촉촉한 말하기는 재미있고, 즐겁고, 흥겹고, 활기찬 말하기이다. 그러한 말하기는 "지금은 저녁이다"라고 말하지 않고 "지금은 새들이 집으로 돌아오는 시간이다"라고 말한다.

동일한 내용을 말하더라도 재미있고, 즐겁고, 흥겹고, 활기차게 말해야 시가 된다. 재미있고, 즐겁고, 흥겹고, 활기찬 말, 곧 형상언어에는 당연히 구체적인 진실이 들어 있다. 구체적인 진실은 무시한 채 재미있고, 즐겁고, 흥겹고, 활기찬 말만 취하면 정작의 좋은 시가 되기 어렵다.

사람들을 웃거나 울게 하는 말이, 곧 웃음과 눈물의 말이 재미있고, 즐겁고, 흥겹고, 활기찬 말이다. "파란 하늘"이라고 말하지 않고, "가슴에 파란 물을 들인 하늘"이라고 말하는 것이 바로 그것이다. 시의 언어가 에둘러 눙치기이고, 비틀기인 까닭이 바로 여기에 있다. 에둘러 눙치기, 즉 비틀기는 구체적이면서도 생생하고, 엉뚱하면서도 참신한 말하기이다. 당연히 이는 재미있고, 즐겁고, 흥겹고, 활기찬 말하기이다.

시를 쓰려면 무엇보다 말하는 방식에 대한 자각, 곧 재미있고, 즐겁고, 흥겹고, 활기차게 말하는 방식에 대한 자각이 필요하다. 부드럽고 촉촉하게 서정적으로 말하는 방식이 다름 아닌 그것이다. 구체적이면서도 생생하고, 엉뚱하면서도 참신한 말하기 방식이 시의 언어이라는 것이다. (2013년)

화두 또는 호기심

— 각자 이 선생은 이렇게 말했다[1]

1. 들어가는 군소리

1-1. 20세기 말, 그러니까 1990년 대 후반의 일이다. 지구라는 행성의 동쪽 끝 황소불알처럼 불쑥 튀어나온 한반도라는 땅 남쪽에 각자 이 선생이라는 자가 살고 있었다. 너무도 당연한 얘기이지만 각자 이 선생이라는 자가 한반도 남쪽 전체를 거주공간으로 택하고 있었던 아니다. 좀 더 구체적으로 말하면 한반도 남쪽하고도 서쪽의 자하시 진월동이 그의 주요 활동무대였다.

언제나 정장을 하고 동그란 금테 안경을 쓰는 등 각자 이 선생이 겉으로 보여주는 형용은 무언가를 드러내려 하기보다는 무언가를 감추려 하는 듯 보였다. 하지만 오목조목한 작은 눈이며 단정한 몸매로 인해 마냥

---

[1] 이 글이 맨 처음 발표된 것은 1982년 동인지 『창과 벽』을 통해서이다. 당시의 제목은 「천국에 이르는 길」이었다. 1999년 또 다른 동인지 『허리와 어깨』에 대폭 수정되어 재발표되면서 이 글은 지금과 같은 제목을 갖게 되었다. 초판 책을 내면서, 증보판 책을 내면서 또다시 여러 군데 첨삭했음을 밝혀 둔다.

만만해 보이지는 않았다. 겉으로는 항상 허허허 웃으면서 조금쯤은 모자란 사람처럼 굴었다. 조금쯤 모자란 사람처럼 구는 것은 아무래도 자신의 날카로운 발톱을 숨기기 위한 위장전술로 보였다. 겉으로 발톱을 드러낸 채 어슬렁거리는 맹수는 본래 없지 않은가.

각자 이 선생이 하산해 자하시 남쪽에 둥지를 튼 것은 대강 1990년대 중반, 연치 40을 막 넘어서였다. 물론 그가 수련을 했던 한산漢山 선계仙界의 스승들이 하산을 권한 것은 아주 오래 전부터의 일이었다. 하지만 아무런 대책도 없이 무조건 하산을 강행할 수는 없었다. 어디 몸 비벼 편안할 곳이 마땅치 않았기 때문이다. 그리하여 그는 한동안 차일피일 하산을 미루며 요령껏 한산 선계의 눈칫밥을 얻어먹으며 지냈다. 각자 이 선생에게 다소 둔해 보이고 멍청해 보이는 점이 있다면 그 무렵 몸에 붙은 연기력의 덕분인지도 모른다.

1-2. 수련의 본질을 익히 알고 있는 각자 이 선생으로서는 요즈음 같이 돈(자본) 세상에서는 한 평생 몸을 숨기고 살다가 한산 선계로 돌아가는 것도 그러한 대로 괜찮지 않은가 생각했다. 무엇을 하기에는 너무 짧고, 아무 것도 하지 않기에는 너무 지루한 것이 인간의 생生이라고 받아들인 것이다. 아무튼 각자 이 선생은 하산 후 처음 3년 동안은 대강 남의 눈에 띄지 않는 것을 목표로 삼아 적당히 숨어 살았다. 그러니까 일가一家를 이루려는 마음 따위는 아예 먹지도 않고 그럭저럭 시간에 얹혀 지내려고 한 것이다.

하지만 사람살이가 매번 그의 의지대로 되지는 않았다. 워낙 성품이 단정하고 방정해 매사에 정성스러움과 지극함을 버리지 못하니 그의 뜻대로 생이 풀릴 리 없었다. 마음이 시키는 대로 하더라도 법도에 어긋나지 않기를 바랐지만 그것은 공자님도 연치 70에나 도달한 경지가 아니던가. 결국 각자 이 선생도 이런저런 연유로 차츰 입을 열지 않을 수 없게 되었다. 오랜 침묵을 깨고 이런저런 일에 참견을 하게 된 것이다.

그는 가능한 대로 자신의 참견을 금방 듣고 잊어버리기를 바랐지만 돌이켜 보면 그것은 단지 그의 희망에 불과했다. 자존심이 아주 강한 것이 자하시의 사람들이었다. 그들은 그의 참견을 잘난 체하는 것으로 받아들여 걸핏하면 "네 발 빼라, 내 발 집어넣게!" 하고 소리를 치며 달려들고는 했다.

1-3. 각자 이 선생이 시간과 장소에 따라 더러 몇 마디씩 자기 생각을 지껄이기 시작한 것은 그가 하산한 지 대략 3년이 지난 뒤의 일로 추정된다. 그러는 과정에 어느덧 따르는 자들이 생기고, 그 중에는 기록에 특출한 자도 있어 결국 여기서와 같은 파편적인 생각들이 세상에 남아 있게 되지 않았나 싶다.

1-4. 각자 이 선생은 처음에는 좀 삼가는 척하다가도 멍석을 깔아 놓으면 전혀 예상치 못했던 말들을 폭풍처럼 토해내 사람들을 놀라게 하고는 했다. 그러나 조금쯤 되새겨 보면 그것은 별로 놀랄만한 일도 아니었다. 선인들의 생각이나 책 속의 내용들을 새롭게 자기 식으로 바꾸고 포장해 지껄여대는 것에 지나지 않기 때문이다. 그래도 말을 하는 방법이 그 동안의 전배前輩들과는 다를 뿐더러 적어도 손톱만큼의 깨달음은 있었던지 사람들이 여기저기에 기록해 놓은 것들이 적잖기는 했다.

아래의 글들은 이렇게 해 남은 각자 이 선생의 잡담들을 한군데에 모아놓은 것에 불과할 따름이다. 노트나 잡기장 구석에 흩어져 있는 일차 자료들을 긁어놓은 것이니 특별한 체계나 질서가 있을 리 만무하다. 그것도 주로 시, 서정시에 관한 단상들에 지나지 않는다. 독자들은 이 점을 유의해 이 글을 읽어 주기 바란다.

1-5. 각자 이 선생은 본래 다정다감한 사람이다. 다정도 병이라서 가끔씩은 그로 인해 적잖은 상처를 받기도 하는 것이 그이다. 하지만 그는 이렇게 받아들이는 상처가 진주를 만든다는 것도 잘 알고 있는 사람이다. 그가 이렇게 살아가는 데는 타고난 성품 탓도 있지만 오랜 수련에 따른 인품 탓도 있다. 어쨌거나 겉으로 보기에 그는 다소 어리석어 보인다. 실제로는 그가 저 자신의 어리석음을 즐기고 있는지도 모르지만 말이다.

물론 그는 아직 멀쩡하게 살아 있는 사람이다. 하지만 자신의 내뱉은 말을 자꾸 숨기고자 하니 사람들이 이처럼 편법을 써 세상에 드러내 보이는 것이다. 여기저기에 흩어져 있는 그의 여러 말들을 편린으로나마 일단 수렴해 보는 것인데, 물론 아직 채 수합하지 못한 글들도 없지 않고, 발견되지 않은 글들도 없지 않으리라. 혹시라도 각자 이 선생이 직접 집필한 완성된 글이 어딘가에 숨겨져 있을는지도 모른다. 적어도 각자 이 선생의 마음속에는 예의 완성된 글이 들어 있지 않을까. 겉으로 드러나는 것을 싫어하는 사람이니 아직은 알 수 없는 일이다. 각자 이 선생이 저 스스로 발심할 수 있기를 지켜볼 따름이다.

다음은 서정시 일반에 대해 각자 이 선생이 남긴 이러저런 군소리를 한데 모아 기록한 잡문이다.

2. '나'와 시 속의 나

2-1. 서정시는 '나'라는 주체가 발화한 내용으로 이루어진다. 이때의 주체는 흔히 '화자'라고 불린다. 연구자나 비평가의 시각에서 객관적으로 부르면 '화자'이지만 시인 자신의 시각에서 주관적으로 부르면 말 그대로 '나'이다.

물론 '나'는 시와 관련해서만 존재하는 것은 아니다. 시의 안에 들어오기 이전에도 '나'는 있다. 정말 '나'는 있는가. 일찍이 부처님은 『아함경』에서 '나'는 없다고 했는데 말이다.

'나'란 무엇인가. 나는 사람인가. 짐승인가. 짐승이기보다는 사람인가. 사람이면서도 짐승인가. '나'란 무엇인가. 나는 정신인가. 물질인가. 물질이기보다는 정신인가. 정신이면서도 물질인가.

'나'란 누구인가. 나는 시인인가. 학자인가. 학자이기보다는 시인인가. 시인이면서도 학자인가. '나'란 누구인가. 나는 교수인가. 선생인가. 교수이기보다는 선생인가. 선생이면서도 교수인가. '나'란 누구인가. 나는 아들인가. 아빠인가. 아빠이기보다는 아들인가. 아들이면서도 아빠인가. '나'란 누구인가. 나는 형인가. 오빠인가. 형이고 오빠이기보다는 장남인가. 장남이면서도 형이고 오빠인가. 나란 누구인가. 나는 악마이기보다는 천사인가. 천사이면서도 악마인가.

'나'는 정말 가시적으로 있는가. 있다면 언제나 나는 항상 그렇게 있는가. 어제의 '나'와 오늘의 '나'와 내일의 '나'는 같은가, 다른가. 같으면서도 다른가. 그렇다. 나는 멈춰 있거나 고여 있지 않다. 나는 그때그때의 상황에 따라 모습을 바꾸며 겨우 언뜻 존재한다. 이렇게 나는 변하고 움직인다.

'나'는 없는가. 없다면 나는 언제나 항상 그렇게 없는가. 어제도 없고, 오늘도 없고, 내일도 없는가. 없다면 어떻게 없는가. 이미 나는 광어회처럼 엷게 저며져 당신의 입 속에, 위 속에, 장 속에, 살 속에, 핏속에 흐르고 있는가. 나는 이미 한 줌 흙으로, 한 가닥 꽃잎으로, 한 마리 여우로 몸을 바꾸고 있는가. 이렇게 나는 자꾸 거듭 변한다. 내가 없는 것은 바로 이 때문이다.

내 속에는 누가 살고 있는가. 하느님이 살고 있는가. 하느님의 아들 예수님이 살고 있는가. 아니 하느님의 또 다른 아들 사탄이 살고 있는가. 이들과는 다른 코드의 존재들, 그리하여 부처님이 살고 있으면 어떤가. 아니 악귀들이 살고 있으면 어떤가? 아니 이들 모두가 살고 있으면 어떤가.

어지럽다고? 혼돈스럽다고? 어지러울 거다. 혼돈스러울 거다. '나'라는 존재는 움직이는 혼돈 그 자체이니까. 그래서 내가 '나'를 잘 모르는 것 아닌가. '나'라는 혼돈에, 이 복잡하기 짝이 없는 '나'라는 이 혼돈에 구태여 질서를 세울 필요가 있는가. 본래부터 '나'는 혼돈 그 자체이거늘! 혼돈 그 자체를 '나'로, '나'라는 존재로 받아들이기만 하면 되는 것 아닌가.

하지만 대부분의 '나'는 '나'를 혼돈 그 자체로 내버려두지 못한다. 혼돈은 내가 아니라 생각하기 때문이다. 내가 '나'에게 끊임없이 이름을 붙여 '나'라는 질서를 만드는 까닭이 바로 여기에 있다. '나'라는 질서를 만들면서 '나'를 살아가는 것이 '나'이다.

이때의 '나'라는 질서로 해 '나'는 무수한 상처를 만든다. 더러 '나'는 상처 자체가 되기도 한다. 이때의 상처는 '나'에게서도 작용하고 남에게서도 작용한다. 나를 억압하고 남을 억압하는 것이 여기서 말하는 '나'라는 질서이다.

내가 만든 '나'라는 질서 속에서 허우적대며 살아가는 '나'가 참 '나'인가. 참 '나'일리 없다. 이때의 '나'를 '나'는 믿지 못한다. 본래 '나'라는 존재는 없으니까. 이미 '나'는 너이고, 그이고, 세상 자체니까.

2-2. 한 시인의 시세계에는 무수한 '나'가 등장한다. 매 편의 시는 매 편의 '나'를 만든다. 매 편의 시 안에는 매 편의 '나'가, 각기 다른 '나'가 들어 있다. 한 편의 시 안에 등장하는 '나'도 전반부의 '나'와 후반부의 '나'는 다를 수 있다.

시 안의 '나'와 시 밖의 '나'는 다른가? 시 안의 '나'는 시 밖의 '나'보다 가공될 수밖에 없다. 창작과정 자체가 '나'를 닦는 일이기 때문이다. 따라서 시 안의 '나'는 시 밖의 '나'가 아니다. 그렇다. 시 밖에는 시 안의 '나' 와는 다른 무수한 '나' 가 존재한다. 물론 이때의 '나' 도 나에 의해 만들어진, 가공된 '나' 이다. '나' 는 어떤 '나' 도 내가 만들고 가공한 '나' 이다. 이처럼 시 안의 '나' 이든 시 밖의 '나' 이든 '나' 는 변덕스럽다. 그렇다고 하더라도 시 밖의 '나' 와 시 안의 '나' 는 일치하지 않는다.

내가 아닌 나, 내가 만들고 가공한 나, 시의 안에 존재하는 '나' 는 누구인가. 알 듯하면서도 모르겠다. 이때의 '나' 는 '나' 이면서도 내가 아니고, 내가 아니면서도 '나' 이다. 시 안의 '나' 역시 시 밖의 '나' 처럼 끊임없이 변하고 움직인다.

시 안에 존재하는 '나' 는 참 '나' 가 아니고 시 밖에 존재하는 '나' 는 참 '나' 인가. 그렇지 않다. 시 안에서도 끊임없이 흐르고 움직이는 것이 '나' 이다. 시 밖에서도 '나' 는 끊임없이 흐르고 움직인다. 시의 안에서든 시의 밖에서든 '나' 의 고정된 실재는 없다.

시 안에서의 '나' 라는 것은 더욱 그렇다. 시 안에는 늘 내가 창조한, 내가 꾸며낸 무수한 내가 살아 있다. 시를 통해 내가 '나' 를 지속적으로 창조하고, 꾸미고, 장식하는 것은 당연하다. 시 안으로 들어오는 순간 이미 '나' 는 이렇게 저렇게 가공되기 마련이다.

시 안에서의 '나' 는 하나의 기교이고, 허구일 따름이다. 허구와 기교로서의 나, 일종의 장식으로서의 나……

시 안에서 '나' 는 항상 대상에 분산되고 스며들어 존재한다. 따라서 시인이 선택하는 대상은 그 자체로 '나' 라고 할 수 있다. '대상' 을 선택하는 일은 곧 '나' 를 선택하는 일이다. 시에서 내가 이처럼 타자화되는 것은 아주 자연스러운 일이다.

시를 쓰는 사람은 저 자신을 이렇게 수식하고 위장하는 '나' 를 두려워해서는 안 된다. 삶의 본질, 아니 '나' 의 본질이 본래 그렇기 때문이다. 시 안의 '나' 는 더욱 그렇지만 말이다.

시 밖의 내가 시 안의 '나' 를 만드는가, 시 안의 내가 시 밖의 '나' 를 만드는가. 단정적으로 대답할 수는 없다. 실제로는 시 밖의 내가 시 안의 '나'를 만들기도 하고, 시 안의 내가 시 밖의 '나'를 만들기도 한다. 내가 만든 '나'와 '나'는 늘 서로를 닦는다. 시작과정詩作過程이 수행의 한 방법이 되는 까닭이 바로 여기에 있다.

시의 안과 밖에서 내가 이처럼 상호 유추되고 전이되는 것은 흔히 있는 일이다. 뿐만 아니라 나는 순간순간 '나' 밖의 '너'로, 나아가 '그'로 변환되고 전이되는 가운데 존재한다. 너로, 나아가 그로 바뀌는 가운데 존재하면서도 나는 '나'로 존재한다. 이것이 시의 안과 밖에서 내가 존재하는 방식의 역설이다.

2-3. 이처럼 시 속에서의 '나'는 '나'일 수도 있지만 '나'가 아닐 수도 있다. 가공된 인물로서의 나, 제작된 존재로서의 나, 장식되고 꾸며진 주체로서의 나……. 욕망에 쫓기는 나, 허위로 위장된 나……. 그런가 하면 진실로 포장된 나…….

이들 '나' 역시 수많은 '나' 중의 하나이다. 수많은 '나' 중의 나……. 물론 그 '나'는 흔히 시 안에서 '진실'을 포획하기 위해 희생된다. 시 안에서는 내가 진실을 드러내기 위한 허구로 존재할 수도 있다는 뜻이다.

이때의 '나'는 시작과정詩作過程에 끊임없이 자기 자신을 깎고, 다듬고, 덧붙이고, 공글린다. 따라서 시가 완성되었을 때의 '나'는 정작의 나이든, 배역(화자)의 나이든 말갛게 세면을 하고, 곱게 화장을 하기 마련이다. 잘 꾸며진 '나', 예쁘게 포장된 '나'가 완성된 시 안에서의 '나'라는 것이다.

'나'일 수도 있고 '나'가 아닐 수도 있는 나, 그러한 '나'를 나는 주저 없이 시에 등장시킨다. 시를 쓰기 시작하는 순간 이미 나는 '나'가 아니라 '너'이면서 '그'이니까, 아니 나는 '너'이면서도 '그'이니까. 이처럼 '나'는 너이기도 하고 '그'이기도 하지만 '나'이기도 하다.

강조하거니와, 시를 쓰기 시작하는 순간 '나'는 벌써 '너'이고 '그'이다, '나'는 나이면서도 너이고, 동시에 그인 것이다. 적어도 시를 쓰는 순간만은 '나'는 '너'로, '그'로 바뀌면서 존재한다.

이는 시 안에 등장하는 '그'도 마찬가지이다. '그' 역시 '그'이면서 '나'이고, '나'이면서 '그'이다. 따라서 시 안의 그는 단순히 거기 서 있는 '그', 거기 그렇게 객관적으로 존재하는 그가 아니다. 시 안에서의 '그'는 충분히 나로서의 '그'이다. '그'라고 말하고 있지만 실은 '나'인 것이다. 시 안에서 이것들은 늘 상호 침투한다.

2-4. 나로서의 너, 너로서의 나, 나로서의 그, 그로서의 나, 나로서의 나, 이들은 때로 여장을 하고 나타나기도 하고, 남장을 하고 나타나기도 한다. 여자이면서도 남자인 나, 남자이면서도 여자인 나, 시 안에서 나는 이처럼 끊임없이 나를 뒤섞는다.

시 안에서의 '나'는 그저 말하는 사람일 경우도 있다. 화자, 시에서 언어를 풀어 가는 사람 말이다.

'나'가 나의 모습을 하든, 너의 모습을 하든, 그의 모습을 하든, 멀리 떨어져 굽어보는 신의 모습을 하든 무슨 상관이 있으랴. 나가 되고 싶기도 하고, 네가 되고 싶기도 하고, 그가 되고 싶기도 하고, 신이 되고 싶기도 하는 것이 시 안에서의 '나'이다. 시 안에서의 '나'는 이처럼 전염력이 있다.

1인칭의 나, 2인칭의 나, 3인칭의 나, 나아가 전지자로서의 나……. 인간 ; 불가해한 욕망덩어리…….

어린애가 되어 있는 나, 여성 노동자가 되어 있는 나, 지식인 되어 있는 나, 철공소 황씨가 되어 있는 나, 수인囚人이 되어 있는 나, 장로교 목사가 되어 있는 나, 미스 코리아가 되어 있는 나, 어머니가 되어 있는 나, 할아버지가 되어 있는 나, 창녀가 되어 있는 나, 암탉이 되어 있는 나, 꾀

꼬리가 되어 있는 나, 산까치가 되어 있는 나, 암소가 되어 있는 나, 호랑이가 되어 있는 나, 돌멩이가 되어 있는 나, 라면봉지가 되어 있는 나, 강아지풀이 되어 있는 나, 풀여치가 되어 있는 나, 맨드라미꽃이 되어 있는 나…… 시 안에서 '나'는 누구도, 무엇도 될 수 있고, 또 될 수 없다.

2-5. 누구의 얼굴로 나타나던 시 안에는 이처럼 내가 흩어져 있고 녹아 있다. 이렇게 녹아 있는 '나'는 무엇을 찾아 움직이는가. 어떤 시간의 물결을 타고 헤엄치는가. 세월을 타고 헤엄치며 움직이는 나…… 중요한 것은 이때의 내가 도달하고자 하는 곳(것)이다. 그곳(것)이 어디인가. 그곳을 일러 '나'는 진실 혹은 진리라고 말한다. 정말로 진실이고 정말 진리인가.

오늘의 역사에서, 오늘의 현실에서 진실이라는 것이, 진리라는 것이 있기는 한가. 없으면 또 어떤가. 순정하고 순수한 마음의 지향이 진실이고, 진리 아닌가.

진실이나 진리라는 이름으로 이렇게 흩어져 있는 나, 녹아 있는 나, 이처럼 시 안에는 수많은 '나'가 살고 있다. 꼬리를 달고 이리저리 헤엄치는 나, 뱀처럼 잽싸게 미끄러지는 나, 끊임없이 이리저리 돌아다니는 나, 춤추고 노래하는 나, 제멋대로 변신하는 나…… 진리를 찾아, 진실을 향해 끊임없이 방황하고 흔들리는 나, 저 수많은 나, 저들 나는 누구인가. 도무지 알 수 없다.

2-6. 이처럼 혼잡한 나, 복수複數의 나, 열 개, 스무 개, 서른 개의 얼굴을 가진, 머리를 가진 나, 끊임없이 뒤섞인 수많은 나를 '나'는 생각한다.

그렇다. '생각한다'는 것에 대해, '생각'에 대해 '나'는 생각한다. 생각들이 불러일으키는, 생각들과 함께 하는 언어에 대해, 언어들이 만드는 시공時空, 나아가 역사와 사회에 대해, 그리고 시공時空이 만드는 진리에 대해 '나'는 생각한다.

또한 진리의 껍질에 대해, 껍질들이 만드는 소리에 대해, 소리들이 만드는 리듬에 대해, 리듬들이 만드는 정서에 대해, 정서들과 함께 하는 시의 운기運氣에 대해 '나'는 생각한다.

그리고 '나'는 다시 생각한다, 이것들이 뒤죽박죽 만드는, 뒤얽혀 만드는 시라는 존재에 대해, 시라는 예술에 대해.

3. 시의 정의 혹은 말놀이

3-1. 시란 무엇인가, 라는 질문에 대한 대답, 곧 시에 대한 정의는 수없이 많다. 세상에 존재하는 시인만큼 많은 것이 그것이다. 아니, 세상에 존재하는 시만큼 많은 것이 그것이다. 시인은 저 자신의 시로 '시란 무엇인가'라는 질문에 답한다. 매 편의 시로 시란 무엇인가라는 질문에 답하는 것이 시인이다. 좀 더 구체적으로 말하면 따로 정의를 남기지 않더라도 정의 이전의 추상으로 시인은 시를 쓴다.

시의 정의는 시의 비밀을 열 수 있는 보조 열쇠일 뿐이다. 따라서 누구라도 시에 대한 정의에 얽매여서는 안 된다. 수많은 시의 정의가 절대적일 수 없는 까닭이 바로 여기에 있다. 시의 정의는 시의 진리가 아니라 시의 징검다리이다.

다음과 같은 시의 정의가 가능한 것도 그와 무관하지 않다. 시는 말의 궤적, 말의 길道이다. 과연 그러한가. 말들이 굴러다니며 만드는 길이 시인가. 말똥구리들이 기어 다니며 만드는 흔적 말이다. 말은 고여 있지 않다. 말은 멈춰 있지 않다. 끊임없이 움직이는 말, 돌아다니는 말, 운동하는 말, 이처럼 자발없는 말들이 이루는 길……

시의 말은 갔던 길을 다시 가지 않는다. 시의 말은 입었던 옷을 다시 입지 않는다. 언제나 새롭게 갈아입는 시의 옷, 시의 길…….

3-2. 말의 길을 쫓는 재미가 없이는 시가 없다. 시의 말이 저 스스로 길을 내고, 길을 뚫는 것은 그것이 일종의 놀이, 재미있는 놀이기 때문이다. 놀이, 말놀이, 말놀음…….말이 만든 놀이가 밀어 올리는 운기氣運 없이 좋은 시가 되기는 힘들다. 이른바 문기文氣의 맛과 멋, 멋지고 맛지게 치고 달리는, 잽싸게 은근슬쩍 번트를 대고 뛰는 발랄한 말의 활기活氣 말이다. 말의 활기에서 시가 예술이 될 수 있는 근거가 출발한다.

3-3. 말놀이, 나아가 말놀음은 재미있다. 재미있는 말놀음은 사람을 취하게 한다. 어떤 말놀음은 사람을 마비시킨다. 때로는 사람을 상승시키고, 하강시키고, 응축시키고, 발산시키는 것이 말놀음이다. 하지만 사람을 마비시키는 데서 그치면 사람을 파괴시키고 마는 것이 말놀음이다.

언제나 놀음은 '노름'으로 왜곡되기 쉽다. 노름을 방불케 하는 것이 놀음이다. 말놀음도 마찬가지이다. 충분히 '말노름'이 될 수 있는 것이 말놀음이다. 말노름은 단순한 말게임이 아니다. 주체를 충분히 파괴시킬 수 있는 것이 '말노름'이다.

'말노름'을 충동질하는 말놀음은 문제가 있다. 그러한 말놀음은 단순한 재미 이상 것이 아니기 때문이다. 사람을 순식간에 자각시키고 성찰시키지 않는 '말놀음'은 '말노름'처럼 일종의 마약에 지나지 않는다.

3-4. 이는 말놀음의 시에서도 마찬가지이다. 과도한 '말놀음'의 시는 '말노름'의 시가 되기 쉽고, '말노름'의 시는 사람의 마음을 중독시키고, 분열시키고, 파괴시킨다. 노름에 취한 사람들, 함부로 비산飛散하는 사람들의 마음을 보라. 자각이나 성찰과는 전혀 무관한 저 '말노름'들 말이다.

노름에 취하는 일은 재미있다. 사람들의 마음을 깨뜨리고, 부수고, 뒤집는 일은 재미있다. 파괴, 파괴는 얼마나 즐거운 일인가. 무너뜨리고 으깨는 일은 통쾌하다.

말노름은 시의 마지막 도피처다. 그것은 피할 수 없는 말의 질곡, 그리고 무드이기도 하다. 그리하여 말노름에 취해 정신을 잃는다고 한들 차마 어쩌겠는가. 말노름이 아니라 말놀이를 즐기기 위해서라도 시의 '말'에 대한 자각과 성찰은 필요하다.

4. 시 ; 낙원 혹은 유토피아

4-1. 시는 언제나 천국을 꿈꾼다. 천국을 꿈꾸지 않는 것은 시가 아니다. 천국이라니! 천국은 파라다이스인가, 유토피아인가. 그냥 천국이라고 불러도 좋다.

천국이라는 곳이 있기는 한가. 천국은 인간의 상상력이 만들어낸 한갓 가상공간일 뿐이 아닌가.

인간의 상상력은 언제나 저 자신의 경험에 뿌리 내리기 마련이다. 그렇다면 천국은 인류의 역사적 경험, 오랜 체험에 토대를 둔 어떤 가상공간인가.

천국은 결국 요순시대 같은 곳일 수밖에 없다. 아니, 더 이전의 세계인 시원의 세계, 원시의 세계인가. 아니, 신화적 공간인 아담과 이브의 에덴쯤인가. 아니, 그러한 낙원은 말고……, 과거의 파라다이스가 아닌 미래의 유토피아는 없는가.

유토피아는 파라다이스와 전혀 다른 공간인가. 그렇지 않다. 유토피아는 미래의 공간이고, 파라다이스는 과거의 공간인가. 그렇다. 파라다이스는 잃어버린 낙원이다. 그렇다면 과거의 파라다이스는 미래의 유토피아와 너무도 멀고 다른 세계인가.

그렇지 않다. 파라다이스 없이 유토피아는 존재하지 않는다. 인간의 이상향, 유토피아는 언제나 잃어버린 낙원에 뿌리내리고 있기 마련이다. 과거가 없이는 미래가 없듯이 파라다이스가 없이는 유토피아도 없다. 유토피아는 파라다이스의 변용이다. 아니, 파라다이스는 유토피아의 변용이다. 이들 두 세계는 늘 상호 순환하는 관계에 있다.

따라서 천국은 시원의 시대, 원시의 세계에 대한 그리움을 바탕으로 할 수밖에 없다. 그때의 파라다이스를 공간적 상징으로 받아들여 꿈꾸는 미래가 천국이다. 유토피아와는 달리 파라다이스는 인간이 이미 거쳐 온 과거의 세계이다. 파라다이스, 곧 잃어버린 낙원에 대한 동경 없이 유토피아를 꿈꾸기는 힘들다. 에덴의 세계가 천국의 세계가 되는 까닭이 바로 여기에 있다.

에덴의 세계에도 인간에게 언어가 있을까. 최고의 언어예술인 시가 있을까. 천국으로서의 에덴에도 말이다.

4-2. 에덴에는 언어가 없다, 아니 없으리라, 아니 없어야 한다. 언어가 있더라도 천국의 언어로 만들 수 있는 예술은 없다, 없을 수밖에 없다. 천국의 모든 존재는 언어 그 자체, 말 그 자체이기 때문이다. 언어는 사물이고 사물은 곧 언어인 것이 천국인 에덴이다.

천국의 모든 존재는 곧바로 본질이다. 존재와 본질이, 본질과 현상이 미분화되어 있는 곳이 천국이다. 이러한 공간인 천국에는 언어가 필요하지 않다. 필요하지 않은데 언어가 있었을까.

분열이나 분리가 없는 곳이 천국이다. 천국은 '나/너', '나/그', '나/신神'이 없는 세상이다. '나=너', '나=그', '나=신神'의 대지가 곧 천국이다. 인간과 자연과 신이 '나'와 함께 말로 소통하며 사는 세상이 천국이다.

언어는 인간과 자연과 신이 서로 분열, 분리되어 있는 곳에서 필요하다. 시도 마찬가지이다. 시도 인간과 자연과 신이 서로 갈등, 대립하는 곳에서 필요하다. 이들 세계의 각각의 존재들이 서로 소통하는 가운데 잠시나마 하나가 되기 위해 필요한 것이 시이다.

정말 그러한가. 반드시 꼭 그렇지만은 않다. 시 가운데에는 찬가나 송가도 있기 때문이다. 실제로는 미분리, 미분열을 향유하는 시도 있다. 대립과 갈등이 없다고 하는 한반도 북쪽에는 무대립과 무갈등의 시가 있지 않은가.

실제로는 천국에도 언어가 있을 수 있다. 이때의 언어는 각각의 관계를 대립과 갈등으로 만들기보다는 조화와 일치로 만든다. 천국에서 언어는 나, 너, 그, 신(神/精神)이 서로를 모시는 익명의 수단으로 존재한다. 인간과 자연과 신이 서로 소통하면서도 서로를 섬기는 도구로 언어는 존재한다.

따라서 천국의 언어는 시 이전의 말놀이다. 말놀음이라고 해도 좋다. 말노름이 아닌 말놀음 말이다. 이때의 말놀음은 시가 되기를 포기한다. 시의 역할과 기능이 필요치 않는 곳이 천국이기 때문이다. 이처럼 천국은 인간과 자연과 신이 '나'와 함께 언어를 놀며 즐겁게 사는 세상이다.

4-3. 지금 이곳의 언어는 갈등을, 아니 갈등 이전의 대립을, 아니 그러한 상호 관계를 푸는 열쇠로 존재한다. 그렇다. 지금 이곳의 언어는 주객主客 혹은 물심物心이 상호 관계하는 가운데 행복을 만드는 열쇠로 기능한다.

반드시 꼭 그러한가. 그렇지 않으면서도 그렇다. 조화를 만들면서도 갈등을 만드는 것이 지금 이곳의 언어이다. 행복을 만들면서도 불행을 만드는 것이 지금 이곳의 언어라는 것이다.

하지만 지금 이곳의 언어는 조화에 기여하기보다는 갈등에 기여한다. 갈등의 근원이 되는 언어, 대부분의 오늘 이곳의 언어는, 언어라는 샘물은 끊임없이 흐르고 흘러 갈등이 되고 고통이 된다.

4-4. 천국에는 본래 풀어야 할 갈등이 없다. 따라서 언어가 마땅히 반드시 꼭 있을 필요가 없다. 천국은 언어 없이도 충분히 소통이 되는 세계이다. 눈빛만으로도, 마음만으로도⋯⋯. 따라서 천국에는 언어가 없어도 좋고 있어도 좋다.

천국은 하나이면서도 둘인 세계이다, 둘이면서도 하나인 세계이다. 오직 하나이거나 둘인 세계는 천국이라고 할 수 없다. 하나이면서도 둘일 때, 둘이면서도 하나일 때 갈등은 존재하지 않는다.

천국은 언어가 없는 곳, 있을 필요가 없는 곳, 아니 언어가 있으면서도 없는 곳⋯⋯.

이러한 곳이 천국이라면 천국에는 당연히 시가 없다. 아니, 시가 있을 필요가 없다. 시의 재료인 언어가 없는 곳, 아니 없어도 괜찮은 곳이 천국이다.

모든 시인은 꿈꾼다, 언어가 없는 나라, 없어도 괜찮은 나라, 나아가 시가 없는 세상, 없어도 괜찮은 세상을. 無無無無無⋯⋯.

4-5. 하지만 오늘의 삶은 오늘의 삶, 현세의 삶은 현세의 삶이다. 현세의 삶은 어떤가. 지금의 세상은 어떤가. 무수한 욕망의 살무사들이 꼬리를 물고 뒤엉켜 있는 곳이 지금의 세상이다. 무수한 이익들이 서로에게 창을 던져 서로의 심장을 꿰뚫는 곳이 오늘의 세상이다.

언어도 마찬가지다. 지금의 세상에서는 실타래 같은 언어들이 복잡하게 뒤얽혀 서로를 속박한다. 그리하여 천국까지는 아직 너무도 멀다, 멀 수밖에 없다.

언어의 양상이 복잡해진다는 것은 결국 사람살이의 양상이 복잡해진다는 것을 가리킨다. 이 엄청난 문명의 힘, 이 난삽한, 얽히고 설킨 언어의 실타래들! 그리하여 천국에의 길은 점점 불가능해지고 있다.

　언어의 양상이 복잡해진다는 것은 지옥에 가까워진다는 것이다.

　보라. 저기 서울 압구정동 따위의 언어들을! 함부로 비틀리고 뒤집히고 꼬인 언어들을!. 지옥의 언어들을!

　4-6. 천국에 가까워지면 가까워질수록 언어는 단순해지고 명징해지기 마련이다. 사람살이의 모습도 마찬가지이다. 그럼에도 불구하고 시의 언어는 다른 무엇보다 천국에 가까운 언어이다. 시의 언어를 얻으려면, 그리하여 천국에로의 길 위에 서려면 먼저 마음이 단순해지고 명징해져야 한다. 어린아이의 마음처럼, 어머니의 마음처럼 순수해져야 한다. 이른바 동심이나 모성을 가져야 한다.

　모든 동심과 모성이 천국의 마음은 아니다. 어떤 동심과 모성은 단지 욕망의 덩어리일 뿐이다. 이러한 동심과 모성은 언제나 맹목적이다. 불덩어리처럼 타오르는 저 환장한 동심과 모성을 보라. 자기 자신밖에 모르는 동심, 자기 자식밖에 모르는 모성, 함부로 왜곡되고 비틀린 욕망덩어리의 동심과 모성도 있다.

　4-7. 시의 언어는 단순하고도 명징한 언어이다. 단순하고도 명징한 단어는 양가적이고도 불이적인 언어이다. 천국에서 가장 가까운 언어가 시의 언어이다. 천국에 들어가기 위해서는 우선 언어부터 명징해지고도 단순해져야 한다. 언어가 명징해지고 단순해져야 한다는 것은 무슨 뜻인가. 언어가 명징하고 단순해지기 위해서는 언어 이전의 자아부터 순결해지고도 염결해져야 한다.

　언어 이전의 세계가 있다. 언어 이전의 세계는 얼핏 복잡하게 뒤얽혀 있는 혼돈으로, 카오스로 보인다. 하지만 이때의 카오스는 어린아이의 자아처럼 무구하고 투명하다. 무구하고 투명하게 빛난다. 이때의 카오스는 코스모스이다. 아니 카오스모스이다. 카오스모스란 무엇인가. 혼돈이면서도 질서, 질서이면서도 혼돈이 카오스모스이다. 양가적이면서도 불이적인 것이 카오스모스인 셈이다. 언어 이전의 자아는 신화시대의 자아처럼 무질서이면서도 질서이다.

근대에 들어, 곧 자본주의 시대에 들어 인간은 대부분 카오스모스의 마음을 상실한 채 살고 있다. 이것 아니면 저것, 저것 아니면 이것의 마음으로 살고 있는 것이 현대인이다. 정의 아니면 불의, 행복 아니면 불행……, 오늘의 자아는 이렇게 양자택일적이다.

까마득히 잃어버린 카오스모스의 마음, 신화시대의 마음이 다름 아닌 시의 마음이다. 시의 마음은 이처럼 양가적이다. 양가적인 마음은 시원의 마음이다. 시원의 마음은 에덴의 마음이다. 에덴은 잃어버린 천국! 천국은 이성과 감성이 미분화되어 있는 세계이다. 카오스모스의 세계 말이다.

이에서도 알 수 있듯이 시는 지상천국을 건설하려는 마음의 산물이다. 지상천국? 가당키나 한 것인가.

이는 한갓 꿈일 따름이다. 한갓 꿈이기에 시는 사람들을 불러 모은다. 시는 이미 까마득히 잃어버린 카오스모스의 마음을 담고 있다. 잃어버린 마음이기에 시의 마음은 사람들의 관심을 끈다.

4-8. 시의 마음에 바탕을 두지 않는 사람의 미래는 밝지 않다. 미래의 삶, 21세기의 삶이라고 하더라도 20세기말의 오늘의 삶, 자본주의의 오늘의 삶보다 결코 나을 것이 없다. 지금의 삶이 보여주는 전조를 보면 근대 이후의 삶도 환히 손에 잡힌다. 아비규환으로 살아가고 있는 저기 자본주의 이후의 황폐해진 인간의 삶이라니! 시의 마음을 잃어버렸기 때문이다. 시의 마음이 없이 살고 있기 때문이다.

시의 마음에는 이성적 주체가 없다, 논리적 자아가 없다, 추상적 세계가 없다. 감성 속에 이성이, 논리가, 추상이 들어 있기 때문이다. 주관 속에 객관이 들어 있기 때문이다. 시의 마음은 이성을 자신의 내부에 모시고 있는 감성으로 살아간다. 이성이 미분화된 감성으로 살고 있는 것이 시의 마음이다.

5. 시와 시간 혹은 자유

5-1. 언어는 여러 요소를 자질로 갖고 있다. 이는 시의 언어도 마찬가지이다. 소리이든 이미지이든 의미이든 어조이든 화자이든 청자이든……, 이들 언어의 모든 자질은 시 안에서 꿈꾼다, 자유를.

시를 시답게 하는 것들도 마찬가지이다. 이야기이든, 이미지이든, 정서(리듬/어조)이든, 그것들이 만드는 의미이든, 영자靈子이든……, 꿈꾼다, 자유를.

시는 일종의 굽이치는 바람, 물결, 파도 따위……, 그것들의 질서, 곧 리듬이 이루는 자유.

자유는 도달해 향유하는 것이 아니다. 삶의 과정에 깨닫는 하나되는 기쁨, 일치되는 즐거움, 혹은 그것들에게로의 나아감, 아니 그것들을 향한 부단한 노력이다. 행복도 사랑도 해방도 마찬가지이다.

5-2. '간다'라는 동사는 무엇을 뜻하는가. 시간의 진행과 이동을 뜻하는가. 좀 더 구체적으로 말해 그것은 주체가 겪는 시간의 이동과 진행을 가리키는가. 아니 진행과 이동의 과정에 나타나는 공간의 변화를 의미하는가. 혹은 공간의 변화에 따른 시간의 이동과 진행을 말하는가.

인간은 끊임없이 시간 속에 처해지는 존재이다. 인간은 시간이 만드는 공간 속에 끊임없이 내던져지는 생물生物이다. 그렇다. 인간은 태어나고 늙고 병들고 죽는 존재이다. 태어나면서 동시에 죽음을 예약하는 존재 말이다. 삶의 나이만큼 죽음의 나이를 먹는 존재가 인간이다. 정말 그러한가.

시간을 체험하기 전에 인간은 무엇이었을까. 암수동체의 무성생물이었을까. 영원히 죽지 않는, 죽을 수 없는 완전생물 말이다. 아니 적어도 신神의 형제, 아니 적어도 신의 아들, 아니 적어도 에덴에서의 아담과 이브였을까.

에덴에서 일탈하면서 처음으로 시간을 알게 된 인간, 시간 속에 내던져지면서 비로소 고통을 알게 된 인간……, 그러한 과정을 겪으며 인간은 오늘을 살고 있다고 하면 과장일까.

5-3. 그렇다면 시간時間이 곧 인간人間이다. 시간에 의해 인간이 결정되기 때문이다. 시간은 늘 인간을 구속하고 강제한다. 그렇다. 시간은 인간이 신神이 될 수 없는 가장 생생한 허울이고 멍에이다. 그렇다. 시간은 신神을 버리면서, 신을 뒷발로 차버리면서 인간이 받은 가장 저주스러운 선물이다.

시간은 인간과 신이 변별되는 가장 중요한 가치이다. 시간을 발견하면서 인간은 인간이 된다. 시간의 안에 존재하면서 인간은 인간이 된다. 신은 시간 밖의 영원한 존재이다. 시간 밖에 존재하기 때문에 신은 소멸하지 않는다.

시는 어떠한가. 시는 인간으로부터의 탈출이면서 시간으로부터의 탈출이다. 시간을 인간에게서 빼앗아 주인인 신神에게 돌려주기 위한 으름장, 협박, 투쟁이 시이다. 아니, 어쩌면 시는 시간으로부터 탈출하기 위한 어리광, 아당, 하소연인지도 모른다.

5-4. 시인은 꿈꾼다, 시간時間이 없는 세상을, 인간人間 밖의 나라를! 그리하여 시는 꿈꾼다, 시가 없는 세상을, 시가 없는 나라를.

그러한 나라는 지금 너무도 멀다. 그리하여 지금의 시는 기껏 자유 따위가, 평등 따위가 불러일으켜 세우는 일체를 꿈꾼다, 하나됨을 꿈꾼다, 더 이상 시를 쓰지 않기 위하여, 시 밖의 해방된 삶을 위하여, 천국의 나날을 위하여.

5-5. 그럼에도 불구하고 세상은 점점 분리되고 분열되고 있다. 삶은 점점 더 파괴되고 해체되고 있다. 고립되고 소외되고 있다. 누가 이렇게 변화되고 있는 인간의 나날을 자유로워지고 있다고 하는가. 오늘의 인간은 정말 자유로워지고 있는가. 자유보다 더 큰 것이 종합의 상실, 통일의 상실, 그 아픔이다.

이렇게 아픈 현실에서 시는 무엇인가. 회복인가, 상실인가. 부활인가, 죽음인가. 일체인가, 분열인가. 하나인가, 둘인가. 하나이면서 둘인가. 둘이면서 하나인가.

왜 이처럼 나는 시에 매달리고 있는가. 왜 이처럼 나는 시를 쓰고 있는가. 무엇을, 누구를 위해 나는 시에 빠져 있는가. 나 자신을 위해서인가. 나 자신의 존재 회복을 위해서인가.

이렇게 아픈 현실에서 시는 무엇을 할 수 있는가.

5-6. 분열, 파괴, 분리, 고립, 소외, 격리, 상실, 우울, 권태, 짜증, 무료, 분노……, 이러한 정신현상들은 모두 죽음의 감정이다. 죽음의 감정은 일단 곶감처럼 달콤하고 알싸하다. 그리하여 달콤하고 알싸하게 죽음의 늪속에 주체 자신을 던져 넣는다. 이 죽음의 늪은 마조히즘을 불러일으킨다. 아픈 쾌감을 불러일으킨다.

더 이상 시가 죽음의 감정을 부추겨서는 안 된다. 오늘의 세계가, 오늘의 자아가 죽음으로 가득 차 있다고 할지라도 그것은 마찬가지이다. 죽음과 삶이 뫼비우스의 띠처럼 뒤얽혀 있을지라도 더는 시가 죽음의 감정을 유포해서는 안 된다.

죽음의 감정은 죽음의 의식을 낳는다. 나를 죽이고, 너를 죽이고, 세계를 죽일 따름이다. 생명을 낳지 않는 죽음을 쉽게 수락해서는 안 된다.

'현대', '현대성'이라는 미명으로 죽음을 감염시키는 저 수많은 바이러스들, 바이러스를 옮기는 바퀴벌레 같은 시들! 나는 이러한 시를 거부한다.

그렇다면 시는 언제나 생물인가. 언제나 살아 있는 것인가. 언제나 죽음 밖에 있는 것인가.

5-7. 기억하자. '현대'는 언제나 '현대'의 끝에 있다. 현대는 언제나 움직이는 제 꼬리를 붙잡고 허우적거리며 제 몸을 끌고 있다. 허우적거리며 제 몸을 끌고 있는 것은 언제나 저만큼 달려가고 있는 현대성도 마찬가지이다.

어떻게 이 현대를 극복하느냐, 초극하느냐가 문제이다. 현대라는 시간時間이 비록 인간人間이라는 숙명과 맞물려 있을지라도. 현대의 초극이 비록 인간의 초극과 맞물려 있을지라도.

시詩는 언제나 시간時間 밖을 꿈꾸는 것 아닌가. 시는 언제나 시간 밖에 존재하려고 하는 것 아닌가.

6. 시; 하나 혹은 황홀

6-1. 시는 하나에로의 의지 속에 수렴된다. 이미 '하나'가 인습이 되고 관습이 되어 있다면, 그렇게 고착되어 있다면 그 하나를 헐고, 들어내고, 또 다른 하나를 만들고자 하는 의지와 더불어 태어나는 것이 시이다. 시는 하나에로의 의지의 산물이다. 어쩔 수 없이 시가 분리를 택하더라도, 이때의 분리는 하나, 곧 통합을 위한 과정이고, 단계일 따름이다.

쪼개지고 깨어지는 것이 아니라 집합되고 수렴되는데, 하나가 되는데, 아니 되려고 하는데 시의 의지가 있다. 이때의 의지는 기쁨이다, 미적 충동이다, 아름다운 들뜸이다.

공시적으로, 통시적으로 시는 분열이 아니라, 대립이 아니라, 갈등이 아니라, 파괴가 아니라, 화합이다, 일체다, 하나다.

그렇지 않다고? '그렇지 않다고'는 없다.

하나는 무엇인가. 하나는 섹스다. 시도 하나다. 그러니 만큼 시도 섹스다. 적어도 시는 섹스를 지향한다. 그것이 비록 한 순간의 황홀에 불과할지라도.

섹스의 황홀이라니? 정작 황홀한 섹스는 잉태 및 생산과 함께 하기 마련이다.

황홀을 꿈꾸는 시…….

6-2 : 황홀! 이를 가리켜 영감의 순간이라고 해도 좋다. 몰각의 순간이라고 해도 좋다. 정작의 몰각은 나를 잃으면서도 나를 찾는다. 정작의 황홀은 나도, 너도 존재하지 않는 시공時空, 존재하면서도 존재하지 않는 시공이다.

황홀은 오래 지속되지 않는다. 언제나 순간적인 것이 황홀이다. 3분의 형식이라고 해도 좋다. 황홀은 하나의 계시이다.

황홀 ; 우주의 질서와 함께 하는 자아, 우주의 강물 속을 헤엄치는 자아, 우주와 뒤섞이는, 우주와 착종되는 자아, 우주와 구분되지 않는 자아, 우주이면서 우주가 아닌 자아.

이들 자아는 우주와의 교접해 또 다른 우주를 낳는다. 이때의 교접이 황홀이다. 우주를 낳는 황홀은 거대한 생산의 모태이다.

거대한 생산은 생명의 생산을 가리킨다. 생명의 생산처럼 고귀한 것은 없다.

생산의 과정인 황홀은 개체의 분열을 낳는다. 황홀은 언제나 새로운 생명의, 끊임없이 분열되는, 끊임없이 태어나는 새로운 생명의 어머니로 존재한다. 단아하면서도 뜨거운 조화……, 오직 일치의 황홀만이 분열의 생명을 낳는다.

황홀과 분열 중에서 무엇이 중심인가. 중심 말이다. 정작 중요한 것은 이것들의 중심이다. 도대체 황홀과 분열 중에서 무엇이 중심이라는 말인가. 이 질문은 곧바로 생명의 중심이 종합에 있느냐, 분열에 있느냐를 뜻한다. 물론 분열이 없이 종합이 없고, 종합이 없이 분열이 없다. 이는 발산이 없이 수렴이 없고, 수렴이 없이 발산이 없는 것과 같다.

모든 생명은 하나가 되면 이내 둘이 된다. 하나가 되면 곧바로 다른 하나를 낳는다. 이것들 중 무엇이 중심인가. 결국 이것들의 중심은 각자의 선택에 달려 있다. 각자의 선택에 의해 결정되는 것이 이것들의 중심이다.

종합을 중심으로 선택할 것인가. 분열을 중심으로 선택할 것인가.

실제로는 각자가 중심이다. 그렇다면 각자는 종합인가, 분열인가. 종합이면서도 분열인 각자 말이다.

섹스로서의 시는 죽음 지향적이 아니라 생명 지향적이다. 아니, 생명 지향적이어야 한다. 끊임없이 시를 낳기 때문이다. 죽음 지향적 섹스가 아니라 생명 지향적 섹스가 '시'라는 것이다. 쾌락으로서의 섹스가 아니라 생산으로서의 섹스라고 해도 좋다. 쾌락으로서의 섹스와 생산으로서의 섹스가 분리될 수 있는가. 그렇지 않다. 그것들도 늘 뒤섞여 있다. 둘이면서 하나이고, 하나이면서 둘이다.

6-3. 신명 들린 무당이 작두날 위에서 온몸을 흔들며 춤추는 것을 본 적이 있는가. 춤과 함께 어우러지는 타악기소리를, 징소리, 꽹과리소리, 북소리, 장구소리, 해금소리를……, 그리고 그렇게 불러 젖히는 노랫소리를 들은 적이 있는가.

작두날 위에서 춤을 출 때 정작 춤을 추는 것은 누구인가. 무당인가, 칼날인가, 시끄러운 타악기 소리인가. 무엇이 무당이고, 무엇이 작두날이고, 무엇이 타악기소리인가. 무당의 굿판 위에서 그러한 변별은, 그러한 나눔은 이미 없다.

무당이 작두날이고, 타악기소리이고, 노랫소리이다. 작두날이 타악기소리이고, 노랫소리이고, 무당이다. 타악기소리가 노랫소리이고, 무당이고, 작두날이다. 나머지도 마찬가지이다.

한순간에 어우러지는 것들……, 창작과정에는 시도 다르지 않다. 시 안의 모든 존재들도 한순간에 어우러진다.

6-4. 모든 존재들이 어우러질 때 시는 자유이고 희열이고 해방이다. 이때의 자유와 희열과 해방은 순간적인 것이다. 시의 기쁨은 연속되는 시간의 끝에 도달해 향유하는 영원이 아니다, 영원한 행복이 아니다.

시는 시간을 거부하고 시간 밖으로 튀어나가려는 의지와 함께 한다. 시는 그러한 낱낱의 삶의 과정에 문득문득 깨닫는 성령이고, 은총이고, 계시이다. 이를테면 시는 함박눈처럼 세상을 덮는 충만한 '만나'이다.

충만한 만나는 늘 삶의 구체적인 일상에서 발생한다. 삶을 운영시키는 가장 작고 조그만 생활의 주변에서 비롯된다, 아니 비롯되어야 한다. 작고 조그만, 하지만 가장 벅찬, 가장 생생한 삶의 언저리, 그것들의 역사적, 사회적, 인간적, 우주적 의미의 깨침, 이때의 깨침은 언어로, 이름붙임으로 온다. 그것이 시이다.

7. 언어와 실재, 그리고 시의 이름붙이기

7-1. 자신이 관계하는 모든 것에, 모든 것의 조각조각에 끊임없이 이름

을 붙이는 것이 인간이다. 이러한 이름붙임, 곧 언어는 인간의 기본조건
이다.

이름붙이기는 명명하기이다. 명명하기는 존재의 본질을 알고 싶어 하
는 인간의 지난한 몸부림에서 태어난다.

사물이든 관념이든, 그밖의 무엇이든 존재하는 모든 것에, 존재하는 어
떤 것에 끊임없이 이름을 붙이는 것이, 명명을 하는 것이 인간이다. 인간
의 역사가 본래 그렇다.

인간의 역사라니! 자연의 역사가 아니라 인간의 역사 말이다.

시도 그러한 몸부림의 하나, 이름붙임의 하나이다.

7-2. 인간은 명명을 통해 온갖 존재들을 거기 있게 한다. 그것들을 거
기 있게 하면서 인간을 여기 있게 하는 것이 인간이다.

무엇이 거기에 있고, 무엇이 여기에 있는가. 무엇이 '거기'이고, 무엇
이 '여기'인가.

무엇이, 어떤 무엇이 도대체 인간인가. 무엇이 인간을 인간으로 여기
있게 하는가. 거기와 여기, 여기와 거기의 가운데에도 이름은 있다.

시도 어쩔 수 없는 이름붙임이다. 이름붙임이라니? 이름붙임은 언어붙
임, 언어붙임은 존재 찾기이다. 언어에는 존재가 살고 있으니까.

7-3. 노자老子에 의하면 이름붙일 수 있는 영원한, 항구 보편한 이름은
없다(名可名非常名). 이를 두고 이름붙임의 무망 혹은 허망이라고 해도
좋다. 이름붙임은 언어붙임, 언어붙임은 언어투사, 언어투사는 천국의 것
이 아니다. 언어투사는 지상의 것이다.

이름붙임은 지상의 인간들이 운명적으로 만드는 일종의 애증이다. 끊
임없이 세상의 조각조각에 이름을 붙이지 않을 수 없는 것이 인간이다.
그렇다. 이름붙이지 않고서는 견딜 수 없는 것이 인간이다. 끝내 인간을,

저 자신을 멸망시킬지라도 이름붙이기를 그치지 못하는 것이 인간이다.

노자老子는 일찍이 無名(무명)은 天地之始(천지지시)요, 有名(유명)은 萬物之母(만물지모)라고 말한 바 있다. 이름 없음은 천지의 시조(시작/처음)이요, 이름 있음은 만물의 어머니라는 뜻이다. 노자는 이름 없음과 이름 있음을 이처럼 상징적으로 표현하고 있다.

당연히 시詩도 이름붙임의 한 방식이다. 아니, 이름붙임 그 자체이다. 하지만 단 한 번의 이름붙임으로 시의 진리가 완벽하게 현현되는 것은 아니다.

7-4. 모든 언어는 확정적이지 않다. 이는 시의 언어도 마찬가지이다. 바로 그렇기 때문에 시의 언어는 오히려 좀 더 의의를 갖는다. 진리에로의 끊임없는 명명, 시의 언어는 그 과정에 있다.

불확실하고 불투명한 것이 언어의 기본 속성이다. 시의 언어도 마찬가지이다. 기표는 하나지만 기의는 여러 개인 것이 일상어, 자연어다. 수기호가 아닌 한 인간의 언어는 모두 다의적이다.

이처럼 언어는 한계를 지니고 있다. 언어가 사물이나 관념의 은유에 지나지 않는 것도 이 때문이다. 일상의 자연어는 본래 존재의 은유일 따름이다.

모든 언어 행위는 끊임없이 주체가 드러내고자 하는 사물이나 관념의 허벅지를 더듬는 작업에 불과하다. 모든 언어 행위는 장님의 코끼리 더듬기라는 것이다. 하지만 이때의 코끼리 허벅지는 코끼리 전체를 은유하거나 상징한다.

많은 장님들이 코끼리를 더듬은 다음 그것을 모아 정리하면 코끼리의 온전한 모습이 그려질까. 비록 몽타주에 불과하더라도 말이다.

고끼리가 아니라 진리라고 하더라도 그것은 마찬가지이다. 인간의 언어행위는 결국 진리의 몽타주를 만드는 작업에 지나지 않는다. 물론 이때의 몽타주는 진리의 은유이거나 상징이다. 이는 시의 언어행위에서도 마찬가지이다.

7-5. 언어가 지니고 있는 이러한 불확정성은 언어 자체의 한계인가. 아니면 인간의 인식능력의 한계인가. 인간의 인식능력 또한 한계를 갖고 있는 것은 분명하다. 끊임없이 인식능력을 신장시켜온 것이 인간이지만 말이다.

인간의 인식능력에 못지않게 언어 자체도 한계를 갖고 있다. 언어의 한계라니! 언어의 한계를 돌파하기 위해 그동안 인간은 무수한 노력을 기울여온 바 있다. 이때의 노력은 과학의 차원에서도, 종교(철학)의 차원에서도, 시의 차원에서도 계속되고 있다.

인간이 언어의 한계를 지각한 것은 아주 오래된 일이다. 부처님 당시부터 인간은 언어와 실재의 괴리를 깊이 자각한 바 있다. 인간이 숫자와 기호를 만든 것도 물론 언어의 한계를 돌파하기 위해서이다.

숫자와 기호로 언어의 한계를 돌파할 수 있을까. 고개를 끄덕이기가 쉽지 않다. 숫자와 기호의 언어는 형식과 내용이 일치한다. 형식과 내용이 일치한다고 하더라도 숫자와 기호의 언어는 한계를 갖는다. 형식과 내용이 일치하기 때문에 숫자와 기호의 언어는 오히려 한계를 갖는다.

선불교에서는 숫자나 기호에 의지하지 않고도 언어 자체로 언어의 한계를 돌파하려고 한다. 숫자와 기호의 언어로는 도저히 도달할 수 없는 진리에 온갖 한계를 지니고 있는 일상의 자연어를 통해 도달하려고 하는 것이 선불교이다. 선승들이 보기에는 숫자나 기호보다 일상의 자연언어, 곧 은유나 상징의 언어가 좀 더 진리에 다가갈 수 있기 때문이다.

선승들이 기존의 언어를 부정하고 화두를 매개로 해 진리에 이르려고 해왔다는 것은 불문가지이다. 不立文字(불립문자) 敎外別傳(교외별전) 直指人心(직지인심) 見性成佛(견성성불)이라는 화두를 선불교에서는 교지

(敎旨)라고 한다. "문자로는 진리를 세울 수 없다, 진리는 가르침(언어) 밖에 따로 전한다, 사람의 마음을 직시해 본성을 깨닫고는 부처를 이루라"는 뜻을 갖는 선불교의 교지 말이다.

하지만 정작의 선승禪僧들은 결국 불립문자不立文字에서 불이문자不離文字로 돌아와, 곧 언어부정에서 언어긍정으로 돌아와 게송偈頌을 읊는다. 게송은 선시禪詩의 일종이다. 좀 더 자세히 말하면 게송은 일종의 선리시禪理詩이다.

이처럼 선승들이 최후로 선택하는 언어는 시의 언어이다. 이때의 시의 언어는 은유 및 상징과 함께 하는 이미지의 언어이다. 선시의 언어도 이처럼 이미지의 언어이다. 말할 것도 없이 이미지는 묘사와 비유(은유)와 상징이 만든다.

이미지의 언어, 곧 시의 언어가 역사 속에서 이루어온 저 엄청난 진리의 현현을 보라. 부족하고 불안한 시의 언어로 하여, 언어의 힘으로 하여 사람과 꽃, 꽃과 나무, 나무와 동물, 동물과 사물들이 시에서 서로 뒤얽힌 채 진리를 발하고 있다.

7-6. 얼핏 언어는 고정되어 있는 것처럼 보인다. 그리하여 항상 동일성을 보장하는 것처럼 보인다. 하지만 언어의 실재는 고정되어 있지 않다. 언어가 멈춰 있지 않은 것처럼 언어의 실재도 멈춰 있지 않다.

언어와 마찬가지로 끊임없이 움직이고 변하는 것이 언어의 실재이다. 언어만이 아니라 언어가 이름붙이는 사물이나 관념도 움직이고 변한다. 육체적으로나 심리적으로 모든 언어는 움직이고 변한다. 그렇다. 움직이고 변하는 것은 언어의 내용만이 아니다. 언어의 형식도 마찬가지이다.

하지만 변하고 움직이는 것 가운데 좀 더 주목이 되는 것은 언어의 형식보다 언어의 내용이다. 언어의 형식, 즉 기표는 하나이지만 언어의 내용, 즉 기의는 여러 개이기 때문이다.

조금은 구체적인 예를 들어 보자. 의자라는 언어는 동일하지만 구체적인 사물로 현현되는 각각의 의자는 동일하지 않다. 긴 의자, 작은 의자, 흔들의자, 부서진 의자, 나무 의자, 철제 의자 등이 모두 의자이다. 이렇듯 고정된 모습을 갖지 않는 것이 실재하는 의자이다.

홍길동은 언제나 홍길동이지만 실제로 살아 있는 홍길동은 언제나 하나로 고정되어 있지 않다. 붙여진 이름은 어제의 홍길동과 오늘의 홍길동이 같지만 구체적으로 활동하는 홍길동은 어제의 홍길동과 오늘의 홍길동이 다르다. 순간순간 움직이며 변화하는 것이 언어(기표)가 함유하는 실재(기의)이다.

언어와 그것이 지시하는 실재가 만드는 괴리……. 언어가 변하는 것은 바로 이 때문이다. 실재라고 하는 진리는 본래 언어 밖에 따로 존재하기 마련이다. 언어에 의해 명명되고 포착되는 순간 실재라고 불리는 진리는 저만큼 달아나 따로 놀고는 한다. 언어로는 본래 제대로 포착하거나 획득할 수 없는 것이 실재라고 불리는 진리이다.

일찍이 노자는 道可道非常道(도가도비상도) 名可名非常名(명가명비상명)이라고 한 바 있다. 도라고 말할 수 있는 도는 영원한, 항구보편한 도가 아니다, 이름이라고 말할 수 있는 이름은 영원한, 항구보편한 이름이 아니라는 뜻이다.

언어와 실재는 이처럼 늘 괴리되어 있다. 언어와 실재의 괴리……, 시의 언어는 이때의 괴리를 무화無化시키려는 노력의 하나로 태어난다. 실재인 진리 그 자체를 목표로 하는 것이 시의 언어이다. 실재인 진리와 하나가 되는 언어, 곧 실재와 괴리가 없는 언어가 시의 언어인 것이다.

7-7. 언어와 실재의 관계는 은유가 태어나는 원리와 다르지 않다. 기존의 언어로는 변화하고 움직이는 실재를 포착하지 못한다. 하지만 변화하고 움직이는 실재를 포착하기 위해서는 기존의 언어를 사용할 수밖에 없

다.

　기존의 언어는 늘 인간에게 억압으로, 고통으로 존재한다. 낡고 진부하여 변화하는 실재를 포착하기 힘든 것이 기존의 언어이다. 하지만 기존의 언어는 기존의 언어를 통해 새로워질 수밖에 없다.

　기존의 언어……. 그 피폐함, 그 낡고 진부함을 뼈저리도록 아프게 인식하면서도 또 다른 기존의 언어로 기존의 언어를 극복하는 수밖에 없다. 또 다른 기존의 언어로 기존의 언어를 극복하려는 노력 속에서 은유는 태어나고, 시는 자란다.

　따라서 은유로서의 시는 기존의 언어가 인간에게 부여하는 원초적인 억압과 고통으로부터 해방되려는 의지와 함께 존재한다.

　7-8. 사랑이라는 언어와 그것이 함유하는 사랑이라는 실재의 경우에도 이는 마찬가지이다. 그동안 수많은 시인들이 사랑을 노래해왔지만 아직까지도 수많은 시인들이 사랑을 노래하고 있는 까닭이 바로 여기에 있다. 사랑이라고 말하는 순간 사랑은 사랑이라는 언어 밖으로 튕겨나간다는 것을 잊어서는 안 된다.

　사랑이라는 언어와 사랑이라는 실재가 갖는 괴리……. 이것이 다름 아닌 언어와 그것이 담아내려고 하는 실재가 이루는 숙명이다. 이때의 숙명을 극복하기 위한 시지프와 같은 몸부림, 시는 바로 그러한 몸부림 속에서 태어나 성장한다.

　7-9. 언어의 일상과 산토끼나 산노루의 일상은 다르다. 산토끼나 산노루는 자신의 길을 만들고 오직 자신이 만든 길로만 다닌다. 하지만 언어는 그렇지 않다. 끊임없이 운동하는 것이 언어일 뿐더러 언어에게는 자신에게 주어진 본래의 길이 없다. 언어는 발화되는 순간 각기 다르게 조합되며 자기에게 주어진 각기 다른 길을 만든다.

매번 각기 다른 저 자신의 길을 만들어 가는 것이, 그렇게 생성, 변화해 가는 것이 언어의 길이다. 새롭게 생성, 변화하는 모든 언어의 과정이 늘 억압이고 고통인 까닭이 바로 여기에 있다.

　이러한 언어의 생성, 변화의 과정도 길이다. 언어의 길을 연구하는 것이 문법학이다. 문법학은 아직 살아 있는 구체적인 언어의 행위를 부추기는 것이 아니라 이미 죽어버린 언어의 시체를 허구적으로 해부한다. 언어의 시체? 시체 중에서도 이미 비쩍 말라버린 미라를 해부하는 것이 문법학이다. 파롤이 아니라 랑그를 대상으로 하는 문법학은 언제나 죽은 자식 불알만지기일 수밖에 없다.

　시의 언어행위는 그렇지 않다. 시의 이름붙임은 끊임없이 살아 생동하는 창조행위이다. 활기로 가득 찬 의미의 창조, 그리고 존재의 창조로 이어지는 것이 시의 언어이다.

　시의 이름붙임이 생명을 생산하는 행위인 까닭이 바로 여기에 있다. 생명은 살아 있는 존재이고, 살아 있는 존재는 육체를 지니고 있어 구체적이고 생생하다.

　7-10. 시의 이름붙임은 관념이 아니라 구체이다. 시의 이름붙임은 구상이고, 형상이다. 그러므로 시의 이름붙임, 곧 시의 언어는 언제나 구체로서의 사물, 생생한 사물이어야 한다, 다시 말해 생물이어야 한다.

　시의 이름붙임에서 관념觀念도 가능한가. 물론 가능하다. 시의 이름붙임이 본래 추상抽象과 무관하지 않기 때문이다. 추상과 관념은 다르다. 추상은 요약이고, 관념은 이념이다. 하지만 지나친 추상은 관념으로 전이되기 쉽다.

　그럼에도 불구하고 관념은 차마 어쩔 수 없는 최후의 것이어야 한다. 되도록 깊숙이 감추어진 것으로서의 관념, 궁극적으로 시가 관념에로의 의지를 버리지 못할지라도 이는 마찬가지이다.

시의 이름붙임은 근본적으로 생생한 사물이다, 사물이어야 한다. 사물일 때 시는 천국天國에로의 길을 담을 수 있다. 사물일 때 시는 원시原始에로의 길을, 신화神話에로의 의지를 담을 수 있다. 아니 적어도 그러한 세계를 꿈꿀 수 있다.

이 엄청난 모순이라니! 본래 시는 모순의 언어이다. 시에서 아이러니나 역설이 중요한 화법인 까닭도 이와 무관하지 않다.

8. 상상, 사물과 관념

8-1. 왜 사람들은 시를 읽는가. 시의 세계가 감싸 안는 원시의 세계, 신화의 세계, 그것들이 사람들의 가슴에서 이루는 일치의 기쁨 때문인가. 그 기쁨이 상상想像의 공간 안에서 이루어지는 것일지라도.

상상은 언제나 사물에 의해서만 본래적인 제 모습을 보여주기 마련이다. 따라서 상상은 인간의 사물적 능력이라고까지 할 수 있다. 그렇다. 사물을 꿈꾸는 인간만이 충만한 상상을 할 수 있다.

상상은 이미지를 단위로 하는 사유형태이고, 이미지는 사물이 존재하는 실제의 모습이다.

8-2. 인간의 사물적 능력과 관념적 능력은 통로를 달리한다. 이것들은 인간의 인식능력이 갖는 각기 다른 두 코드이다. 물론 이것들 두 코드의 뿌리는 본래 하나이다. 공히 진리를 목표로 하기 때문이다.

하지만 그것이 드러나는, 분출하는, 작용하는 통로는 각기 다르다. 이 통로를 가리켜 혹자는 상상(력)과 이해(력)이라고 부르고, 혹자는 형상사유와 개념사유라고 부른다. 인간의 정신활동은 이것들 두 통로를 바탕으로 한다.

통로가 다른 이것들 두 개의 사유능력 가운데 전자는 감성感性에 기초하고 후자는 이성理性에 기초한다. 따라서 이들 두 개의 사유능력을 감성사유와 이성사유라고 불러도 좋다.

이성사유보다는 감성사유가 본성本性에 좀 더 가깝다. 그렇다면 영성靈性에 좀 더 가까운 것은 이성인가. 그렇지 않다. 영성은 이성이 미분화된 감성에 토대를 두고 있다. 아니, 본성과 감성과 이성을 종합하고 수렴하는 가운데 태어나는 것이 영성이다. 영성은 이것들을 종합하고 수렴할 뿐만 아니라 초월한다.

인간은 본래 관념보다 사물과 친숙하다. 사물과 친숙하다는 것은 이성보다 감성과 친숙하다는 뜻이다. 물론 감성보다는 본성과 친숙한 것이 인간이다. 동물로부터 재창조되어온 것이 인간이기 때문이다.

관념은 상대적으로 이성에 가깝다. 이성은 감성에서 불거져 나온 것이고, 감성은 본성에서 불거져 나온 것이다. 영성은 이것들 모두를 끌어안으면서도 벗어난다.

사물은 인간에게 주어진 기본 조건이다. 관념보다 사물과 친숙한 것은 인간 역시 사물 속에서 사물들과 더불어 태어났기 때문이다. 이처럼 사물은 인간의 근원적인 질료이다. 본성에 기초한 사물이 선천적이고 생래적인 것이라면 이성에 기초한 관념은 후천적이고 작위적인 것이다.

8-3. 그렇다면 관념은 버려도 되는가. 그렇지 않다. 관념이 없이 인간은 인간일 수 없다. 실제로는 관념과 함께 하면서 태어난 것이 인간이다. 관념은 인간이 인간으로 존재하는 기본조건이다.

하나님의 따뜻한 입김으로서의 관념, 보이지 않는 하느님의 훈기가 질서 있게 작용함으로써 사물은 인간으로 몸을 바꾼다. 유기물이든 무기물이든 모든 사물은 내향성, 곧 의식성을 지니고 있다. 의식성? 의식성을 두고 의식지향성이라고 불러도 좋다.

세상의 모든 존재는 의식지향성을 지니고 있다. 나는 그것을 두고 특히 기氣)부른다. 활동운화活動運化하는 기氣의 돌연변이가 생명을 만들고, 생명의 정신을 만든다. 인간도 그렇게 태어난다.

관념의 살아 있는 형태로서의 정기精氣, 깨어 있는 정기의 분주한 운동이 별안간 사물 속에 무르녹아 생명이 된다. 생명? 인간도 그렇게 생명이 된다. 하느님이 흙으로 빚은 아담의 콧구멍에 자신의 입김을 불어넣듯이…….

시도 마찬가지이다. 시도 육체는 물질이고 사물이다. 하지만 육체만으로는 시가 되지 못한다. 시라는 물질, 시라는 사물에 입김을, 영혼을 불어넣을 때, 그리하여 영혼이 시의 몸속을 거리낌 없이 휘젓고 돌아다닐 때 비로소 시는 시가 된다.

시에서 관념은, 정신은 그만큼 중요하다. 그럼에도 불구하고 시의 원자재는 물질이고 사물이다. 이때의 물질 혹은 사물을 경험이라고, 곧 체험이라고 불러도 좋다. 원래 인간은 자연이, 자연이라는 물질이 변형되어 태어난 존재이지 않은가.

따라서 인간정신의 산물인 시가 사물이고자 하는 것은 당연하다. 시 역시 이미 그 자체로 탄생, 성장, 소멸하는 생물이기 때문이다.

8-4. 인간의 자아가, 특히 시의 자아가 물질로서의 자연만을 지향하는 것은 아니다. 인간의 내부에는 자연에로의 회귀의지와 자연으로부터의 일탈의지, 이 두 가지 의지가 공존한다. 이들 회귀의지와 일탈의지를 가리켜 물질에의 의지와 정신에의 의지라고 불러도 좋다. 물론 물질과 정신이 이루는 까마득한 변증법, 까마득한 중용, 중용의 아슬아슬한 접점에서 시는 꽃핀다.

이 두 가지 의지의 동시작용, 동시작용의 역학이 시이다.

9. 관념 ; 언어 혹은 시의 숙명

9-1. 언제부터 인간은 관념을 지니게 되었을까. 호모사피엔스의 역사에서 관념은 본래부터 엄연한 숙명이었을까. 숙명? 관념을 갖기 이전의 인간, 오늘의 인간으로 개벽되기 이전의 인간은 불행했을까. 불행이라는 관념이 있기나 했을까.

관념을 갖기 이전의 인간, 정신작용을 하기 이전의 인간, 미처 이성을 갖기 이전의 인간의 삶은 어떠했을까.

감성만으로의 인간, 아니 감성 속에 이성이 들어 있던 시절의 인간, 감성과 이성이 미분화되어 있던 시절의 인간의 삶은 어떠했을까.

아득한 신화시대, 원시시대에 인간은 어떻게 살았을까. 나아가 호모사피엔스 이전의 영장류는?

9-2. 오늘의 인간에게는 이미 관념이 저 자신의 일부가 되어 있다. 관념이 없는, 정신이 없는, 의식이 없는 인간은 없다. 그것이 비록 파괴되고, 일그러지고, 찌그러지고, 으깨져 있을지라도 관념으로 하여 인간은 지금의 인간이 되어 있다.

관념은 인간이 자연으로부터 일탈해온 가장 큰 무기이다. 관념으로 하여, 그것이 퇴적되어 이루는 지식으로 하여, 지식이 만드는 과학으로 하여 인간은 지금 자연으로부터 멀리 비켜 서 있다.

이제 관념은 떼어낼 수 없는 인간의 일부이다. 그리하여 관념은 인간의 거대한 운명이 되어 있다.

시에서도 마찬가지이다. 시에서도 관념은 이제 떼어낼 수 없는 시의 일부이다. 마침내 시의 거대한 숙명이다. 그렇기는 하더라도 시에서 관념은 최후의 것이어야 한다. 가장 깊숙한 곳에 감추어져 있는, 보이는 것들의 저편에 숨겨져 있는 보이지 않는 무엇이어야 한다.

9-3. 무엇이 시의 기쁨을 만드는가. 관념인가. 아니다. 시의 기쁨은 일단 그것이 지니고 있는 육체성, 사물성, 즉 물질성에서 온다. 물질의 아름다움, 사물이 불러일으키는 이미지, 이미지가 만드는 상상, 상상이 펼쳐지며 태어나는 기쁨과 희열……. 관념은 그 다음에 천천히 온다.

육체성, 물질성, 사물성의 구체적인 모습인 형상성은 이미지(비유와 묘사가 만드는), 정서(분위기), 이야기(서사의 실제)로부터 비롯된다. 아니 형상은 그 자체로 이미지, 이야기, 정서이다. 이미지, 이야기, 정서의 총체가 형상이라는 것이다.

하지만 형상은 이미 관념을 거느리고 있다. 이때의 관념을 형상의 유의미성이라고 불러도 좋다. 유의미성은 각각의 형상을 이루는 자질 안에도 들어 있다. 이미지는 이미지대로, 이야기는 이야기대로, 정서는 정서대로 관념을 포괄하고 있다는 뜻이다.

여기서 말하는 관념을 진실이라고 부르고, 진리라고 부른들 어떠랴. 이를 두고 좀 더 단순하게 '의미'라고 불러도 좋다.

시에서 관념은 이처럼 형상에 후행한다. 본래 관념보다 선행하는 것이 형상이다. 좋은 시는 형상이 구체화된 다음에 관념이 덧붙여지기 마련이다.

하지만 많은 시가 관념을 형상보다 선행시킨다. 물론 그렇게 해도 좋다. 관념의 사물화, 곧 관념의 물질화, 곧 관념의 사물적 응용이 이루어지기만 한다면 말이다.

관념이 사물로, 물질로 육화되면 될수록 인간의 상상력은 확대되기 마련이다.

9-4. 사물은 어디에 있는가. 사물은 당신의 눈길이 지금 마주 닿는 곳

에, 나날의 당신의 생활 속에, 일상 속에 자리해 있다. 언제나 사물은 일상의 모습, 생활의 모습을 하고 삶 위에 현현된다. 사물은, 일상은, 삶은 이미지다.

시 ; 일상과 생활을 새롭게 깨닫고, 새롭게 깨달은 일상과 생활에 끊임없이 이름붙이기. 시 ; 이미지에 이름붙이기. 생활, 일상, 그리하여 삶……, 삶이 만드는 것이 시이다, 비록 사물보다 관념이 선행할지라도.

모든 삶은, 모든 일상은, 모든 생활은 움직인다. 그것이 생활이 지니고 있는 자유다. 움직이는 자유! 모든 자유는 고독을 거느리고 있다. 모든 고독은 비애를 거느리고 있다. 움직이는 비애! 움직이는 비애로 마음 아파 본 적이 있는가.

모든 움직임에는 질서가 있다. 모든 운동에는 율동이 있다. 구름도, 바람도, 비도, 눈도 질서 있게, 리듬 있게 움직인다. 그렇다. 모든 질서는, 모든 리듬은 비애를 거느리고 있다. 모든 비애는 고독을 거느리고 있다. 고독 ; 비애 ; 슬픔……, 슬픔을 거느리지 않는 리듬은 반쪽이다. 물론 이 때의 슬픔은 기쁜 슬픔이다. 환한 슬픔이다.

9-5. 관념은 어디에 있는가. 누구의 눈에도 보이지 않는 것이 관념이다. 누구의 손에도 잡히지 않는 것이 관념이다. 보이지 않는 관념, 잡히지 않는 관념……. 관념은 보이지 않고, 잡히지 않아 관념이다.

관념이 보이지 않고 잡히지 않는 것은 그것이 물질이 아니라 정신이기 때문이다, 그것이 고여 있지 않고, 멈춰 있지 않기 때문이다, 겉으로 드러나 있지 않고, 속으로 감추어져 있기 때문이다.

움직이고 변화하는 관념! 활동운화活動運化하는 관념! 관념은 마음속에 숨어 끊임없이 움직이고 떠돌며 이동한다.

10. 시와 진리, 그리고 언어

10-1. 관념이 이처럼 끊임없이 활동운화하는 것은 그것이 궁극적으로 진리를 찾아 헤매기 때문이다. 어떤 무엇으로도 포착할 수 없는 진리, 그 불가능성, 그 없음을 찾아 길을 떠나 끊임없이 방황을 거듭하는 것이 관념이다. 시가 관념을 끌어안지 않을 수 없는 것도 바로 이 때문이다.

하지만 정작 중요한 것은 관념이 아니라 진리이다. 관념은 진리의 겉옷, 아니 진리를 향해 건너가는 징검다리에 불과하다. 시의 경우에도 그것은 마찬가지이다.

진리는 도달하여 향유하는 것(곳)이 아니다. 진리는 지평선 너머 어느 한 곳에 따로 존재하는 것이 아니다. 그러한 형태로 존재하는 진리는 없다. 진리는 온갖 고행 끝에 도달해 다리를 뻗고 몸을 기대고 쉬는 느티나무 그늘이 아니다.

신기루처럼 포착하는 순간 사라져버리는 것이 진리이다. 깨우쳐 알 수는 있으나 언어로 표현할 수는 없는 것이 진리이다.

'진리는 없다' 라는 명제가 설득력을 갖는 것도 이와 무관하지 않다. 언어로 현현되지 않는 존재는 존재가 아니니까.

진리에로의 길, 그 길을 터벅터벅 걸어가는 것, 그렇게 운동하는 것, 운동 그 자체, 아니 운동이 만드는 우주와 하나가 되는 체험이 진리이다. 이때의 진리는 깨달음이며, 일치이며, 황홀이다. 시는 이러한 진리를 담고 있다.

이러한 진리를 진리라고 할 수 있는가. 이러한 진리를 진짜 진리라고 할 수 있는가

10-2. 진리는 없다. 아니 없음 그 자체가 진리이다. 진리는 무無이다. 무無? 무無는 허虛이고 공空이다. 무無가 허虛이고 공空인 것은 유(有)가

영盈이고 색色인 것과 같다. 색즉시공色即是空인 것이고 공즉시색空即是色
인 것이다.

따라서 진리가 무無인 것은 그냥 아무렇게나 무無인 것이 아니다. 없음
으로 하여 있는 있음, 있음으로 하여 있는 없음, 무이유無而有, 유이무有而
無를 가리켜 진리라고 해도 좋다. 이를테면 기연불연其然不然이, 그러면서
도 그렇지 않은 것이 진리인 것이다. 진리에 단일한 이름을 붙일 수 없는
까닭도 이와 무관하지 않다.

이처럼 진리는 단일한 언어로 현현되지 않는다. 진리라고 말하는 순간
진리는 진리가 아닐 수 있고, 진리가 아니라고 말하는 순간 진리는 진리
일 수 있다. 언어를 매개로 포착해 진리라고 말하는 진리, 언어를 매개로
깨쳐 진리라고 명명하는 진리는 이미 진리가 아니다. 그저 진리의 시체일
따름이다. 진리의 껍질, 거푸집, 겉옷이라고 해도 좋다.

겉옷을 만지고 알몸을 만졌다고 할 수는 없다. 시체를 보고 생명을 보
았다고 할 수는 없다. 그럼에도 불구하고 진리를 찾지 않을 수 없는 것이
인간이다, 진리를 드러내지 않을 수 없는 것이 인간이다.

이때의 인간은 인간의 언어라고 해야 좀 더 정확할지도 모른다. 여기서
의 언어가 비록 진리의 시체에 불과할지라도, 비록 진리의 거푸집에 불과
할지라도 그것은 마찬가지이다.

언어를 매개로 진리를 찾고 드러내는 것은 인간 본연의 숙명이다. 삶의
축적과 퇴적이, 아니 역사가 비극적인 것은 바로 이 때문이다. 시의 언어
도 이와 다르지 않다.

10-3. 진리가 없는 것은 진리가 처음부터, 애초부터 '없는 것'이기 때
문이다. '없는 것'인 진리를 끊임없이 찾아다니고 끊임없이 말하는 것은
인간이 애초부터, 처음부터 '없는 것'이기 때문이다.

인간의 구체적인 실재는 '나'이다. 인간의 구체적인 실재인 나……, 나

는 있는가. 나는 없다. 부처님의 말씀대로 '나'는 없다. 끊임없이 움직이고 변화하는 것이 '나'이다. 고정되고 불변하는 '나'는 없다.

없는 나와 없는 진리! 내가 없는데 어찌 진리가 있는가. 내게로 현현되지 않는 진리는 진리가 아니다. 현현될 수 있는 내가 없는데 진리가 어떻게 따로 존재하는가.

진리 찾기, 곧 진리 말하기, 곧 진리 명명하기는 인간의 숙명이다. 이때의 진리는 관념 속에 있지 않다. 관념은 진리에로 가는 징검다리일 따름이다.

진리는 오히려 사물 속에, 형상 속에, 좀 더 구체적으로 말해 시의 형상 속에 있다. 그것이 비록 본질이 아닌 현상에 불과할지라도, 아니 허상에, 아니 그림자에 불과할지라도.

모든 사물은, 모든 형상은 언제나 일상의 모습을, 생활의 모습을 하고 있다. 진리가 일상으로서의, 생활로서의 형상과, 곧 이미지, 이야기, 정서와 섞여 있다는 얘기는 결코 새로운 것이 못 된다.

10-4. 따라서 시의 언어는 진리의 언어라는 등식이 성립하는 것은 불문가지이다. 하지만 시에서의 진리는 이차적이다. 진리보다 선행하는 것이 이미지이고, 이야기이고, 정서이기 때문이다. 앞에서도 말했듯이 진리는 인제나 이들 자질들이 이루는 총체적 형상의 유의미한 의식지향으로 존재한다.

이때의 진리, 시적 진리는 나날의 삶을 위한 한 소식, 자잘한 지혜의 모습을 하고 있기 쉽다. 시의 언어로 포착되는 순간 이미 진리는 시의 언어 밖으로 달아나버린다고 하지 않았는가. 달아나버린다는 말을 미끄러져버린다는 말로 바꾸어도 좋다. 그리하여 시에서 남는 것은 진리의 기미라고 할 수 있는 한 소식, 한 지혜일 따름이다. 하지만 지혜는 실제의 삶에서 얼마나 소중한가.

이때의 지혜를 가리켜 진리가 아니라고, 단지 진리의 껍질일 뿐이라고 단정적으로 말하기는 어렵다. 그 역시 금강석이기는 하지만 질 낮은 금강석이기 때문이다. 질 낮은 금강석이라고? 차라리 진리의 그림자라고 부르는 것이 나을는지도 모른다. 언어에 의해 포착되는 순간 진리는 이미 저만큼 달아나 있기 때문이다.

10-5. 따라서 시의 진리는 사람살이의 자잘하지만 아주 소중한 지혜, 그리고 소식 따위라고 할 수밖에 없다. 이처럼 자잘한 지혜의 모습으로 존재하는 것이 시에서의 진리이다. 따라서 진리의 그림자를 진리라고 부르더라도 어쩔 수 없다. 한계로 가득 차 있는 언어를 매개로 잡아내야 하는 것이 진리가 아닌가.

이때의 자잘한 지혜조차, 소식조차 진리를 향한 벅찬 돈오돈수의 자세 없이는, 강렬한 호연지기의 자세 없이는 결코 찾아오지 않는다. 텅 빈 마음, 텅 비운 마음을 가득 채우고자 하는 바람 같은, 물결 같은, 파도 같은 기세 없이는 그것들을 경험하기 힘들다.

빈 가슴에 바람처럼, 물결처럼, 파도처럼 끊임없이 차오르는 것이, 끊임없이 움직이며 차오르는 것이 시이다.

11. 시와 리듬; 소리들의 질서

11-1. 본질적으로 시는 일종의 바람, 일종의 물결, 일종의 파도이다. 바람, 물결, 파도가 생활의, 일상의 모습으로 움직이며 남기는 떨림, 떨림이 이루는 소리, 소리들의 질서가 시의 언어이다.

따라서 시는 생활의, 일상의 소리 발견하기, 리듬 발견하기이다. 발견해 순간적으로 이름붙이기, 이름붙여 질서 세우기이다.

리듬 ; 시간이 만드는 소리들의 아름다운 질서! 조화롭게 뒤얽혀지는 시간과 함께 하는 소리들의 질서!.

시간이 만드는 소리라니? 시간과 함께 하는 소리라니? 정말 그런가. 언제는 시간 밖에 존재하는 것이 시라더니? 시간을 초극하는 것이 시라더니?

시에서 시간은 어떻게 소리들에 질서를 세우는가. 시에서 시간은 어떻게 자신과 함께 하는 소리들에 체계를 세우는가.

시의 리듬은 차라리 시간 속으로 파고들기, 티끌처럼 시간 위에 몸 눕히기, 시간과 몸 섞으며 동침하기인지도 모른다.

11-2. 시간은 왜 질서를 만드는가, 질서를 만들며 움직이는가.

시간의 궤적, 아니 시간의 족적, 아니 시간의 축적, 아니 시간의 운명 ; 그것이 역사다.

시는 역사 안에 있는가, 역사 밖에 있는가. 시가 역사 밖으로 튕겨나가기는 쉽지 않다. 하지만 좋은 시는 언제나 역사 밖으로 튕겨나간다.

시의 이러한 속성은 어디서 기인하는가. 이는 결국 시가 시간 밖에 존재하고 싶어 하는 것과 같다. 시간 밖에 존재하고 싶어 하는 것은 시의 꿈만이 아니다. 모든 진리가 다 시간 밖에 존재하고 싶어 하기 때문이다.

때로 시에게 역사는 속박일 수도 있다. 하지만 제대로 역사를 통과하지 못하는 시는 미처 시가 되지 못한다. 역사는 하나의 질서이다. 나아가 하나의 법法이다. 法=水+去. 법은 흘러가는 물, 물처럼 흘러가는 것이 역사다.

물은 아래에서 위로 흐른다. 물이 아래에서 위로 흐른다니? 도대체 어디가 위이고, 어디가 아래라는 말인가. 도대체 아래와 위가 따로 있기는 한가.

묻지 말라. 네가 서 있는 곳의 머리 쪽이 위이고, 다리 쪽이 아래다. 그렇다. 물은 위에서 아래로 흐른다. 머리 쪽에서 다리 쪽으로.

11-3. 정말 그러한가. 꼭 그렇지는 않다. 물관을 따라 흐르는 물, 물관의 물은 아래에서 위로, 뿌리에서 잎새로 흐르기도 한다. 물관을 따라 흐르며 나무를, 사람을, 세상을 키우는 물…….

물관 ; 물길, 물은 본래 길을 따라 흐른다. 길은 도道이다. 그러면 길은 도道, 도는 언어……, 이러한 도식도 가능한가. 가능하면서도 가능하지 않다.

물의 흐름 ; 곧 역사의 흐름. 역사는 (멀리) 순환하는가. (가까이) 발전하는가. 적어도 (더 가까이) 지향하는가. 그리하여 역사는 시간적으로 인간의 수평적인 관계를 향해, 공간적으로 단위 민족국가(통일국가)를 향해 흐르는가. 이제는 역사가 그렇게 흐른다고 믿는 수밖에 없다.

그렇게 흐르는 것도, 운동하는 것도 시간의 지혜이다. 그렇다면 시는? 시는 지금 어디에 서 있는가. 어디에 서 있어야 하는가. 시는 지금 어디에 앉아 있는가. 어디에 앉아 있어야 하는가.

오늘도 시간 밖을 꿈꾸는 것이, 시간 밖으로 튕겨나가려고 애쓰는 것이 시인가. 영원하고도 항구한 진리를 꿈꾸는 것이!

12. 나오는 군소리

각자 이 선생이 지금까지 남긴 잡언雜言은 일단 이러한 정도로 수렴되고 집합되어 있다. 다소 허황虛荒되어 보이는 이 글은 그가 내뱉은 몇몇 사고의 편린일 따름이다. 화두 또는 호기심, 아니 엉성한 영감靈感 따위……. 잡다한 조각 글들이기 때문에 오히려 이 글들은 소중할 수 있다. 진정한 마음은 본래 이처럼 파편적으로 산재되어 있기 때문이다.

이각자 선생이 하산을 해 반도 남쪽의 자하시에서 거주한 지도 벌써 10여 년에 가까워지고 있다. 특별히 말로 표현하지는 않지만 간혹 그는 산에서 공부에 매진하던 시절을 그리워하기도 한다. 늘 자신의 공부가 부족하다고 생각하는 것이 각자 이 선생이다. 다시 산으로 돌아가 미진한 공부를 마저 하고 나면 그가 좀 더 완벽한 글을 남길 수 있을까. 지금까지 옆에서 줄곧 지켜 보아왔지만 기록자로서는 쉽게 단정하기가 어렵다.

어쨌거나 이각자 선생은 아직 펄펄 살아 있는 젊은(?) 사람이다. 따라서 어디선가 이 글을 보고 나중에라도 그가 직접 앞장서 자신의 생각을 자신의 언어로 좀 더 설득력 있게 정리할 수도 있다. 그렇게 기대를 해보는 수밖에 없다.

하지만 정작 기대해야 할 것은 각자 이 선생이 아니라 시간이다. 시간이 나서서 그에게 이 일을 시켜야 하기 때문이다. 오늘의 시간에게 그럴 여유가 있는지 모르겠다. 일단은 기다려 보는 수밖에 없다.

각설하고, 이 글에 다소라도 오류가 있다면 당연히 그것은 각자 이 선생의 탓이 아니다. 그의 말을 듣고 기록한 사람의 기억에 문제가 있을 것이기 때문이다. 모든 기록과 기록의 해석에는 항상 오류가 따르기 마련이다. 기록자로서 미리 이 글의 한계를 밝혀 두려는 것이다.

일찍이 공자님께서는 인자무적仁者無敵이라고 말한 바 있다. 인자무적! 이 얼마나 실천하기 어려운 말인가. 독자 여러분의 바다와 같은 양해를 바랄 따름이다.(1999)